Les
Poissons
d'aquarium

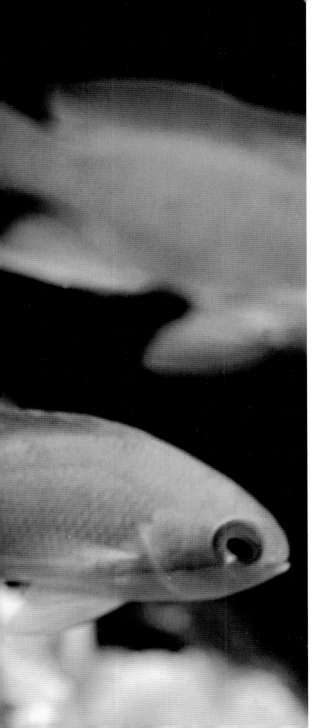

Les
Poissons
d'aquarium
Plus de 200 espèces

Jeremy Gay

Adaptation française de
Lucie Delplanque et
Emmanuel Pailler

Gründ

Adaptation française : Emmanuel Pailler (pages 6 à
135) et Lucie Delplanque (p. 136 à 253)
Secrétariat d'édition : Émilie Collet
Texte original : Jeremy Gay

ISBN 978-2-7000-1586-7
Dépôt légal : janvier 2007
PAO : APS Chromostyle
Imprimé en Chine

Sommaire

Introduction

L'aquariophilie est un loisir aussi passionnant que relaxant. L'effet calmant d'un aquarium est reconnu depuis longtemps ; des études scientifiques ont montré que le simple fait d'observer des poissons diminuait la tension artérielle et pouvait servir d'antidote au stress de la vie moderne. Cependant, il n'est pas toujours simple de choisir le bon poisson – et de s'en occuper correctement.

Cet ouvrage, destiné au novice comme à l'aquariophile expérimenté, est un guide détaillé sur l'art de choisir et d'entretenir des poissons d'aquarium. Il existe un vaste choix d'espèces disponibles, mais nombre d'entre elles sont très exigeantes. Si ses besoins ne sont pas satisfaits, votre poisson risque de ne pas s'épanouir dans votre aquarium. Des fiches détaillent les différents critères liés à chaque poisson et vous permettront de faire vos choix en connaissance de cause, ce qui constitue la clé du succès. Même si l'entretien d'un poisson semble au début une corvée, quelques visites à un magasin d'aquariophilie vous convaincront rapidement que la création d'un aquarium constitue un projet passionnant, source de grandes joies.

Ce livre présente une liste de tous les poissons les plus appréciés, ainsi que quelques autres trouvailles plus rares. Leur diversité est telle que même les aquariophiles les plus expérimentés y trouveront matière à innovation, tandis que les néophytes n'éprouveront aucune difficulté à choisir les poissons qui leur conviendront le mieux. Les fiches contiennent toutes les informations nécessaires sur chaque espèce, notamment des conseils d'entretien et d'élevage.

La taille d'une espèce reste un facteur essentiel à prendre en compte dans l'achat d'un poisson d'aquarium, et nous indiquons la taille moyenne d'un poisson adulte pour chaque espèce, en précisant les éventuelles différences entre les sexes. De même, la taille minimale d'un aquarium est précisée en fonction de chaque poisson : les espèces particulièrement volumineuses sont signalées, car elles risquent de nécessiter des aquariums particulièrement imposants, voire de ne pas survivre en captivité. La compatibilité des espèces a également été prise en compte, car vos poissons doivent pouvoir cohabiter en harmonie. Les profils présentés indiquent quelles espèces peuvent vivre ensemble et lesquelles doivent être séparées, en donnant une description comportementale de chaque poisson.

Des cartes montrant l'origine géographique des espèces présentées vous permettront de mieux visualiser leur habitat naturel, en particulier si vous désirez créer un aquarium biotope reproduisant un environnement spécifique. À ces données viennent s'ajouter des descriptions d'habitats et des conseils pratiques de décor, afin d'adapter votre aquarium aux besoins du poisson qui l'habitera.

Le but de cet ouvrage, écrit par un aquariophile pour des aquariophiles, est de partager son savoir, afin que son lecteur, quelle que soit son expérience, puisse s'adonner à ce merveilleux loisir, en créant un environnement coloré, plein de vie et de mouvement. La réalisation d'un tel aquarium est à la portée de tous. À vous de jouer !

Des poissons vivant en harmonie, gage d'un aquarium réussi.

Le choix des poissons

L'une des décisions les plus difficiles à prendre concerne le type de poisson que vous installerez dans votre aquarium. Certaines espèces sont plus exigeantes que d'autres, en termes de temps ou de budget. En prenant ces facteurs en compte, vous éviterez d'acquérir un poisson qui ne vous convient pas. Dans le doute, les poissons tropicaux constituent un excellent moyen de débuter, avec des espèces faciles et d'autres plus délicates.

Les poissons d'eau douce

La plupart des poissons d'aquarium actuels proviennent des zones chaudes et tropicales. Les poissons tropicaux les plus courants sont originaires d'Amérique du Sud, d'Afrique et d'Asie du Sud-Est, mais ces espèces peuvent venir de tout endroit où l'eau est à une température constante de 20 à 30 °C. Parmi les habitats principaux figurent les torrents de montagne ou de jungle, les cours d'eau plus importants, les lacs et estuaires ; certaines espèces habitent même des étangs semi-permanents qui s'assèchent en été.

Les poissons d'eau froide destinés aux aquariums proviennent de zones tempérées, comme l'Europe, l'Amérique du Nord et la Chine.

La grande majorité des poissons pour aquariophiles est élevée pour le commerce en Asie du Sud-Est et en Extrême-Orient, où les températures clémentes permettent la reproduction de centaines d'espèces en extérieur.

Les poissons marins

Les poissons marins élevés en aquarium ont pour habitat naturel les récifs de coraux, notamment ceux de la mer Rouge et de l'Atlantique ouest, du Pacifique ouest et sud et de l'océan Indo-pacifique. Les récifs coraux n'apparaissent qu'aux endroits où des conditions particulières d'ensoleillement, de courants et de profondeur se combinent

En haut : les Killis vivent dans des plans d'eau semi-permanents qui s'assèchent en été.
En bas : les poissons clowns sont une espèce marine appréciée. Ils vivent dans les coraux.

à certaines températures et à la présence de nutriments spécifiques. La grande diversité des espèces marines tropicales implique la production de nombreux types de nourriture différents pour les poissons, entraînant une forte spécialisation : certaines espèces ne peuvent survivre en dehors de leur environnement de prédilection.

Les aquariums pour poissons tropicaux conviennent aux aquariophiles de tous niveaux et peuvent accueillir plusieurs espèces différentes.

Le choix

Avant d'acquérir un poisson pour votre aquarium, vous devez prendre une série de décisions :
• Quelle sorte de poisson désirez-vous ?
• Quelle sera la taille de votre aquarium ?
• Où sera-t-il disposé ?
Certains types de poissons – des poissons marins, par exemple – s'avéreront plus exigeants en termes de temps ou de budget. Les poissons tropicaux ou d'eau froide peuvent être plus faciles et moins oné-

reux, mais certaines espèces tropicales d'eau douce ont également besoin de soins particuliers.

Qu'il s'agisse d'espèces bien connues ou de variétés plus récentes, le savoir-faire et le temps nécessaires diffèrent d'un type de poisson à l'autre.

La clé de la réussite reste, tout simplement, le plaisir : après tout, c'est un loisir et non un travail. Le temps et les efforts que vous y consacrerez ne doivent jamais paraître une corvée. L'aquariophilie est avant tout un moment de détente, à condition de posséder les informations nécessaires pour s'y adonner. Avec le développement de la recherche et de la technologie, nous vivons une époque où il n'a jamais été aussi facile ni aussi gratifiant de s'occuper de poissons.

L'espèce parfaite, correspondant à vos aspirations, vous attend ; votre expérience et votre savoir-faire progresseront tout au long de votre vie d'aquariophile.

Les biotopes

Le biotope d'un aquarium constitue la copie d'un environnement naturel. Il doit contenir des espèces de poissons et de plantes vivant ensemble dans la nature, et le décor doit également évoquer ce milieu, en utilisant les mêmes matériaux si cela est possible. Un décor naturel donnera une impression d'authenticité, et peut aussi servir à dissimuler des éléments de chauffage ou des filtres. Un aquarium bien conçu montrera les poissons sous leur meilleur jour.

Un biotope fréquemment reproduit dans les aquariums est celui de l'Amazonie. Dans cet environnement, des eaux tièdes et faiblement acides traversent la jungle, charriant du bois et des feuilles sur leur passage. Ces éléments végétaux donnent à l'eau une couleur de thé et peu de plantes poussent dans ce milieu trop acide et dépourvu de nutriments. Le lit du fleuve est principalement constitué de sable fin avec de grandes quantités de bois.

La création de biotopes en aquarium constitue un passe-temps apprécié, qui demande des recherches et du savoir-faire. Les poissons s'épanouissent certainement mieux dans un environnement similaire à leur habitat naturel ; si certains d'entre eux se servent du camouflage, comme le poisson-chat, vous pourrez observer la manière dont ils l'utilisent. Les aquariophiles expérimentés ont tendance à s'intéresser davantage au paysagisme aquatique, en s'éloignant des décors multicolores classiques.

L'imitation de la nature

La première étape consiste à se procurer un aquarium de taille adéquate. L'avantage des biotopes amazoniens est qu'il existe un large choix d'espèces de petite ou de grande taille : ainsi, même un aquarium de dimensions modestes peut devenir un biotope. Ensuite, l'équipement doit comporter un thermostat et un chauf-

fage, un filtre et un éclairage approprié. Préférez les filtres qui projettent également un courant dans l'eau, imitant un cours d'eau naturel.

Le fond de l'aquarium doit être recouvert de sable fin, et l'aquarium proprement dit doit être décoré de géné-

Cet aquarium d'aspect naturel n'est pourtant pas un biotope : la plupart des cours d'eau amazoniens ne contiennent pas de plantes.

Des biotopes marins peuvent être recréés en choisissant des poissons et des coraux de la même région.

ajoutée à l'aquarium une fois rempli, et la température de l'eau doit être réglée à 26 °C environ, correspondant aux conditions amazoniennes moyennes. Voilà donc un aquarium conçu pour imiter un environnement naturel, et correspondant aux besoins du poisson qui y vivrait.

Il existe de nombreux biotopes différents, tous uniques, mais imitables, comme le lac Malawi, les mangroves, les cours d'eau, les marais herbeux, etc. Un aquarium « à thème » ne doit pas nécessairement représenter un endroit lointain, mais peut ressembler aux cours d'eau de votre région. Il faut simplement mener des recherches sur l'habitat naturel des espèces qui vous intéressent.

L'entretien des poissons captifs

L'avantage du biotope est qu'il peut favoriser de manière cruciale la condition et même la reproduction des poissons ; en outre, vous y observerez peut-être un comportement plus naturel. Les aquariophiles puristes seront certainement attirés par ces biotopes, désireux d'offrir le meilleur à leurs poissons et de rendre leur vie en captivité aussi confortable et agréable que possible.

reuses quantités de tourbe, d'aspect naturel, qui donnera à l'eau une teinte marron. L'eau utilisée sera purifiée pour être douce et ne pas contenir de minéraux, comme celle de l'Amazone. Aucune plante ne doit être

Poissons pour un biotope d'Amazonie

Corydoras panda (p. 162)
Otocinclus nain (p. 170)
Poisson crayon (p. 85)
Poisson hachette marbré (p. 83)
Ramirezi (p. 147)
Tétra cardinal (p. 74)
Nez rouge (p. 67)

Poissons pour un biotope d'Asie

Poisson Arlequin (p. 106)
Barbus rosé (p. 93)
Barbus torpille (p. 105)
Gourami nain (p. 125)
Loche coolie (p. 91)
Mangeur d'algues siamois (p. 100)
Silure de verre (p. 177)

Poissons pour un biotope d'Afrique de l'Ouest

Cichlidé joyau (p. 143)
Cichlidé pourpre (p. 152)
Cténopoma léopard (p. 120)
Poisson éléphant (p. 191)
Silure du Congo (p. 173)

La santé des poissons

Comme tout autre animal, le poisson peut souffrir d'une maladie. Certaines sont mortelles mais d'autres peuvent être guéries par une intervention humaine. Les poissons sont rarement emmenés chez le vétérinaire, et sont soignés par leur propriétaire avec un certain nombre de médicaments disponibles dans les magasins spécialisés. Parmi les instruments utiles figurent des nécessaires de test et un bac de quarantaine, qui accueillera les poissons récemment acquis ou malades.

La santé des poissons

Il faut absolument que vos poissons restent en bonne santé ; pour cela, il existe plusieurs méthodes. La première est de ne pas « stresser » l'animal, car il s'agit souvent d'un facteur pathogène important. La maladie est la deuxième cause de mortalité chez les poissons, après la mauvaise qualité de l'eau. En outre, les maladies sont, dans la plupart des cas, directement liées à cette même qualité de l'eau.

Le stress

Il peut être provoqué par plusieurs facteurs, comme une qualité de l'eau insuffisante, un changement soudain de température, des vibrations ou des bruits désagréables, des manipulations ou des transports brutaux. Comme pour les humains, le stress est alors déclenché par la fatigue et nuit au système immunitaire des poissons, les rendant plus vulnérables aux maladies.

Pour éviter le stress, nous devons fournir aux poissons l'environnement qui leur convient, avec une qualité de l'eau optimale (en termes de température, de pH et de dureté), mais aussi un aquarium de taille correcte et un décor accueillant. En outre, le poisson ne doit côtoyer que des espèces compatibles avec la sienne.

Les écailles hérissées de ce poisson indiquent une hydropisie, peut-être provoquée par une eau de mauvaise qualité.

La maladie

Un poisson souffrant d'un système immunitaire affaibli peut attraper des maladies ; il est souvent vrai qu'un poisson « heureux » tombe rarement malade. La maladie peut prendre la forme d'une infection parasitaire ou bactérienne. Les poissons ayant contracté une infection parasitaire peuvent aussi souffrir d'infections bactériennes ou fongiques.

Si votre poisson commence à donner des signes de maladie, avec des symptômes apparents, comme des taches blanches ou fongiques, il vaut mieux l'emmener à votre magasin habituel pour établir un diagnostic certain, car les traitements varient en fonction des affections. Si, en revanche, le poisson paraît clairement malade mais présente des symptômes vagues – comme des nageoires crispées ou un manque d'appétit – vérifiez la qualité de l'eau ; en améliorant celle-ci, il arrive souvent que l'on arrive à guérir le poisson.

Aquarium hôpital

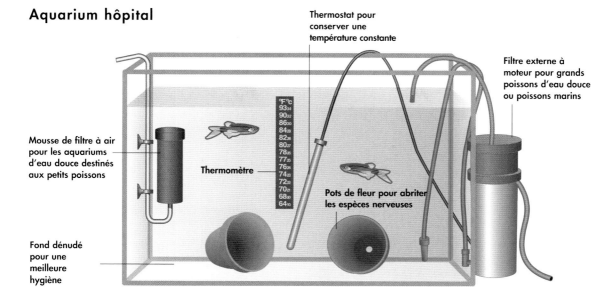

Thermostat pour conserver une température constante

Filtre externe à moteur pour grands poissons d'eau douce ou poissons marins

Mousse de filtre à air pour les aquariums d'eau douce destinés aux petits poissons

Thermomètre

Pots de fleur pour abriter les espèces nerveuses

Fond dénudé pour une meilleure hygiène

Traitement

Si une maladie est diagnostiquée, le poisson doit être traité de manière rapide et efficace, car la plupart des espèces malades ne survivront pas plus de quelques jours. Tous les traitements doivent être effectués en tenant compte du volume d'eau dans l'aquarium. Enlevez toujours les éventuels filtres chimiques et coupez les stérilisateurs ultraviolets si vous en avez, car ils nuisent à l'efficacité des médicaments.

Vérifiez l'eau avant d'avoir recours à des médicaments : si la qualité de l'eau reste médiocre, le poisson ne guérira pas.

CONSEIL

Si un poisson de l'aquarium principal est malade, c'est tout l'aquarium qui doit être traité, même si les autres semblent en bonne santé.

La quarantaine

Une fois l'aquarium principal traité, vous pouvez installer le poisson malade dans un aquarium « hôpital ». Même s'il s'agit d'un simple récipient doté d'un filtre, il vous permettra de mieux observer votre poisson. Il vous sera également plus facile d'administrer les médicaments et de changer l'eau, car les aquariums de secours sont généralement de petite taille, de 60 cm de long ou moins.

Les poissons récemment acquis devraient être placés dans un aquarium de quarantaine avant d'être installés dans l'aquarium principal, afin d'être isolés s'ils étaient porteurs d'une maladie quelconque ; cette méthode permet de préserver les habitants du récipient principal (voir p. 26-27).

Les poissons soignés par médicament ne doivent avoir présenté aucun symptôme pendant deux semaines avant d'être placés dans l'aquarium principal. Certains magasins spécialisés placent leurs poissons en quarantaine avant de les présenter à la vente, pour s'assurer qu'ils sont en bonne santé. Un magasin qui pratique ce genre de quarantaine mérite certainement une visite.

La santé des poissons

La qualité de l'eau

Pour avoir des poissons en bonne santé, il est nécessaire de gérer la qualité de l'eau. Dans la nature, les lacs, cours d'eau et océans sont naturellement purs et dénués de polluants – du moins en théorie. Les poissons ont évolué pour s'adapter à leur environnement naturel, et ne tolèrent guère le changement. L'eau de l'aquarium doit donc rester propre et bien oxygénée. L'ammoniac, les nitrites et les nitrates sont des produits toxiques créés par la production de déchets ; s'ils ne sont pas traités, ils provoqueront la mort du poisson. Il faut donc purifier l'eau au moyen d'un filtre.

Comment tester l'eau ?

L'eau est testée pour déterminer son niveau d'ammoniac, de nitrites et de nitrates, ainsi que son pH et sa dureté. Le pH et la dureté de l'eau varient selon les lieux, et les poissons ont évolué pour s'adapter à tel ou tel type d'eau. Un pH élevé peut accroître la toxicité de l'ammoniac.

Les tests de l'eau indiquent si les bactéries des filtres fonctionnent correctement et s'il est donc possible d'y ajouter des poissons. Le niveau de nitrate montre si l'ammoniac et les nitrites sont transformés par les bactéries, et s'il faut éventuellement changer l'eau – ce qui constitue un bon moyen de contrôler le niveau de nitrates. Enfin, un test révélant une mauvaise qualité de l'eau pourra expliquer pourquoi un poisson est tombé malade.

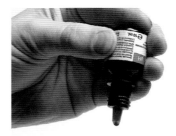

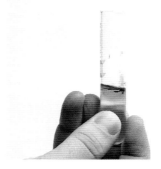

Testez le pH de l'eau et choisissez des espèces appropriées.

Le cycle de l'azote

L'aquariophilie nous révèle toute l'utilité de nos cours de sciences naturelles. Il existe un phénomène connu sous le nom de cycle de l'azote : c'est la manière dont la nature traite les déchets émis par les poissons. Les poissons produisent de l'ammoniac toxique et du CO_2 quand ils respirent et défèquent. Les bactéries nitrosomonas, présentes dans l'eau, absorbent ces bactéries nuisibles et les transforment en nitrites. Ceux-ci sont à

CONSEIL

Neuf fois sur dix, la mauvaise qualité de l'eau est responsable de la maladie des poissons. Il faut donc tester l'eau avec un matériel spécialisé.

Comment le cycle de l'azote bénéficie aux poissons et aux plantes

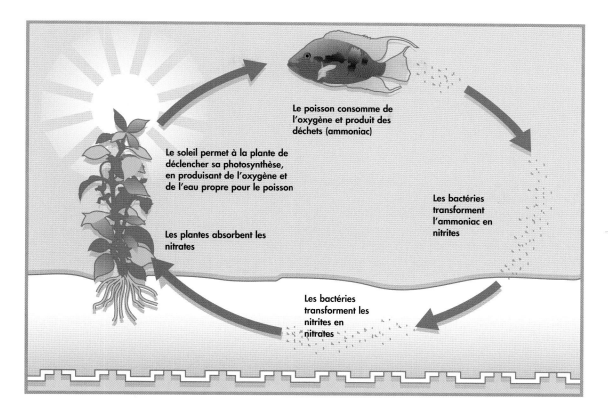

Le poisson consomme de l'oxygène et produit des déchets (ammoniac)

Le soleil permet à la plante de déclencher sa photosynthèse, en produisant de l'oxygène et de l'eau propre pour le poisson

Les bactéries transforment l'ammoniac en nitrites

Les plantes absorbent les nitrates

Les bactéries transforment les nitrites en nitrates

leur tour transformés en nitrates par une autre forme de bactérie, les nitrobacter. Enfin, les plantes absorbent les nitrates et le CO_2 par le processus de photosynthèse et produisent de l'oxygène pour les poissons.

Le cycle de l'azote contribue aussi à diminuer les déchets des aquariums. Cependant, ceux-ci sont surpeuplés par rapport aux eaux naturelles, et il faudrait de nombreuses plantes par rapport au nombre de poissons pour que le cycle naturel fonctionne seul. Il faut donc aider la nature, en changeant l'eau régulièrement, ce qui améliorera le cycle de l'azote.

Une eau de qualité

Pour maintenir une bonne qualité de l'eau, il faut :
- acquérir un bon filtre, susceptible d'accueillir les bactéries pour décomposer les déchets ;
- peupler lentement l'aquarium, ce qui donne aux bactéries le temps de s'adapter à chaque nouvelle arrivée ;
- ne pas surpeupler l'aquarium : le filtre ne contiendrait plus assez de bactéries ;
- changer régulièrement une partie de l'eau contenue dans l'aquarium afin d'éliminer l'excès de nitrates.

La qualité de l'eau

La filtration de l'eau

Le filtre constitue l'élément essentiel de votre aquarium. Il décompose les déchets toxiques produits par les poissons et peut fournir de l'oxygène et un courant d'eau, mais aussi nettoyer les déchets par une action physique. Il existe plusieurs types de filtre, avec leurs avantages et leurs inconvénients. Il est donc essentiel de déterminer le genre de filtre qui convient à votre aquarium : la santé de vos poissons en dépend.

Les différents types de filtre

Il existe deux sortes principales de filtres, les filtres à air et les pompes à moteur électrique. Ceux-ci se divisent à leur tour en systèmes extérieurs et intérieurs.

Les filtres à air

Les filtres à air sont actionnés par une pompe à air, placée en dehors de l'aquarium. La pompe envoie de l'air dans l'aquarium par un tube étroit, où il est relié au filtre. L'air s'élève dans un tube de plastique plus large, faisant remonter l'eau dans ce tube avec les bulles d'air. Ce type de filtre place la matière filtrante devant l'eau entrante, qu'il filtre donc en retenant physiquement toutes les particules qu'elle contient. Les particules sont arrêtées par un filtre éponge (ou par du gravier dans le cas d'un filtre sous gravier). Le matériau de filtration sera alors colonisé par les bactéries, qui contribueront à décomposer les déchets que le filtre a retenus.

Les pompes à moteur électriques

Ces filtres sont donc actionnés par un moteur à électricité. Plus puissants que les filtres à air, ils conviennent mieux aux aquariums et poissons de taille plus importante.

Filtre à moteur extérieur

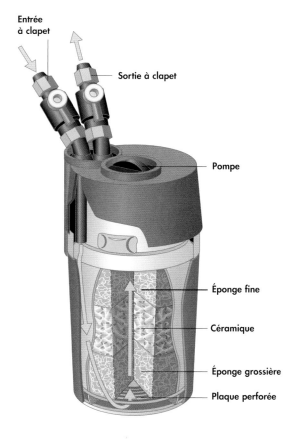

Entrée à clapet

Sortie à clapet

Pompe

Éponge fine

Céramique

Éponge grossière

Plaque perforée

Les filtres intérieurs à moteur sont disposés à l'intérieur de l'aquarium au moyen de ventouses de caoutchouc, en général dans un coin ou à l'arrière, pour plus de discrétion. Ces filtres ne sont vendus qu'avec une éponge comme matériau de filtration et celle-ci sera aussi colonisée par les bactéries au fil du temps.

Les filtres intérieurs multiples peuvent contenir plusieurs matériaux de filtration et des instruments d'aération plus importants, projetant des bulles d'air dans l'eau.

Les filtres extérieurs, eux, sont placés dans une boîte sous l'aquarium et lui sont reliés par deux tubes en PVC, l'un d'entrée, l'autre de sortie. Ces unités puissantes et pressurisées contiennent plusieurs matériaux de filtration. Plus onéreuses que les filtres intérieurs, elles représentent un meilleur choix pour les grands aquariums ; en outre, même disposées à l'extérieur, elles ne sont guère bruyantes et ne fuient pas.

CONSEIL

Sans filtre biologique pour décomposer les déchets, nous serions incapables de conserver une telle diversité de poissons. En maîtrisant l'usage des bactéries, vous maîtriserez la qualité de l'eau, ce qui constitue l'une des talents essentiels de l'aquariophile.

Les matériaux de filtration

L'eau de l'aquarium peut être filtrée de trois manières : mécanique, chimique et biologique.

La filtration mécanique est la plus simple : elle capture les particules de déchets au passage de l'eau – utilisant des matériaux comme les éponges ou la laine spéciale.

Les matériaux de filtration chimique absorbent les produits dangereux dans l'eau, y compris les teintures et les médicaments. Le matériau chimique le plus répandu est le carbone.

La filtration biologique utilise des bactéries pour absorber l'ammoniac produit par les poissons. Les bactéries transforment cet ammoniac en nitrites puis en nitrates, qui sont moins toxiques pour l'animal.

En haut : la tourbe, matériau de filtration chimique, peut être utilisée pour reproduire des conditions amazoniennes.
En bas : la laine, matériau peu onéreux de filtration mécanique, doit être changée dès qu'elle est sale.

La filtration de l'eau

L'entretien de l'aquarium

Cet entretien est essentiel ; il implique de nettoyer l'aquarium, mais aussi de changer l'eau pour éviter les maladies et le développement d'algues nuisibles. L'entretien de l'aquarium nécessite des interventions quotidiennes, hebdomadaires et mensuelles. Certaines d'entre elles sont essentielles, d'autres sont à caractère purement esthétique. En tout état de cause, tous les aquariums ont besoin d'être entretenus, et certains plus que d'autres.

Nettoyage des algues

Cette opération, à pratiquer au moins une fois par semaine, sert surtout à donner un meilleur aspect à l'aquarium. Les algues poussent sur toutes les surfaces intérieures, et elles risquent de gêner la vue sur les poissons.

Il est possible d'enlever les algues par simple grattage des parois à l'aide d'un tampon abrasif ou d'un racloir d'aquarium équipé d'une lame métallique. Nettoyez toutes les surfaces intérieures en même temps. Si les algues s'accumulent, elles deviennent bien plus difficiles à enlever, transformant cette opération en corvée. À ce stade, il est préférable d'utiliser un grattoir doté d'une lame en métal. Si les algues poussent très vite dans votre aquarium, demandez-vous s'il ne faut pas changer les paramètres de l'eau. Une lumière excessive ou des taux de phosphate élevés peuvent être responsables de ces problèmes.

CONSEIL

**La croissance excessive des algues dans les aquariums est l'une des raisons majeures pour lesquelles certaines personnes abandonnent ce loisir.
En enlevant régulièrement ces algues, vous éviterez ces désagréments, ne serait-ce que sur un plan esthétique.**

Changement d'eau

Il est encore plus essentiel de changer l'eau que de nettoyer les algues, afin d'empêcher l'apparition d'éléments polluants ; si l'eau n'est pas changée, la santé des poissons sera rapidement mise en péril.

La principale raison de changer l'eau est d'abaisser le niveau des nitrates, qui sont produits par les bactéries des filtres en décomposant des substances plus dangereuses. Si vous avez un niveau élevé de nitrates, d'autres algues apparaîtront, ce qui peut agresser ou même tuer des poissons récemment installés.

La meilleure eau reste l'eau purifiée, sans nitrate, phosphate ou chlore. La meilleure eau purifiée est celle obtenue par osmose inverse, disponible dans les magasins spécialisés. Si vous utilisez de l'eau du robinet, testez d'abord son taux de nitrates pour vous assurer qu'il est faible. Si les tests montrent que le taux de nitrates dans l'eau du robinet est supérieur à 20 pour un million, cette eau pourra également accroître le taux de nitrates dans l'aquarium principal.

En règle générale, il faut changer toutes les deux semaines environ 25 % de l'eau de l'aquarium ; les tests doivent montrer que les taux de nitrates sont contrôlés ou diminués par cette méthode. Sinon, il faudra peut-être procéder à des changements d'eau plus importants et plus fréquents.

Quand vous changez l'eau, utilisez un tuyau à siphonner pour la transférer dans un seau, lequel sera ensuite jeté. Assurez-vous systématiquement que l'eau ajoutée est

Utilisez un tuyau siphon pour enlever l'eau de l'aquarium (ici, relié à un instrument de nettoyage des graviers).

à la même température que celle de l'aquarium principal ; si vous utilisez de l'eau du robinet, vous devez également ajouter un traitement contre le chlore et les chloramines. Pour chauffer l'eau, placez une tige chauffante à thermostat dans le seau, ou ajoutez l'eau d'une bouilloire.

Attention !

Une eau ajoutée trop brutalement, ou trop froide, peut déclencher une épidémie de maladie des points blancs.

L'entretien du filtre

Les matériaux de filtrage doivent être nettoyés une fois par mois, sous peine de s'engorger. Nettoyez les éponges dans l'ancienne eau de l'aquarium, afin de préserver leurs bactéries. Les céramiques doivent, elles aussi, faire l'objet d'un simple rinçage avant d'être remises dans le filtre.

Les matériaux à fonctionnement chimique, comme le carbone, doivent être remplacés tous les mois, car ils saturent et peuvent relâcher des produits chimiques dans l'eau. Le corps du filtre doit être nettoyé soigneusement. Le mécanisme de propulsion à l'intérieur des filtres à moteur doit également être démonté et nettoyé régulièrement ; s'il s'encrasse, il peut empêcher le filtre de fonctionner.

QUESTION

Dois-je changer toute l'eau et le décor de l'aquarium régulièrement ?

Non, car cela enlèverait toutes les bonnes bactéries qui se trouvent dans le gravier et sur les surfaces du décor. Si vous enlevez le filtre et le nettoyez sous le robinet, vous le stériliserez, perdant toutes les bactéries utiles, ce qui peut entraîner la mort des poissons.

La compatibilité des poissons

Même si nous le souhaitons, toutes les espèces de poissons ne vivent pas en bonne harmonie dans le même aquarium. Outre le fait que les poissons de différentes régions vivent dans différents types d'eau, les espèces originaires du même habitat naturel ne se mélangeront pas forcément, car l'une peut être prédatrice de l'autre, ou encore manifester un comportement territorial et détester ses congénères. Les poissons qui tolèrent toutes sortes d'autres espèces sont appelés sociables (ou communautaires) ; ceux qui ne manifestent pas cette tolérance sont non sociables.

Les poissons sociables et les autres

Les poissons sociables constituent des espèces au comportement mesuré, non agressif, et peuvent cohabiter avec d'autres espèces, même plus petites, sans les manger.

Les poissons non sociables ne le sont pas pour plusieurs raisons. Ils peuvent devenir trop gros pour la plupart des aquariums, ou peuvent se montrer agressifs envers d'autres poissons. Certains sont territoriaux ou très prédateurs. D'autres encore peuvent combiner toutes ces caractéristiques et ne supporteront la présence d'aucun autre poisson, ce qui signifie qu'ils doivent rester seuls toute leur vie.

Les poissons rouges doivent cohabiter dans un aquarium d'eau froide.

Les aquariums spécialisés

Un aquarium spécialisé n'est prévu que pour accueillir une seule espèce, soit en groupe, soit un individu. Par exemple, il peut s'agir d'un aquarium contenant un groupe de piranhas, qui ne peuvent cohabiter avec aucune autre espèce mais supportent leurs congénères. Le terme d'aquarium spécialisé peut aussi désigner un aquarium recevant un poisson non sociable et devant rester seul.

Les coraux

Les espèces marines comportent également des poissons sociables, tel le poisson-clown, qui peut cohabiter avec la plupart des autres espèces, et d'autres non sociables, tel le poisson-lion qui mange les petits poissons.

Il faut tenir compte d'un autre facteur pour les espèces marines : leur compatibilité avec les coraux et les invertébrés. La plupart des poissons marins tropicaux vivant en aquarium ont pour habitat naturel des récifs de coraux, mais certains poissons de cet environnement se nourrissent directement des récifs. Là encore, le poisson-clown est un poisson sociable qui cohabite sans problème avec la plupart des invertébrés, notamment les coraux. Le poisson-lion ne s'attaque pas non plus aux coraux, mais peut manger des crevettes et autres invertébrés mobiles : il n'est donc pas compatible avec les environnements de coraux.

Poissons d'eau douce

Les listes suivantes de poissons tropicaux d'eau douce, sociables et non sociables, comportent des espèces de chaque famille de poissons, pour montrer leur diversité.

Poissons sociables

Silure aiguille (p. 166)
Barbus rosé (p. 93)
Codarydas panda (p. 162)
Danio rerio (p. 99)
Gourami nain (p. 125)
Guppy (p. 55)
Jordanelle de Floride (p. 184)
Platy (p. 60)
Ramirezi (p. 147)
Tétra néon (p. 75)
Nez rouge (p. 67)

Poissons non sociables

Arawana (p. 192)
Barbus du Siam (p. 104)
Cichlidé bleu (p. 153)
Cténopoma léopard (p. 120)
Phracto (p. 175)
Piranha à ventre rouge (p. 78)
Tête-de-serpent (p. 188)
Tetraodon nigroviridis (p. 200)
Vairon brochet (p. 53)

Poissons marins

Comme pour les poissons tropicaux d'eau douce, les poissons marins se divisent entre ceux qui peuvent cohabiter avec tous les autres poissons et ceux qui ne le font pas. voici quelques exemples courants d'espèces sociables ou non.

Poissons sociables

Barbier rouge (p. 248)
Chirurgien jaune (p. 207)
Demoiselle verte (p. 239)
Gobie néon (p. 222)
Gobie de feu (p230)
Gramma royal (p. 224)
Poisson-clown (p. 238)
Poisson ange flamme (p. 235)
Apogon de kandern (p. 209)
Poisson mandarin (p. 212)
Serran tigré (p. 249)

Poissons non sociables

Baliste-Picasso (p. 210)
Demoiselle à trois taches (p. 240)
Hippocampe (p. 252)
Mérou à hautes voiles (p. 247)
Murène étoilée (p. 231)
Poisson pêcheur (p. 208)
Poisson-scorpion feuille (p. 246)
Rascasse volante (p. 245)
Souffleur épineux (p. 219)

La compatibilité des poissons

Combien de poissons ?

Si vous installez trop de poissons dans un aquarium, leur santé sera mise en danger à cause de la surcharge imposée à l'oxygène et aux bactéries de filtration et du risque de maladie. Le nombre correct de poissons dépend du type d'aquarium choisi : tropical, d'eau froide ou marin. Les poissons d'eau douce tropicaux sont ceux qui nécessitent le moins d'espace, et les poissons marins ceux qui en prennent le plus ; les poissons d'eau froide forment une catégorie intermédiaire, ayant besoin d'espace en période de croissance, mais raisonnablement robuste.

Les poissons d'eau douce et d'eau froide

Les poissons d'eau douce tropicaux et ceux d'eau froide doivent être installés selon des ratios d'occupation différents, même s'ils sont de même taille. L'eau froide contient plus d'oxygène dissous que l'eau tiède, et les espèces des eaux tropicales se sont adaptées à ces conditions – tout comme les poissons d'eau froide, tel le poisson rouge.

La température de l'eau affecte également le métabolisme du poisson. Ses processus physiologiques s'accélèrent dans l'eau tiède, notamment sa respiration ; ainsi, un poisson d'eau froide placé dans de l'eau tiède respirera plus vite, ce qui accroît la quantité d'oxygène absorbée.

Dans un aquarium, pour les espèces d'eau douce tropicales, il faut compter une surface de 75 centimètres carrés pour 2,5 cm de longueur du poisson. Pour calculer la longueur des poissons pouvant être accueillis dans votre aquarium, utilisez la méthode suivante : divisez l'aire de l'aquarium en centimètres carrés par 75, puis multipliez-la par 2,5. Pour un aquarium de 60 cm de long sur 30 cm de large, nous obtenons 60 x 30 divisé par 75 et multiplié par 2,5 = 60 cm de poisson, soit l'équivalent de 15 à 20 petits poissons. La taille d'un poisson se calcule du bout du nez à la base de la queue.

Les poissons d'eau froide ont besoin de surfaces plus importantes, soit 2,5 cm de poisson pour 150 cm^2 environ. Pour le même aquarium que celui du paragraphe précédent, le calcul donne : 60 x 30 divisé par 150 et multiplié par 2,5 = 30 cm de poisson.

Ces équations ne sont qu'indicatives, et doivent être utilisées de manière rationnelle. Par exemple, si un aquarium tropical peut contenir 60 cm de poissons tropicaux, cela ne signifie certainement pas qu'il pourra accueillir deux oscars de 30 cm ou soixante tétras néon de 1 cm… En outre, ces chiffres ne doivent vous donner qu'une idée approximative, et dans le doute, il vaut toujours mieux sous-peupler que surpeupler un aquarium. Tenez compte de la croissance des poissons, en notant la taille adulte mentionnée dans nos fiches. Certaines techniques actuelles d'aquariophilie permettent le surpeuplement, mais dans ce cas, le filtrage, le changement d'eau et l'alimentation doivent être modifiés en conséquence.

CONSEIL

Les poissons rouges d'agrément possèdent un corps épais et arrondi, beaucoup plus volumineux que les poissons rouges standards. Il faudra donc prendre ce facteur en considération lors de l'alimentation du poisson et du choix d'un système de filtration.

Les poissons marins

Les poissons marins sont les plus sensibles, et doivent disposer d'un espace supérieur aux espèces d'eau froide ou d'eau douce tropicales. Pour les poissons marins, le calcul ne dépend pas de la longueur du poisson rapportée à la surface de l'aquarium mais à son volume, car la plupart des aquariums marins disposent de systèmes de changement d'eau et de filtres performants, ce qui accroît la quantité d'oxygène contenu dans l'eau.

Dans les aquariums destinés uniquement aux poissons, le ratio est de 2,5 cm de poissons pour 9 litres d'eau. Pour les aquariums récifaux contenant des invertébrés fragiles, le ratio est de 2,5 cm de poisson pour 18 litres d'eau. Ainsi, un aquarium de 60 cm, contenant environ 70 litres, ne pourra recevoir que 20 cm de poisson, ou moins de 10 cm s'il est utilisé comme aquarium récifal. Ceci est l'équivalent d'un seul poisson-clown dans un aquarium récifal.

Les nano-récifs connaissent depuis peu un certain succès. Ce sont des aquariums marins de moins de 45 litres. Convenant à de petits invertébrés, ils sont moins stables que des récipients plus volumineux et peuvent souffrir des fortes températures ou de changements brutaux de paramètres d'eau. Il est déconseillé d'ajouter des poissons marins à ces aquariums.

QUESTION

Combien d'invertébrés un aquarium marin peut-il accueillir ?

Les invertébrés ne produisent que très peu de déchets ; en fait, les crabes et les crevettes nettoient l'aquarium. Les invertébrés n'entrent donc pas en compte dans le calcul des poissons et, dans les limites du raisonnable, vous pouvez en installer autant que vous le souhaitez.

Calcul d'un volume cubique

Un aquarium de 60 x 38 x 30 cm, avec un cube de 30 x 30 x 30 cm à l'intérieur

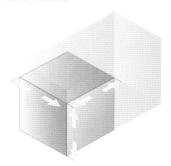

Calcul d'une surface

La surface d'un aquarium est calculée en multipliant sa longueur par sa largeur

Calcul d'un volume

Le volume d'un aquarium est calculé en multipliant sa surface par sa hauteur

L'achat des poissons

Une fois votre aquarium installé et les bactéries utiles arrivées à maturation, vous pouvez acheter votre premier poisson. Cette acquisition ne doit pas se faire à la hâte. Dressez une liste des espèces qui vous intéressent le plus et qui sont le mieux adaptées à votre aquarium, avant même d'entrer dans un magasin spécialisé : en effet, une fois à l'intérieur, vous serez entouré de centaines d'espèces aussi séduisantes que colorées. La majorité d'entre elles conviendront peut-être à votre aquarium, mais pas toutes ; en outre, il ne faut acheter que quelques poissons à la fois.

Les nouveaux aquariums

Si vous disposez d'un aquarium récemment installé, votre choix est assez limité. N'hésitez pas à poser beaucoup de questions au vendeur.

Expliquez tout d'abord que votre aquarium est récent. Montrez les résultats de vos tests d'eau au vendeur, ou apportez-lui un échantillon pour qu'il puisse pratiquer le test sur place. Si le test est concluant, n'achetez cependant rien sur un coup de tête.

Si vous n'êtes pas intéressé par les espèces conseillées mais voulez résolument essayer l'un des poissons particuliers présentés p. 186-193, commencez néanmoins par acheter quelques petits poissons résistants. Ils créeront des déchets qui accéléreront la maturation de votre aquarium. Installer un gros poisson dans un aquarium trop récent, risque en effet d'entraîner des problèmes. Certains vendeurs acceptent parfois de reprendre le petit poisson au bout de quelques semaines, en échange d'une espèce plus grosse. Sinon, il vous faudra juste faire preuve de patience, en laissant l'aquarium « mûrir » sans poisson pendant quatre semaines au lieu d'une, afin que les bactéries utiles se multiplient pendant cette période.

Un aquarium doit parvenir à une maturation suffisante pour recevoir des poissons.

Avant l'achat

Avant de vous rendre dans un magasin spécialisé, vous devez établir une liste des paramètres de votre aquarium, pour vous assurer qu'il est prêt à accueillir des poissons. Voici les éléments clés à retenir :

- le filtre et le système de chauffage sont branchés et fonctionnent normalement ;
- la température de l'eau convient aux espèces choisies ;
- le pH et la dureté de l'eau conviennent aux espèces choisies ;

- le taux d'ammoniac et de nitrites est proche de zéro ;
- le taux de nitrates est suffisamment faible ;
- la maturité de l'aquarium est suffisante.

En ce qui concerne les poissons à acheter, vérifiez que vous connaissez :
- leur taille adulte ;
- leur alimentation ;
- leur compatibilité au sein de l'espèce ;
- leur compatibilité avec d'autres poissons.

Points à vérifier

Pour un observateur inexpérimenté, tous les poissons d'un magasin spécialisé peuvent sembler en bonne santé, mais un aquariophile averti cherchera les signes de mauvaise santé ou de maladie. Attention :
- les nageoires et les yeux de tous les poissons doivent être intacts, aucune écaille ne doit être saillante ;
- les corps des poissons ne doivent porter ni plaie ni infection fongique ;
- de petites taches blanches peuvent indiquer la maladie du même nom, potentiellement mortelle ;
- les poissons doivent nager librement, les nageoires détendues, sans être penchés.

Acclimatez les poissons récemment achetés en ajoutant de l'eau d'aquarium dans leur sac de transport.

Dix questions à poser lors de l'achat d'un poisson

1 Depuis quand les poissons sont-ils dans le magasin ?
2 Ont-ils été placés en quarantaine ?
3 Ont-ils été capturés dans la nature ?
4 Conviennent-ils à un nouvel aquarium ?
5 Combien de temps peuvent-ils passer confortablement dans un sac en plastique ?
6 Quand sont-ils nourris ?
7 Acceptent-ils d'autres formes d'alimentation ?
8 Sont-ils compatibles avec d'autres poissons ?
9 Quel est leur prix ?
10 Existe-t-il une réduction pour un achat en (petit) groupe ?

Assurez-vous également que les poissons ne flottent pas juste en dessous de la surface ou qu'ils ne gisent pas au fond, immobiles, sauf si c'est leur comportement normal – comme pour le poisson-hachette marbré (p. 83), vivant près de la surface ou le timide baryancistrus (p. 165), qui doit se trouver au fond de l'aquarium.

L'acclimatation des poissons

Une fois dans son sac de transport, votre poisson doit être ramené à la maison le plus vite possible.

Commencez par éteindre les lumières de l'aquarium et laissez flotter le sac fermé à la surface pendant 20 minutes, pour égaliser la température du sac avec celle de l'aquarium. Ensuite, défaites le nœud et déroulez les côtés du sac jusqu'à ce qu'il flotte à la surface. Introduisez de l'eau d'aquarium par petites quantités, puis placez le poisson dans l'aquarium avec une épuisette. Jetez l'eau du sac et surveillez de près le poisson pendant les quelques jours suivants.

L'achat des poissons

La quarantaine

Tous les nouveaux poissons d'un aquarium doivent être placés en quarantaine, dans un récipient séparé, avant d'être installés. Les magasins font leur possible pour s'assurer que leurs poissons sont en bonne santé mais, comme les humains, les poissons peuvent être porteurs de maladies. Lors de périodes de stress – provoquées par de longs trajets, une sous-alimentation, un surpeuplement ou de mauvaises conditions environnementales – les poissons peuvent se fatiguer, devenant alors plus vulnérables aux maladies.

Pourquoi une quarantaine ?

Les nouveaux poissons doivent être placés en quarantaine pour ne pas risquer d'infecter les autres espèces déjà présentes dans l'aquarium. S'il s'agit d'un tout premier achat, vous pouvez utiliser l'aquarium principal comme récipient de quarantaine, mais souvenez-vous que, pour plusieurs raisons, cet aquarium ne sera pas aussi efficace qu'un récipient spécial, si jamais votre poisson tombe malade et que vous devez le soigner. Tout d'abord, des filtres puissants peuvent diminuer l'efficacité des médicaments. Les lumières vives nuisent également aux traitements des poissons.

L'aquarium de quarantaine

Il peut s'agir d'un modèle tout simple ; peu importe son apparence. Ici, la fonctionnalité prime sur l'esthétique.

Le système de filtration n'a pas non plus besoin d'être évolué. Il vous faudra un filtre éponge à air pour les aquariums tropicaux ou d'eau froide et un filtre à moteur pour les modèles marins. Avant d'y placer un poisson, il faut que les filtres parviennent à maturation grâce à des cultures bactériennes ; pour cela, placez tout simplement le filtre pendant quelques semaines dans un autre aquarium parvenu à maturité, afin qu'il s'imprègne naturellement de ses bactéries.

Même si cela n'est pas apparent, un poisson récemment acheté peut être porteur de maladies. Il faut donc le placer en quarantaine.

Il faut également installer un dispositif de chauffage à thermostat dans les aquariums de quarantaine tropicaux et marins. Le fond de l'aquarium doit être dénudé, car le cycle de certains parasites comporte un stade larvaire dans le sable ou les graviers : en enlevant la couche du fond, vous éviterez ces apparitions nuisibles, et observerez mieux la guérison de votre poisson. Diminuez l'intensité lumineuse, car l'environnement dénudé de l'aquarium de quarantaine peut rendre les poissons nerveux ; une espèce malade pourra guérir plus vite dans un environnement plus sombre, moins stressant.

CONSEIL

Les filtres contenant des matériaux chimiques, comme le carbone, ne doivent pas être utilisés pour des aquariums de quarantaine, car ils absorberaient tous les médicaments, rendant le traitement inefficace.

Les paramètres de l'eau

Les paramètres de l'eau utilisée doivent convenir parfaitement à l'espèce qui sera installée dans l'aquarium, mais il faut également prendre en compte deux autres facteurs.

Le premier est qu'un poisson récemment acquis peut avoir connu des conditions aquatiques fort différentes. Commencez donc par faire correspondre les paramètres de votre eau à ceux du sac de transport, en prenant quelques jours pour évoluer vers des mesures optimales. Les paramètres aquatiques de votre récipient de quarantaine doivent également se rapprocher, en quelques jours, de ceux de votre aquarium principal. Ceci provoquera moins de stress chez le poisson qu'un important changement d'eau ou qu'un bouleversement des paramètres dans l'aquarium principal.

Ce Cichlidé a développé un ulcère latéral. Une quarantaine efficace empêchera les autres poissons d'être contaminés.

Les différents types de poissons

Nous présenterons ici les tailles et exigences de diverses espèces, afin de vous donner une idée plus précise du ou des poissons que vous pourrez acheter, par rapport à l'aquarium que vous possédez. Comme vous le découvrirez, les espèces de poissons sont d'une diversité extrême en termes de taille, de paramètres aquatiques, de comportement et d'alimentation ; de nombreuses espèces ne cohabiteront pas. Chacun des poissons illustrés dans ce livre fait l'objet d'une fiche de référence.

Les magasins spécialisés

Les bons magasins d'aquariophilie proposent des centaines d'espèces tropicales, marines et d'eau froide. Notre liste classe toutes les espèces répandues dans ces trois catégories, la plus fournie restant celle des poissons tropicaux.

La taille

La taille adulte indiquée pour chaque fiche souligne le fait que presque tous les poissons vendus en magasin sont des jeunes, et donc d'une longueur bien inférieure à celle atteinte à l'âge adulte. Nous indiquons également la taille de l'aquarium nécessaire pour accueillir le poisson, en tenant compte de ces paramètres. La taille adulte d'un poisson peut varier : il ne s'agit donc que d'une moyenne. Le volume de l'aquarium indiqué correspond au minimum nécessaire pour l'espèce concernée.

Difficulté d'entretien

Pour chaque espèce, nous indiquons si son entretien est facile, moyen ou difficile.

Une espèce facile peut être recommandée aux aquariophiles de tous niveaux. Les poissons décrits comme « moyens » peuvent être entretenus correctement par la plupart des aquariophiles, sauf les débutants complets. En revanche, les poissons « difficiles » ne conviendront qu'aux personnes les plus expérimentées ; en outre, le fait de maintenir certaines espèces en aquarium soulève des questions éthiques relatives à leur vente même.

La compatibilité des espèces

Comme nous l'avons déjà vu (p. 20-21), tous les poissons ne peuvent cohabiter avec d'autres espèces, ni même avec leurs congénères. Le niveau de compatibilité indiqué dans les fiches peut être « faible », « moyen » ou « élevé ».

Un poisson à forte compatibilité pourra cohabiter sans inconvénient avec des membres de sa propre espèce ou d'autres, du même sexe.

Une compatibilité faible indique que l'espèce concernée ne peut se mêler à aucune autre espèce, ni même, dans certains cas, à ses propres congénères.

Une compatibilité moyenne indique que le poisson peut cohabiter avec la plupart des espèces la plupart du temps, mais qu'il peut posséder des caractéristiques agressives – morsure des nageoires, par exemple – qui sont décrites, avec les moyens d'y remédier.

Lexique

La plupart des termes d'aquariophilie sont très simples.
Certains termes techniques sont néanmoins définis ci-dessous.

Alevin Jeune poisson, après le stade larvaire, nageant et capable de s'alimenter.

Andropode Nageoire anale modifiée utilisée par le mâle pour la reproduction (proche du gonopode).

Biotope Aquarium préparé pour accueillir des poissons dans un environnement naturel.

Bosse nucale Gonflement visible sur le front de mâles cichlidés adultes.

Cyclops Petits crustacés fréquemment utilisés comme nourriture vivante. L'élevage en est très aisé.

Eau dure Eau contenant un taux élevé de minéraux dissous, se caractérisant donc par un pH élevé.

Gonopode Nageoire anale modifiée d'un poisson mâle vivipare, utilisée pour inséminer la femelle.

Nageoire caudale Nageoire de queue

Nageoire dorsale Nageoire située sur le dos du poisson, à proximité de la tête.

Opercule Partie de peau qui a la faculté de s'ouvrir comme un clapet.

Osmose inverse Principe de fonctionnement utilisé dans les osmoseurs, qui consiste à utiliser la pression de l'eau de conduite pour forcer l'eau à traverser une membrane semi-perméable qui retiendra la grande majorité des substances dissoutes.

Pélagique Vivant dans des eaux profondes, ou au grand large.

Quarantaine Période d'isolement dans un aquarium séparé, imposée aux poissons récemment achetés. La quarantaine peut révéler les signes de maladies susceptibles de contaminer d'autres espèces dans l'aquarium principal.

Saumâtre Eau contenant du sel marin, mais pas autant que l'eau de mer. L'eau saumâtre apparaît naturellement aux points de contact entre la mer et les cours d'eau.

Substrat Matériau utilisé pour recouvrir le fond de l'aquarium, comme le sable ou les graviers.

Vitellus Réserve de nourriture contenue dans le sac vittelin, servant à nourrir l'alevin pendant son stade larvaire.

Les poissons d'eau froide

Les poissons d'eau froide les mieux connus et les plus appréciés sont les poissons rouges, élevés depuis des siècles en Extrême-Orient puis en Occident dans des étangs ou des aquariums – parfois même dans des bocaux – dans un but ornemental. Les croisements d'élevage permirent d'abord de donner leur couleur rouge à ces espèces, puis de modifier l'aspect de leurs nageoires et la forme de leur corps, pour obtenir enfin les variétés très décoratives que proposent de nombreux magasins.

Les variétés de poissons rouges

Les variétés à corps trapu et deux nageoires sont courantes dans les aquariums non chauffés. Elles n'ont pas subi de modifications génétiques au sens moderne, mais une série de croisements destinés à renforcer certaines caractéristiques rarissimes en sélectionnant pour la reproduction deux individus présentant ces mêmes traits. Malheureusement, ces pratiques ont entraîné une certaine consanguinité, rendant ces poissons beaucoup plus fragiles que leurs cousins, les poissons rouges communs

Les poissons rouges décoratifs nagent lentement et se fatiguent vite à cause de leurs longues nageoires flottantes. Ils souffrent aussi de problèmes de ballonnement, car leur vessie natatoire peut être déformée par leur échine dorsale courbée. Ces espèces ne doivent vivre qu'entre elles, et leur aquarium doit être décoré en tenant compte de leurs besoins : il leur faut en effet de l'espace pour tourner. Ces poissons peuvent se coincer dans des obstacles et s'épuiser en essayant de sortir.

Il existe une dizaine de variétés définies de poissons rouges décoratifs, et les éleveurs continuent de travailler à la production du spécimen parfait. Les espèces les plus esthétiques peuvent devenir très onéreuses à l'achat, et les plus beaux individus ne quittent parfois guère leur lieu d'élevage, prenant alors la place d'honneur dans les aquariums de démonstration.

Ces poissons vivent longtemps – 20 ans ou plus – et peuvent atteindre une taille considérable. Les bocaux ou aquariums trop petits gêneront leur croissance et risquent de nuire à leur bien-être ; il vous faudra donc être prêt à les transférer vers un aquarium plus volumineux.

Les problèmes de vessie natatoire peuvent empêcher un poisson de se déplacer correctement, voire provoquer un retournement. Ce genre d'incident génère beaucoup de stress chez l'animal. On peut parfois y remédier en abaissant le niveau de l'eau ou en augmentant la température.

Des espèces des régions tempérées, comme le cardinal, peuvent vivre dans des aquariums non chauffés.

Les carpes koi, trop grosses pour la plupart des aquariums, doivent être installées dans des bassins.

QUESTION

Puis-je installer des poissons rouges dans un bocal ?

Il était courant d'avoir un poisson rouge dans un bocal, mais ce genre de pratique entraîne désormais presque toujours la mort prématurée du poisson. Les poissons rouges ne sont plus aussi résistants qu'ils l'étaient, et l'eau du robinet contient davantage de produits chimiques. La forme des bocaux interdit l'emploi d'un filtre, or les poissons ne doivent pas vivre dans leurs propres déchets.

Autres espèces

Le cardinal (*Tanichthys albonubes*, p. 43) est un poisson minuscule qu'il vaut mieux tenir à l'écart des poissons rouges. Cette espèce agréable et peu onéreuse conviendra bien à un aquarium simple et non chauffé pour l'agrément de jeunes enfants. Le cardinal peut aussi se reproduire.

Le mangeur d'algues de Bornéo, p. 44, est une espèce plus exigeante, qui a besoin d'un aquarium parvenu à maturité et bien oxygéné, et d'une alimentation correcte. Le poisson baromètre, p. 45, est un poisson robuste et sociable, qui peut cohabiter avec le poisson rouge commun.

Attention à la carpe Koi, p. 42 : ces poissons, certes colorés et placides, peuvent atteindre 1,2 m de long et ne conviennent donc pas à la plupart des aquariums.

Poisson rouge commun

résistant • coloré • actif • entretien facile

NOM SCIENTIFIQUE : *Carassius auratus* • FAMILLE : Cyprinidés • ORIGINE : Chine • HABITAT NATUREL : Plans d'eau et cours d'eau lents • TAILLE ADULTE MOYENNE : • 30 cm • COULEURS : Rouge, orange, jaune, marron, noir DIMORPHISME SEXUEL : femelles plus volumineuses ; apparition de tubercules chez les mâles lors du frai • MODE DE REPRODUCTION : Ovipare, ponte en pleine eau • CAPACITÉ DE REPRODUCTION : Moyenne • ZONE DE VIE : Milieu ALIMENTATION : Aliments lyophilisés, congelés ou vivants VÉGÉTATION : Non • BESOINS SPÉCIFIQUES : Espace DIFFICULTÉ : Faible

Les poissons d'eau froide

L'aquarium :

TAILLE MINIMUM : 90 cm

TEMPÉRATURE : 4–20 °C

PH: 7–8

DURETÉ DE L'EAU : Neutre à dure et alcaline

COMPATIBILITÉ AVEC D'AUTRES POISSONS : Élevée

Le poisson rouge commun se trouve chez des millions d'aquariophiles dans le monde, mais il a souffert de traitements abusifs, en étant notamment installé dans de petits bocaux.

Installez-lui un aquarium aussi grand que possible, avec un filtre à moteur pour nettoyer et aérer l'eau. Le fond de l'aquarium doit être garni de petits graviers arrondis, que le poisson peut prendre dans sa bouche sans s'étrangler.

Lors de l'achat, recherchez les individus dotés de courtes nageoires et bien bâtis. Ils doivent être orange, rouges et jaunes ; la couleur noire correspond généralement aux jeunes, et disparaîtra à l'âge adulte.

Les poissons rouges mangent les plantes ; n'utilisez donc qu'une décoration de plantes artificielles, ou n'en installez aucune. Par ailleurs, vous pourrez agrémenter l'aquarium de produits naturels, comme des cailloux, de la tourbe, ou des ornements. Les poissons rouges n'utilisent pas le décor de l'aquarium pour se reposer ou se reproduire : il faut simplement veiller à ce qu'aucun objet coupant ou pointu ne soit introduit dans l'aquarium.

Espèce résistante, le poisson rouge commun peut vivre à température ambiante et peut survivre à l'extérieur dans un étang, même gelé.

Shubunkin

résistant • coloré • actif • entretien facile

NOM SCIENTIFIQUE : *Carassius auratus* var. • FAMILLE : Cyprinidés • ORIGINE : Chine • HABITAT NATUREL : Plans d'eau et cours d'eau lents • TAILLE ADULTE MOYENNE : 30 cm • COULEURS : Bleu, rouge et blanc, avec des taches noires et dorées • DIMORPHISME SEXUEL : Femelles plus volumineuses ; apparition de tubercules chez les mâles lors du frai (nageoires pectorales et tête) • MODE DE REPRODUCTION : Ovipare, ponte en pleine eau • CAPACITÉ DE REPRODUCTION : Moyenne • ZONE DE VIE : Milieu • ALIMENTATION : Aliments lyophilisés, congelés ou vivants VÉGÉTATION : Non • BESOINS SPÉCIFIQUES : Espace • DIFFICULTÉ : Faible

L'aquarium :

TAILLE MINIMUM : 90 cm

TEMPÉRATURE : 4–20 °C

PH: 7–8

DURETÉ DE L'EAU : Neutre à dure et alcaline

COMPATIBILITÉ AVEC D'AUTRES POISSONS : Élevée

Les shubunkins sont des poissons rouges nacrés ou calico. Ils présentent des taches noires ou dorées sur un corps bleu, rouge et blanc. Leur queue peut être plus ou moins longue. Le shubunkin standard, à longue queue, est appelé shubunkin de Bristol ; son cousin plus trapu, à queue plus courte, est appelé shubunkin de Londres ; le shubunkin américain possède une nageoire caudale étroite. Presque tous les shubunkins proposés par les magasins spécialisés sont des comètes calico, et non de vrais shubunkins, qui ne sont disponibles qu'auprès des sociétés d'aquariophilie spécialisées.

Les shubunkins peuvent cohabiter avec les poissons rouges communs dans des aquariums d'intérieur ou des plans d'eau d'extérieur. Ils vivent longtemps et peuvent atteindre une longueur de 30 cm ; s'ils dépassent 15 cm de long, il faudra les installer dans un aquarium plus vaste.

Cette espèce mange les végétaux, qu'il faudra donc éviter dans l'aquarium. Le shubunkin pourra se nourrir de bâtonnets, pastilles et aliments lyophilisés. L'eau doit être bien filtrée et changée régulièrement.

Comète

résistant • coloré • actif • entretien facile

NOM SCIENTIFIQUE : *Carassius auratus* var. • FAMILLE : Cyprinidés • ORIGINE : Chine • HABITAT NATUREL : Plans d'eau et cours d'eau lents • TAILLE ADULTE MOYENNE : 30 cm • COULEURS : Rouge, orange, blanc, rouge et blanc DIMORPHISME SEXUEL : Femelles plus volumineuses ; apparition de tubercules chez les mâles lors du frai (nageoire pectorale et tête) • MODE DE REPRODUCTION : Ovipare, ponte en pleine eau • CAPACITÉ DE REPRODUCTION : Moyenne ZONE DE VIE : Milieu • ALIMENTATION : Aliments lyophilisés, congelés et vivants • VÉGÉTATION : Non • BESOINS SPÉCIFIQUES : Espace • DIFFICULTÉ : Faible

L'aquarium :

TAILLE MINIMUM : 90 cm

TEMPÉRATURE : 4–20 °C

PH: 7–8

DURETÉ DE L'EAU : Neutre à dure et alcaline

COMPATIBILITÉ AVEC D'AUTRES POISSONS : Élevée

Les comètes sont des poissons rouges dotés d'une longue queue double. Les comètes forment l'essentiel des ventes mondiales de poissons rouges et sont souvent vendus comme poissons rouges communs. Leurs corps sont cependant plus effilés, et peuvent être rouges et orange ou encore rouges et blancs, comme pour le comète Sarasa, un poisson d'étang fort apprécié.

Toutes ces espèces doivent être traitées comme le poisson rouge commun. Offrez-leur un espace généreux et bien filtré, ainsi qu'une alimentation variée : les poissons en bonne santé peuvent manger toutes sortes de nourritures plusieurs fois par jour.

Les comètes mangent les végétaux, qui ne doivent donc pas être installés dans l'aquarium – sauf pour recueillir les œufs collants au moment du frai. Parvenues à maturité sexuelle, les comètes femelles, comme les autres poissons rouges, possèdent un corps plus volumineux qui peut paraître asymétrique vu d'en haut. Chez les mâles, des taches blanches apparaissent sur les ouïes et le sommet de la tête.

Les jeunes comètes doivent eux aussi disposer d'une eau de bonne qualité et d'un espace suffisant pour nager, comme les adultes ; ne les mettez pas dans un bocal.

Les poissons d'eau froide

Télescope noir

mauvais nageur • aspect inhabituel • fragile • apprécié

NOM SCIENTIFIQUE : *Carassius auratus* var. • FAMILLE : Cyprinidés • ORIGINE : Chine • HABITAT NATUREL : Plans d'eau et cours d'eau lents ; cette variété ne survivrait pas dans la nature • TAILLE ADULTE MOYENNE : 15 cm • COULEURS : Noir, bronze, rouge, calico • DIMORPHISME SEXUEL : Femelles plus volumineuses ; apparition de tubercules chez les mâles lors du frai (nageoires pectorales et tête) • MODE DE REPRODUCTION : Ovipare, ponte en pleine eau CAPACITÉ DE REPRODUCTION : Moyenne • ZONE DE VIE : Milieu • ALIMENTATION : Aliments lyophilisés, congelés et vivants • VÉGÉTATION : Non • BESOINS SPÉCIFIQUES : Pas d'objet tranchant • DIFFICULTÉ : Moyenne

L'aquarium :

TAILLE MINIMUM : 60 cm
TEMPÉRATURE : 10–20 °C
PH : 7–8
DURETÉ DE L'EAU : Neutre à dure et alcaline
COMPATIBILITÉ AVEC D'AUTRES POISSONS : Moyenne

Les télescopes noirs sont une variété ayant développé des yeux protubérants, suite à un élevage particulier. Depuis quelque temps, ils existent également en rouge et calico, avec des queues de différentes formes. Il existe aussi une variété aux yeux encore plus gros, appelée œil de dragon. Un beau spécimen doit être d'un noir mat, pas brillant. Chez les individus plus âgés, une couleur bronze peut remonter à partir du ventre, ainsi que des problèmes oculaires.

L'élevage particulier de ces poissons les a rendus fragiles, et leur corps épais les gêne pour nager. Il leur faut une eau bien filtrée et bien aérée ; ils ne peuvent cohabiter qu'avec d'autres poissons rouges décoratifs dotés d'un corps d'une forme et d'une agilité natatoire similaire. Un poisson plus rapide risquerait de leur voler leur nourriture.

Les éléments de décoration doivent être de forme arrondie, pour ne pas les blesser ; évitez les plantes vivantes que le télescope mangerait. Les individus de grande taille deviennent plus épais, et ont besoin d'un régime diversifié pour conserver leur santé et leur belle couleur. Remplacez progressivement les pastilles par des flocons.

Attention aux poux des poissons ; si le télescope en est infesté, il faudra le traiter.

Les poissons d'eau froide

Oranda

corps épais • aspect inhabituel • amusant • fragile

NOM SCIENTIFIQUE : *Carassius auratus* var. • FAMILLE : Cyprinidés • ORIGINE : Chine • HABITAT NATUREL : Plans d'eau et cours d'eau lents ; ne survivrait pas dans la nature • TAILLE ADULTE MOYENNE : 15 cm • COULEURS : Rouge, noir, marron, bleu, rouge et blanc, orange, calico • DIMORPHISME SEXUEL : Femelles plus volumineuses ; apparition de tubercules (tête) et de crêtes (nageoire pectorale) chez les mâles lors du frai • MODE DE REPRODUCTION : Ovipare, ponte en pleine eau • CAPACITÉ DE REPRODUCTION : Moyenne • ZONE DE VIE : Milieu ALIMENTATION : Aliments lyophilisés, congelés et vivants • VÉGÉTATION : Non • BESOINS SPÉCIFIQUES : Espace, pas d'objet tranchant • DIFFICULTÉ : Moyenne

Les poissons d'eau froide

L'aquarium :

TAILLE MINIMUM : 60 cm

TEMPÉRATURE : 10–20 °C

PH : 7–8

DURETÉ DE L'EAU : Neutre à dure et alcaline

COMPATIBILITÉ AVEC D'AUTRES POISSONS : Moyenne

Les orandas sont des poissons rouges d'agrément élevés pour développer une excroissance charnue (ou « capuchon »). Cette partie du corps doit être de bonne taille et bien étalée sur la tête, sans dissimuler les yeux. Les plus beaux orandas valent beaucoup d'argent, car il faut des années d'élevage sélectif pour obtenir un bon spécimen. Les plus gros individus actuellement élevés dépassent souvent les records de taille précédents.

Avec leur queue voile, les orandas sont de piètres nageurs. Il existe différentes couleurs, dont le rouge, rouge et blanc, calico, chocolat, bleu et noir.

Certains spécimens possèdent un capuchon rouge sur un corps blanc.

Leur eau doit être bien filtrée et aérée. La décoration de l'aquarium doit être minimale, pour que le poisson ne la heurte pas. Le substrat doit être composé de fins graviers arrondis.

L'oranda doit avoir un régime alimentaire diversifié, notamment les nourritures spéciales vendues dans les magasins spécialisés.

Pour ne pas être dominés, les orandas ne doivent cohabiter qu'avec d'autres poissons rouges de variétés décoratives. Ils ne sont pas assez robustes pour vivre en extérieur.

Ryukin

corps épais • coloré • apprécié • fragile

NOM SCIENTIFIQUE : *Carassius auratus* var. • FAMILLE : Cyprinidés • ORIGINE : Chine • HABITAT NATUREL : Plans d'eau et cours d'eau lents ; cette variété ne survivrait pas dans la nature • TAILLE ADULTE MOYENNE : 15 cm COULEURS : Rouge, blanc, orange, calico, rouge et blanc • DIMORPHISME SEXUEL : Femelles plus volumineuses ; apparition de tubercules (tête) et de crêtes (nageoire pectorale) chez les mâles à la période de frai • MODE DE REPRODUCTION : Ovipare, ponte en pleine eau • CAPACITÉ DE REPRODUCTION : Moyenne • ZONE DE VIE : Milieu ALIMENTATION : Aliments lyophilisés, congelés et vivants • VÉGÉTATION : Non • BESOINS SPÉCIFIQUES : Espace DIFFICULTÉ : Moyenne

L'aquarium :

TAILLE MINIMUM : 60 cm
TEMPÉRATURE : 10–20 °C
PH : 7–8
DURETÉ DE L'EAU : Neutre à dure et alcaline
COMPATIBILITÉ AVEC D'AUTRES POISSONS :
Moyenne

Les ryukins sont les plus volumineux de cette catégorie de poissons rouges. L'épaisseur de leur corps peut d'ailleurs les gêner pour nager, car la vessie natatoire du poisson peut alors se tordre contre son échine dorsale. Le seul remède consiste alors à lui fournir d'excellentes conditions aquatiques et une alimentation variée, comprenant plus de nourriture congelée que lyophilisée : cette dernière, pleine d'air, peut aggraver le problème.

D'un point de vue plus positif, le ryukin est un poisson splendide ; les spécimens importants se remarquent vraiment dans l'aquarium. Ils se distinguent des orandas par leur tête moins anguleuse et par l'absence de capuchon chez l'adulte.

Installez vos ryukins dans un aquarium sobrement décoré, avec une bonne aération. Il faut également changer souvent l'eau et bien nourrir le poisson. Le ryukin existe en rouge, rouge et blanc et calico. Les femelles possèdent des corps plus volumineux ; chez les mâles, des tubercules apparaissent sur les ouïes et le sommet de la tête, ainsi que des crêtes sur les nageoires pectorales, lors du frai.

Ranchu

corps épais • esthétique • queue courte • fragile

NOM SCIENTIFIQUE : *Carassius auratus* var. • FAMILLE : Cyprinidés • AUTRE NOM : Tête de lion • ORIGINE : Chine
HABITAT NATUREL : Plans d'eau et cours d'eau lents ; cette variété ne survivrait pas dans la nature • TAILLE ADULTE
MOYENNE : 15 cm • COULEURS : Noire, verte, rouge, or, orange, calico • DIMORPHISME SEXUEL : Femelles plus
volumineuses ; apparition de tubercules chez les mâles (tête) et de crêtes (nageoire pectorale) lors du frai
MODE DE REPRODUCTION : Ovipare, ponte en pleine eau • CAPACITÉ DE REPRODUCTION : Moyenne • ZONE DE VIE :
Milieu • ALIMENTATION : Aliments lyophilisés, congelés et vivants • VÉGÉTATION : Non • BESOINS SPÉCIFIQUES :
Espace • DIFFICULTÉ : Moyenne

L'aquarium :

TAILLE MINIMUM : 60 cm
TEMPÉRATURE : 10–20 °C
PH: 7–8
DURETÉ DE L'EAU : Neutre à dure et alcaline
COMPATIBILITÉ AVEC D'AUTRES POISSONS :
Moyenne

Les ranchus sont similaires aux orandas par l'excroissance charnue qu'ils développent sur leur tête. Ils ont été croisés pour ne pas posséder de nageoire dorsale, avec un corps et une queue plus courts que les orandas. Cette forme trapue fait du ranchu un nageur médiocre, qui ne devrait cohabiter qu'avec d'autres ranchus ou poissons rouges d'agrément. Certains ranchus souffrent également de problèmes de vessie natatoire ; en règle générale, plus le corps d'un individu est épais et trapu, plus il risque ce genre de complications.

Le ranchu existe en noir, vert, rouge, or, orange et calico. Les ranchus de concours possèdent un dos arrondi et une courte queue double.

L'aquarium ne doit contenir aucun obstacle, et son eau sera bien filtrée et aérée. Il faut par ailleurs la changer partiellement et de manière régulière. Vous pouvez donner au ranchu des pastilles ou boulettes spéciales qui coulent au fond de l'aquarium : cela lui permet de se nourrir sans avoir à aspirer de l'air, qui pourrait aggraver un éventuel problème natatoire.

Poisson perlé

corps épais • mauvais nageur • esthétique • fragile

NOM SCIENTIFIQUE : *Carassius auratus* var. • FAMILLE : Cyprinidés • ORIGINE : Chine • HABITAT NATUREL : Plans d'eau et cours d'eau lents ; cette variété ne survivrait pas dans la nature • TAILLE ADULTE MOYENNE : 15 cm • COULEURS : Rouge, rouge et blanc, orange, marron, calico • DIMORPHISME SEXUEL : Femelles plus volumineuses ; apparition de tubercules chez les mâles (tête) et de crêtes (nageoires pectorales) lors du frai • MODE DE REPRODUCTION : Ovipare, ponte en pleine eau • CAPACITÉ DE REPRODUCTION : Moyenne • ZONE DE VIE : Milieu • ALIMENTATION : Aliments lyophilisés, congelés et vivants • VÉGÉTATION : Non • BESOINS SPÉCIFIQUES : Autres poissons lents, espace DIFFICULTÉ : Moyenne

L'aquarium :

TAILLE MINIMUM : 60 cm
TEMPÉRATURE : 10–20 °C
PH: 7–8
DURETÉ DE L'EAU : Neutre à dure et alcaline
COMPATIBILITÉ AVEC D'AUTRES POISSONS : Faible

Le poisson perlé constitue une nouvelle variété de poisson rouge décoratif. Il a fallu de nombreuses années d'élevage pour parvenir à un effet « perlé » et à un corps quasiment sphérique, mais ces croisements ont eu des effets indésirables. Le poisson perlé est en effet mauvais nageur, et souffre facilement de problèmes de flottement. Dans certains cas extrêmes, certains poissons ne peuvent même plus nager et gisent immobiles au fond de l'aquarium.

En choisissant un poisson perlé dans un magasin spécialisé, sélectionnez les individus les plus actifs et les meilleurs nageurs. Il existe aussi un poisson perlé à couronne, qui développe une excroissance sur la tête à l'âge adulte.

La décoration de l'aquarium doit rester simple. La qualité de l'eau doit être bonne, sans que le filtre ne déclenche un courant trop fort.

Il vaut mieux utiliser de la nourriture qui coule au fond de l'aquarium, pour empêcher le poisson d'avaler trop d'air et de rester coincé à la surface. Enfin, il ne faut pas que le poisson perlé cohabite avec des poissons rouges à queue simple, qui le harcèleraient.

Les poissons d'eau froide

Bubble eye

aspect étrange • mauvais nageur • extrêmement fragile

NOM SCIENTIFIQUE : *Carassius auratus* var. • FAMILLE : Cyprinidés • ORIGINE : Chine • HABITAT NATUREL : Plans et cours d'eau lents ; cette variété ne survivrait pas dans la nature • TAILLE ADULTE MOYENNE : 10 cm • COULEURS : Orange, rouge, blanc, calico, noir • DIMORPHISME SEXUEL : Femelles plus volumineuses ; apparition de tubercules chez les mâles (tête) et de crêtes (nageoires pectorales) lors du frai • MODE DE REPRODUCTION : Ovipare, ponte en pleine eau • CAPACITÉ DE REPRODUCTION : Faible • ZONE DE VIE : Milieu • ALIMENTATION : Nourriture flottante • VÉGÉTATION : Non • BESOINS SPÉCIFIQUES : Aquarium et voisins d'aquarium compatibles DIFFICULTÉ : Élevée

L'aquarium :

TAILLE MINIMUM : 60 cm

TEMPÉRATURE : 10–20 °C

PH: 7–8

DURETÉ DE L'EAU : Neutre à dure et alcaline

COMPATIBILITÉ AVEC D'AUTRES POISSONS : Faible

Le bubble eye provoque des réactions extrêmes chez les personnes qui le voient pour la première fois. Ses partisans le trouvent adorable ; ses détracteurs estiment qu'élever un poisson pareil revient à faire preuve de cruauté envers les animaux.

Les yeux de cette espèce sont en fait des poches remplies de fluides : le poisson ne peut voir que vers le haut. Ces poches sont fragiles et peuvent se crever, devenant alors plus vulnérables à une infection.

Cette espèce parvient assez mal à trouver sa nourriture et elle nage mal. L'aquarium ne doit donc comporter aucune décoration ou presque, pour éviter les collisions. Le système de filtration doit être efficace, mais le courant d'eau créé doit rester lent, pour ne pas gêner le repos du poisson. Cette espèce doit rester avec les siens ou cohabiter avec des lorgnettes de ciel.

Les poissons d'eau froide

Lorgnette de ciel

aspect étrange • mauvais nageur • fragile • craintif

NOM SCIENTIFIQUE : *Carassius auratus* var. • FAMILLE : Cyprinidés • ORIGINE : Chine • HABITAT NATUREL : Plans d'eau et cours d'eau lents ; cette variété ne survivrait pas dans la nature • TAILLE ADULTE MOYENNE : 10 cm • COULEURS : Orange, rouge, noir • DIMORPHISME SEXUEL : Femelles plus volumineuses ; chez les mâles, apparitions de tubercules (tête) et de crêtes (nageoires pectorales) lors du frai • MODE DE REPRODUCTION : Ovipare • CAPACITÉ DE REPRODUCTION : Faible • ZONE DE NAGE : Milieu • ALIMENTATION : Nourriture flottante • VÉGÉTATION : Non BESOINS SPÉCIFIQUES : Alimentation flottante, autres poissons pacifiques • DIFFICULTÉ : Élevée

L'aquarium :

TAILLE MINIMUM : 60 cm

TEMPÉRATURE : 10–20 °C

PH : 7–8

DURETÉ DE L'EAU : Neutre à dure et alcaline

COMPATIBILITÉ AVEC D'AUTRES POISSONS : Faible

Les lorgnettes de ciel auraient été créés en Chine pour pouvoir contempler les empereurs à leur passage. Cette légende indique qu'il ne s'agit pas d'une variété récente, et que l'homme modifie les poissons rouges depuis des siècles. Le lorgnette de ciel ressemble à un poisson télescope avec des yeux tournés vers le haut. Cette variété, comme le ranchu ou le bubble eye, ne possède pas de nageoire dorsale, mais une queue double. Le lorgnette de ciel est généralement vendu sous sa forme orange, mais il existe d'autres couleurs, comme le rouge et le noir.

Les lorgnettes de ciel sont des poissons fragiles, car leur faible capacité natatoire leur pose des problèmes pour se nourrir, en particulier s'ils cohabitent avec d'autres variétés de poissons plus rapides. La décoration de l'aquarium doit rester sobre, sans objet tranchant ; l'eau doit être de bonne qualité, avec un léger courant.

Le meilleur moyen de mettre ce poisson en valeur pourrait être, dans le respect de la tradition, de l'installer dans un bassin d'intérieur, pour qu'il puisse être vu d'en haut. Comme pour le bubble eye, son élevage suscite une controverse chez les aquariophiles.

Les poissons d'eau froide

Carpe Koi

volumineuse • imposante • colorée • onéreuse

NOM SCIENTIFIQUE : *Cyprinus carpio* • FAMILLE : Cyprinidés • ORIGINE : Chine et Japon • HABITAT NATUREL : Cours d'eau lents, lacs et étangs • TAILLE ADULTE MOYENNE : 60 cm • COULEURS : Rouge, blanc, noir, jaune, or, bleu et combinaisons • DIMORPHISME SEXUEL : Femelles plus volumineuses • MODE DE REPRODUCTION : Ovipare, ponte en pleine eau • POTENTIEL DE REPRODUCTION : Moyen • ZONE DE NAGE : Milieu • ALIMENTATION : Paillettes, bâtonnets et congelés • VÉGÉTATION : Non • BESOINS SPÉCIFIQUES : Grand aquarium ; excellente filtration DIFFICULTÉ : Moyenne

L'aquarium :

TAILLE MINIMUM : 2,4 m

TEMPÉRATURE : 10–20 °C

PH : 7–8

DURETÉ DE L'EAU : Neutre à dure et alcaline

COMPATIBILITÉ AVEC D'AUTRES POISSONS : Moyenne

Les carpes koi sont de grands poissons colorés d'eau froide, généralement associés aux bassins d'extérieur. Cependant, elles figurent aussi dans les rayons d'intérieur des magasins spécialisés, et peuvent être achetées par des aquariophiles ignorant leur taille adulte. La longueur maximale connue pour ce poisson est de 1,2 m de long, mais 60 cm correspondent à une moyenne adulte plus réaliste. Cette carpe aura donc besoin d'un grand volume d'eau, à la limite des capacités d'un aquarium.

Ces poissons à croissance rapide sont dotés d'un féroce appétit. Bien que paisibles, les carpes sont très actives quand il s'agit de trouver de la nourriture. Elles adorent chercher de bons morceaux dans le gravier, et possèdent des barbillons au coin de la

bouche qui leur donnent une meilleure sensibilité quand la visibilité est faible.

La carpe koi a besoin de fréquents changements d'eau et d'une filtration puissante. De grands spécimens peuvent manger de petits poissons par pure voracité. Cette espèce n'est certainement pas adaptée à la plupart des aquariums d'eau froide.

La carpe koi existe en de nombreuses variétés colorées. Les plus belles, fort recherchées par les collectionneurs, sont très chères.

Attention !

Cette espèce atteint une grande taille.

Cardinal

petit • résistant • entretien facile • adaptable

NOM SCIENTIFIQUE : *Tanichthys albonubes* • FAMILLE : Cyprinidés • ORIGINE : Chine • HABITAT NATUREL : Torrents de montagne frais et rapides • TAILLE ADULTE MOYENNE : 4 cm • COULEURS : Marron avec une rayure horizontale irisée et une queue rouge • DIMORPHISME SEXUEL : Femelles plus volumineuses ; mâles plus fins et colorés • MODE DE REPRODUCTION : Ovipare • POTENTIEL DE REPRODUCTION : Élevé • ZONE DE NAGE : Milieu • ALIMENTATION : Flocons, aliments congelés et vivants • VÉGÉTATION : Oui • BESOINS SPÉCIFIQUES : Bancs de six individus ou plus
DIFFICULTÉ : Faible

L'aquarium :

TAILLE MINIMUM : 45 cm
TEMPÉRATURE : 15–24 °C
PH : 7–8
DURETÉ DE L'EAU : Neutre ; légèrement acide ou alcaline
COMPATIBILITÉ AVEC D'AUTRES POISSONS : Élevée

Le poisson cardinal est une petite espèce qui serait originaire des torrents d'une montagne chinoise. Son nom, *Tanichthys*, signifie « le poisson de Tan », en hommage au jeune garçon qui l'aurait découvert.

Le cardinal s'acclimate bien et peut être installé dans un aquarium d'intérieur non chauffé. Ce poisson tolère une certaine amplitude thermique, dans les limites indiquées toutefois.

Le cardinal tolère une décoration d'aquarium toute simple et convient bien aux débutants. Placez vos poissons dans un aquarium de 45 cm de long (ou plus), décoré de graviers, de cailloux et de plantes. Utilisez un filtre à air ou à moteur. Ajoutez des végétaux, notamment ceux qui possèdent des feuilles duveteuses, car elles peuvent accueillir les œufs collants du cardinal au moment de la ponte. La qualité de l'eau doit rester bonne, mais ces poissons robustes peuvent être installés dans un nouvel aquarium juste une semaine après sa mise en service. Le cardinal doit être nourri en petites quantités mais fréquemment, avec un régime varié. N'installez pas de cardinal avec de grands poissons rouges, qui pourraient le manger.

Les poissons d'eau froide

Mangeur d'algue de Bornéo

petit • aspect étrange • paisible • intéressant

NOM SCIENTIFIQUE : *Beaufortia leveretti* • FAMILLE : Balitoridés • AUTRES NOMS : Pléco papillon • ORIGINE : Chine
HABITAT NATUREL : Torrents de montagne frais • TAILLE ADULTE MOYENNE : 10 cm • COULEURS : Beige, marron,
argent, verts • DIMORPHISME SEXUEL : inconnu • MODE DE REPRODUCTION : Inconnu • POTENTIEL DE REPRODUCTION :
Moyen • ZONE DE NAGE : Fond • ALIMENTATION : Algues, aufwuch (voir ci-dessous) • VÉGÉTATION : Non
BESOINS SPÉCIFIQUES : Eau bien aérée ; nourriture adéquate • DIFFICULTÉ : Moyenne

L'aquarium :

TAILLE MINIMUM : 60 cm
TEMPÉRATURE : 15–25 °C
PH : 7
DURETÉ DE L'EAU : Neutre à légèrement dure et alcaline
COMPATIBILITÉ AVEC D'AUTRES POISSONS : Moyenne

Le nom *Beaufortia* englobe d'autres espèces, en plus du mangeur d'algue de Bornéo, comme le *Gastromyzon punctulatus* et le G. *ctenocephalus*. Ces poissons se ressemblent et peuvent vivre dans les mêmes conditions ; les *Gastromyzon* possèdent des couleurs particulièrement attrayantes.

Leur habitat naturel de torrents rapides et remplis de rochers leur assure une bonne oxygénation et une température assez fraîche. Ces conditions encouragent la croissance des algues, avec lesquelles se développe un réseau nutritif d'organismes.

Les minuscules invertébrés vivant dans les algues s'appellent de l'aufwuch. Les poissons les mangent, et leurs corps sont adaptés pour s'accrocher aux rochers, ainsi le courant ne les emporte pas pendant qu'ils se nourrissent.

Le climat tempéré où ils vivent leur permet d'être installés dans des aquariums d'eau froide. Vendus comme des mangeurs d'algue, en fait ils n'en mangent généralement pas dans un aquarium. Ces poissons préfèrent un courant plus fort que les poissons rouges ; il vaut mieux les installer aux côtés de poissons vivant dans des torrents tempérés, comme le cardinal.

Poisson baromètre

long • aspect inhabituel • adaptable • vit au fond

NOM SCIENTIFIQUE : *Misgurnus anguillicaudatus* • FAMILLE : Cobitidés • AUTRE NOM : loche d'eau douce • ORIGINE : Asie du Nord, notamment Chine et Japon • HABITAT NATUREL : Étangs, lacs, cours d'eau et plans d'eau douce stagnante • TAILLE ADULTE MOYENNE : 20 cm • COULEURS : Beige, marron, gris, doré ; existe sous forme jaune mais peut être un hybride • DIMORPHISME SEXUEL : Femelles plus grandes et volumineuses • MODE DE REPRODUCTION : Ovipare • POTENTIEL DE REPRODUCTION : Faible • ZONE DE NAGE : Fond • ALIMENTATION : Tablettes et congelés coulant au fond • VÉGÉTATION : Oui • BESOINS SPÉCIFIQUES : Substrat pour s'enfouir • DIFFICULTÉ : Faible

L'aquarium :

TAILLE MINIMUM : 90 cm

TEMPÉRATURE : 10–22°C

PH: 7–8

DURETÉ DE L'EAU : Neutre à modérément dure et alcaline

COMPATIBILITÉ AVEC D'AUTRES POISSONS : Moyenne

Le poisson baromètre constitue l'une des quelques variétés de poissons destinées aux aquariums d'eau froide qui se nourrissent au fond et n'appartiennent pas à l'espèce des poissons rouges. Le nom courant du poisson baromètre est dû à l'activité qu'il déploie lors-qu'il pleut : il remonte alors à la surface de l'eau.

Ce poisson évoquant une anguille est actif, et existe en couleur dorée. Certaines personnes le jugent laid, mais il présente l'avantage de manger la nourriture laissée par les poissons rouges et de s'enfouir dans le substrat, gardant ainsi sa fraîcheur.

Son aquarium doit être assez grand, avec un fond couvert de sable fin ou de petits graviers arrondis sur une profondeur de 5 cm ou plus. Il vaut mieux utiliser un décor d'aspect authentique, avec de la tourbe et des pierres arrondies qui serviraient de refuge.

D'un entretien facile, cette espèce mange toutes sortes de nourriture. Les poissons baromètre récemment importés peuvent être sujets à diverses infections.

Les poissons d'eau froide

Les poissons vivipares

Les poissons présentés dans ce groupe sont appréciés des aquariophiles pour leur robustesse et la diversité de leurs couleurs. Les « quatre grands » (guppys, mollys, porte-épées et platys) alimentent une grande partie de l'industrie du poisson d'ornement, et sont élevés par millions pour les vendeurs d'espèces tropicales du monde entier. Comme ces poissons donnent naissance à des jeunes de taille raisonnable, leur élevage en lignée est facile et rapide ; en quelques générations, de nouvelles couleurs ou des nageoires de forme différente peuvent apparaître.

Des survivants

Les poissons vivipares viennent principalement d'Amérique latine, où ils profitent des nombreuses larves de moustiques et des algues vertes vivant dans les eaux ensoleillées.

À l'exception du vairon brochet (*Belonesox belizanus*, p. 53), les poissons vivipares sont de petite taille et situés plutôt au début de la chaîne alimentaire (le vairon brochet, lui, en tant que prédateur, se trouve plus haut dans cette hiérarchie). Leur viviparité leur permet de se reproduire rapidement, car le temps nécessaire au frai et à l'élevage de minuscules alevins est absent de leur cycle de vie. Toutes ces espèces peuvent aussi survivre dans de nombreux types d'eau et niveaux de température différents, tirant le meilleur parti de la nourriture disponible. La facilité reproductive des poissons vivipares, et leurs capacités d'adaptation, en ont fait de parfaits « survivants », que ce soit dans la nature ou en aquarium.

Le guppy est un joli petit poisson qui convient aux aquariums de dimensions modestes.

Les vivipares dans l'aquarium

La plupart des vivipares préféreraient vivre dans de l'eau dure et alcaline plutôt que l'eau douce et acide des Characins. La majorité des vivipares sont sociables et de petite taille, et peuvent donc cohabiter avec presque toutes les espèces plus petites, poissons et végétaux. Les plantes peuvent d'ailleurs offrir un refuge aux alevins nouveau-nés, que des adultes pourraient manger. Les femelles gravides (enceintes) doivent être installées dans un autre aquarium pour donner naissance. D'autres poissons vivipares plus

CONSEIL

Les mollys préfèrent une eau légèrement saline, qui contribue à leur bon équilibre sanitaire.

Prédateur vivipare, le vairon brochet
mange les petits poissons.

petits, comme les guppys, peuvent également être protégés dans des sacs plastiques ou des épuisettes plongées dans l'aquarium juste avant de mettre bas. Les femelles seront aussitôt remises dans l'aquarium, mais les alevins doivent rester quelque temps dans cette zone close, qui les protège des bouches voraces.

Autres espèces

Les autres espèces vivipares présentées dans ce chapitre sont moins répandues que les « quatre grands », et peuvent même être considérées comme des animaux de collection. Le montant total des ventes de toutes les autres espèces vivipares ne représente même pas 1 % des ventes d'un des quatre types principaux, en grande partie parce que ces espèces minoritaires n'existent que sous leur forme

QUESTION

Pourrai-je vendre les petits à un magasin spécialisé et gagner ainsi de l'argent avec cet élevage ?

Les magasins se voient proposer sans arrêt des bébés poissons dénués de valeur commerciale, contrairement aux adultes plus colorés. Certains magasins peuvent accepter de s'occuper de ces poissons pour vous, mais ne vous attendez pas à gagner de l'argent avec des très jeunes poissons.

naturelle et paraissent moins esthétiques. Pourtant, ces poissons sont intéressants et faciles à entretenir. Le goodéa du Rio Ameca, (*Ameca splendens*, p. 49) est une espèce menacée ou même éteinte dans la nature ; cela constitue donc une raison supplémentaire de l'élever.

Quatre yeux

aspect inhabituel • actif • difficile • milieu saumâtre

NOM SCIENTIFIQUE : *Anableps anableps* • FAMILLE : Anablépidés • ORIGINE : Amérique du Sud septentrionale, Amérique centrale • HABITAT NATUREL : Cours d'eau et estuaires d'eau douce et d'eau saumâtre • TAILLE ADULTE MOYENNE : 30 cm • COULEURS : Argent, noir, blanc • DIMORPHISME SEXUEL : Gonopode chez les mâles • MODE DE REPRODUCTION : Vivipare • POTENTIEL DE REPRODUCTION : Faible • ZONE DE NAGE : Haut • ALIMENTATION : Insectes, aliments congelés et vivants • VÉGÉTATION : Oui • BESOINS SPÉCIFIQUES : Eau saline ; aquarium à moitié rempli DIFFICULTÉ : Élevée

L'aquarium :

TAILLE MINIMUM : 1,5 m
TEMPÉRATURE : 24–28 °C
PH: 7,5–8,2
DURETÉ DE L'EAU : Dure et alcaline
COMPATIBILITÉ AVEC D'AUTRES POISSONS : Faible

Cette espèce est parfois catégorisée comme poisson d'estuaire car elle a besoin d'une eau saumâtre. Il s'agit cependant d'un vivipare, doté d'un gonopode pouvant s'orienter vers la gauche ou la droite.

Les quatre yeux de ce poisson peuvent voir en dessous et au-dessus de la surface, et cette espèce active peut sauter au-dessus de la végétation située à la surface de l'eau.

Ces poissons sont tellement spécialisés qu'ils peuvent décliner rapidement s'ils ne bénéficient pas d'un entretien expert. Les aquariophiles qui souhaitent relever ce défi doivent installer un aquarium long et large, peu profond, avec du sable et de la tourbe. Le récipient doit être rempli à moitié d'eau saumâtre contenant du sel marin et testé avec une hydromètre : son taux de salinité doit être de 1,01. Le poisson ne mange que de la viande, et est sujet à des infections bactériennes.

En dépit de ces inconvénients, le quatre yeux est parfois disponible à la vente. Il se reproduit rarement en captivité.

Attention !

Cette espèce ne convient pas aux débutants.

Goodéa du Rio Ameca

résistant • mangeur de plantes • aspect inhabituel • rare

NOM SCIENTIFIQUE : *Ameca splendens* • FAMILLE : Goodéidés • ORIGINE : Mexique • HABITAT NATUREL : Torrents et cours d'eau des plateaux (l'espèce est proche de l'extinction dans la nature) • TAILLE ADULTE MOYENNE : 13 cm COULEURS : Gris et argent, avec des nageoires sombres bordées de jaune • DIMORPHISME SEXUEL : Femelles plus volumineuses ; mâles plus colorés • MODE DE REPRODUCTION : Vivipare • POTENTIEL DE REPRODUCTION : Moyen • ZONE DE NAGE : Milieu • ALIMENTATION : Flocons pour herbivore, aliments congelés et vivants • VÉGÉTATION : Non • BESOINS SPÉCIFIQUES : Régime végétarien • DIFFICULTÉ : Moyenne

L'aquarium :

TAILLE MINIMUM : 90 cm
TEMPÉRATURE : 25–30 °C
PH : 7–7,5
DURETÉ DE L'EAU : Douce et acide à dure et alcaline
COMPATIBILITÉ AVEC D'AUTRES POISSONS : Moyenne

Cette espèce est l'une des plus grandes des Goodéidés, et appartient à un ensemble plus vaste de poissons résistants comme les Cichlidés. Cependant, ils ne doivent pas être installés dans des aquariums contenant des poissons à nageoires longues.

Le goodéa du Rio Ameca est vivipare. La femelle est un peu plus grande que le mâle et donne naissance à des jeunes de taille impressionnante. Les mâles sont plus colorés, avec notamment une queue noire bordée de jaune. Les femelles sont surtout tachetées.

Amateur de végétaux, le goodéa vous débarrassera volontiers de toutes les mauvaises herbes qui apparaissent à la surface de l'eau.

Les goodéas sont peu représentés en aquariophilie. Ceci est dû au petit nombre de sites, au tempérament du poisson ou à l'absence de couleur chez de nombreuses variétés. L'habitat naturel des goodéas est menacé ; ils sont proches de l'extinction dans la nature, mais l'avenir de l'espèce semble assuré, dans la mesure où il existe de fortes populations en aquarium dans le monde ; en outre, les goodéas font l'objet d'un élevage commercial en Europe de l'Est.

Les poissons vivipares

Goodéa de Eisen

coloré • adaptable • actif • résistant

NOM SCIENTIFIQUE : *Xenotoca eiseni* • FAMILLE : Goodéidés • ORIGINE : Mexique, Amérique centrale • HABITAT NATUREL : Cours d'eau, lacs et torrents • TAILLE ADULTE MOYENNE : 8 cm • COULEURS : Corps de couleur claire, avec des nuances bleues autour de la nageoire dorsale ; queue rouge • DIMORPHISME SEXUEL : Femelles plus volumineuses ; mâles plus colorés • MODE DE REPRODUCTION : Vivipare • POTENTIEL DE REPRODUCTION : Moyen ZONE DE NAGE : Tous niveaux • ALIMENTATION : Flocons, aliments congelés et vivants • VÉGÉTATION : Oui • BESOINS SPÉCIFIQUES : Aucun • DIFFICULTÉ : Moyenne

L'aquarium :

TAILLE MINIMUM : 75 cm

TEMPÉRATURE : 15–30 °C

PH : 7–8

DURETÉ DE L'EAU : Douce et acide à dure et alcaline

COMPATIBILITÉ AVEC D'AUTRES POISSONS : Moyenne

Le goodéa de Eisen apparaît rarement dans les magasins spécialisés, et ses spécimens juvéniles sont souvent ignorés. Pourtant, ces poissons ont un aspect séduisant. Ils sont colorés, avec leur queue rouge typique à l'âge adulte, et dotés d'un dos incurvé prononcé et d'un corps trapu. Ils se montrent aussi adaptables en termes de dureté et de température de l'eau, et peuvent même être installés dans des bassins extérieurs pendant l'été, à condition de leur donner un espace supplémentaire et de nombreux aliments vivants. En outre, le goodéa de Eisen peut cohabiter avec d'autres poissons, dont les Cichlidés d'Amérique centrale (p. 141 et 156).

Le goodéa de Eisen, plus trapu que la plupart des espèces vivipares de Poecilidés, est généralement ignoré

par les autres poissons. Ce goodéa peut cependant mordiller les nageoires de ses voisins d'aquarium ; il faut donc éviter de l'installer avec des espèces plus fragiles, comme les guppys.

Pour tirer le meilleur parti de cette espèce, installez plus de femelles que de mâles et donnez-leur un régime varié, car ces poissons sont omnivores.

Les mâles sont plus petits que les femelles, mais aussi plus colorés. La bosse caractéristique et la couleur prennent plusieurs années avant d'apparaître : il s'agit donc d'un investissement à long terme.

Demi-bec des Célèbes

aspect inhabituel • prédateur • calme • nage près de la surface

NOM SCIENTIFIQUE : *Normorhampus liemi liemi* • FAMILLE : Hemirhampidés • ORIGINE : Sulawesi, Bornéo
HABITAT NATUREL : Cours d'eau et torrents • TAILLE ADULTE MOYENNE : 8 cm • COULEURS : Corps gris et nageoires
noires, parfois roses • DIMORPHISME SEXUEL : Femelles plus volumineuses ; mâles dotés d'un andropode • MODE
DE REPRODUCTION : Vivipare • POTENTIEL DE REPRODUCTION : Faible • ZONE DE NAGE : Haut • ALIMENTATION :
Aliments congelés et vivants • VÉGÉTATION : Oui • BESOINS SPÉCIFIQUES : Couvert végétal pour éviter des
blessures de la tête contre l'aquarium • DIFFICULTÉ : Moyenne

L'aquarium :

TAILLE MINIMUM : 75 cm
TEMPÉRATURE : 24–26 °C
PH : 6,5–7
DURETÉ DE L'EAU : Douce et acide à dure
et alcaline
COMPATIBILITÉ AVEC D'AUTRES POISSONS :
Moyenne

Ce poisson d'aspect étrange possède une mâchoire inférieure fixe, protubérante et caractéristique. Chez les mâles adultes, les nageoires et la mâchoire inférieure se colorent en noir. Assurez-vous que les femelles dominent les mâles dans une proportion de trois pour un, car les mâles peuvent devenir agressifs avec les femelles, ou entre eux.

Le demi-bec doit recevoir une alimentation plus carnée en aquarium, comme des larves de moustique ou des insectes. Il peut manger de petits alevins.

Attention aux blessures que ce poisson peut se faire à la mâchoire en cas de panique provoquée par un mouvement brutal.

Cette espèce est souvent installée dans de l'eau dure additionnée de sel, mais elle est originaire de torrents de montagne et préfère un pH relativement bas, aux alentours de 6,5. Ces poissons n'apparaissent qu'épisodiquement dans les magasins spécialisés.

Les demi-becs sont des poissons intéressants, mais mal représentés en aquariophilie à cause de leurs exigences particulières.

Attention !
Ne convient pas aux débutants.

Les poissons vivipares

Poecilia couteau

résistant • sauteur • rare • dynamique

NOM SCIENTIFIQUE : *Alfaro cultratus* • FAMILLE : Poecilidés • ORIGINE : Costa Rica, Nicaragua, Panama • HABITAT NATUREL : Torrents, cours d'eau et fossés • TAILLE ADULTE MOYENNE : 8 cm • COULEURS : Jaunes, flancs irisés DIMORPHISME SEXUEL : Femelles plus volumineuses ; Gonopode chez les mâles • MODE DE REPRODUCTION : Vivipare POTENTIEL DE REPRODUCTION : Moyen • ZONE DE NAGE : Haut et milieu • ALIMENTATION : Flocons, aliments congelés et vivants • VÉGÉTATION : Oui • BESOINS SPÉCIFIQUES : Couvercle hermétique sur l'aquarium DIFFICULTÉ : Moyenne

L'aquarium :

TAILLE MINIMUM : 75 cm

TEMPÉRATURE : 24–28 °C

PH : 7–7,5

DURETÉ DE L'EAU : Douce et acide à neutre et alcaline

COMPATIBILITÉ AVEC D'AUTRES POISSONS : Moyenne

Le poecilia couteau est typique de nombreuses espèces vivipares dédaignées au profit des variétés de platys et de guppys colorés et élevés en lignée.

Bien que d'une forme similaire à un platy (*Xinophorus maculatus*, p. 60), le poecilia couteau est fidèle à ses origines sauvages, car il se montre querelleur au sein de sa propre espèce ; les mâles doivent toujours être moins nombreux que les femelles pour réduire leur agressivité. Un décor végétal dense et duveteux peut également contribuer à pacifier l'aquarium.

Le mâle possède un gonopode large et proéminent, ainsi qu'un éclair coloré sur les flancs. Les femelles peuvent atteindre 8 cm de long, et donner naissance à 30 jeunes.

Cette espèce se jette sur la nourriture, et préfère de petits aliments vivants et congelés, comme des larves de moustique. Issu de torrents peu profonds, le poecilia couteau peut facilement sauter d'un aquarium.

Le poecilia couteau est une espèce d'eau douce, et n'a pas besoin d'ajout de sel. Il vaut mieux le placer dans un aquarium à part pour l'apprécier pleinement : dans un environnement plus encombré, il passerait facilement inaperçu.

Vairon brochet

prédateur • nage près de la surface • paisible • tranquille

NOM SCIENTIFIQUE : *Belonesox belizanus* • FAMILLE : Poecilidés • ORIGINE : Costa Rica, Mexique, Nicaragua
HABITAT NATUREL : Eaux lentes, notamment bassins et fossés avec végétation • TAILLE ADULTE MOYENNE : Femelles,
20 cm ; les mâles sont plus petits • COULEURS : Gris à vert olive • DIMORPHISME SEXUEL : Gonopode chez les
mâles • MODE DE REPRODUCTION : Vivipare • POTENTIEL DE REPRODUCTION : Moyen • ZONE DE NAGE : Haut
ALIMENTATION : Aliments vivants et congelés • VÉGÉTATION : Oui • BESOINS SPÉCIFIQUES : Végétation à la surface
pour refuge • DIFFICULTÉ : Faible

L'aquarium :

TAILLE MINIMUM : 90 cm
TEMPÉRATURE : 25–30 °C
PH : 7–8
DURETÉ DE L'EAU : Neutre à dure et alcaline
COMPATIBILITÉ AVEC D'AUTRES POISSONS : Ne
cohabite pas avec des poissons
assez petits pour être mangés

Le vairon brochet est l'une des plus grandes espèces vivipares. Il s'agit de l'équivalent vivipare d'un prédateur. Il se montre néanmoins tout à fait paisible et ne doit pas cohabiter avec des poissons agressifs, comme de grands Cichlidés ou des espèces plus rapides qui lui voleront sa nourriture.

Le gonopode ne se développe pas avant que le poisson atteigne 8 cm de long : ne vous inquiétez donc pas si un groupe de jeunes semble n'être composé que de femelles. En revanche, le vairon brochet ne se montre guère prolifique en captivité, comme la plupart des Vivipares.

Dans un environnement naturel, le vairon brochet peut se nourrir exclusivement de poissons vivants et d'insectes attrapés à la surface de l'eau ; en revanche, il est tout à fait possible de l'habituer à un régime varié en captivité.

Limie bossue

actif • résistant • aspect inhabituel • amusant

NOM SCIENTIFIQUE : *Limia nigrofasciata* • FAMILLE : Poecilidés • ORIGINE : Haïti • HABITAT NATUREL : Eaux lentes, avec végétaux • TAILLE ADULTE MOYENNE : 8 cm • COULEURS : Vert olive, gris • DIMORPHISME SEXUEL : Gonopode et bosse dorsale chez les mâles • MODE DE REPRODUCTION : Vivipare • POTENTIEL DE REPRODUCTION : Moyen ZONE DE NAGE : Milieu • ALIMENTATION : Flocons, aliments congelés et vivants • VÉGÉTATION : Oui • BESOINS SPÉCIFIQUES : Plus de femelles que de mâles dans un même aquarium • DIFFICULTÉ : Faible

L'aquarium :

TAILLE MINIMUM : 75 cm

TEMPÉRATURE : 24–28 °C

PH : 7–8

DURETÉ DE L'EAU : Dure et alcaline

COMPATIBILITÉ AVEC D'AUTRES POISSONS : Moyenne

À première vue, la limie bossue peut sembler plutôt étrange et peu intéressant, mais il a le potentiel et le tempérament d'un poisson original.

En grandissant, les mâles développent leur bosse dorsale caractéristique et un scintillement irisé sur le corps. Les mâles possèdent une queue très épaisse et une nageoire dorsale plus importante que les femelles. Celles-ci ont une forme de Poecilidé typique, avec un profil plus étroit que les mâles, bien que leur ventre se gonfle pendant leur grossesse. Les femelles adultes sont également un peu plus grandes. Les mâles paradent devant les femelles avec leurs grandes nageoires dorsales, avant de les réunir et de s'accoupler avec elles. Il s'agit d'une espèce très active.

Originaire d'Haïti, la limie bossue peut supporter du sel dans l'eau. Les poissons préfèrent de l'eau dure et alcaline dans l'aquarium.

Pour élever cette espèce, installez un couvert végétal important dans l'aquarium, car les parents essaieront de manger les jeunes.

Guppy

prolifique • actif • coloré • entretien facile

NOM SCIENTIFIQUE : *Poecilia reticulata* • FAMILLE : Poecilidés • ORIGINE : Amérique centrale • HABITAT NATUREL : Fossés, étangs, ruisseaux et canaux • TAILLE ADULTE MOYENNE : Mâle, 3 cm ; femelle, 6 cm • COULEURS : Très diverses • DIMORPHISME SEXUEL : Mâles plus petits et colorés, avec gonopode ; femelles plus volumineuses MODE DE REPRODUCTION : Vivipare • POTENTIEL DE REPRODUCTION : Élevé • ZONE DE NAGE : Haut • ALIMENTATION : Flocons, aliments congelés et vivants • VÉGÉTATION : Oui • BESOINS SPÉCIFIQUES : Femelles plus nombreuses que les mâles ; le sel d'aquarium est bénéfique pour les guppys élevés en Extrême-Orient • DIFFICULTÉ : Faible

L'aquarium :

TAILLE MINIMUM : 45 cm

TEMPÉRATURE : 20–28 °C

PH : 7–8

DURETÉ DE L'EAU : Légèrement acide à légèrement alcaline

COMPATIBILITÉ AVEC D'AUTRES POISSONS : Éviter d'autres poissons susceptibles de mordiller leurs nageoires

Le guppy, autrefois classifié dans le genre Lebistes, est l'un des plus appréciés des poissons d'eau douce tropicaux.

Les mâles possèdent de nombreuses couleurs, notamment sur la queue ; les femelles sont actuellement élevées pour être elles aussi plus colorées.

Installez un mâle pour deux femelles, afin d'éviter les querelles, ou encore un groupe exclusivement composé de mâles. Ne placez pas de guppys dans un aquarium de poissons gros ou agressifs. Si vous espérez élever cette espèce, achetez-en en divers endroits pour éviter la consanguinité.

Nourrissez le guppy fréquemment et en petites quantités ; l'aliment le plus adapté reste les larves de moustique vivantes ou congelées. Comme le guppy apprécie ces larves, il a été introduit dans les canaux et les fossés de diverses régions tropicales, afin d'enrayer la malaria transportée par les moustiques.

Molly noir

paisible • résistant • prolifique • mangeur d'algues

NOM SCIENTIFIQUE : *Poecilia sphenops* • FAMILLE : Poecilidés • ORIGINE : Mexique et Amérique centrale • HABITAT NATUREL : Lacs, ruisseaux et autres cours d'eau ; estuaires • TAILLE ADULTE MOYENNE : 6 cm • COULEURS : Vert sous sa forme naturelle ; noir, jaune, argent pour les variétés d'aquarium • DIMORPHISME SEXUEL : Femelles plus volumineuses ; gonopode chez les mâles • MODE DE REPRODUCTION : Vivipare • POTENTIEL DE REPRODUCTION : Élevé • ZONE DE NAGE : Haute • ALIMENTATION : Algues filamenteuses ; aliments lyophilisés, congelés et vivants VÉGÉTATION : Oui • BESOINS SPÉCIFIQUES : Eau dure avec ajout de sel d'aquarium • DIFFICULTÉ : Faible

Les poissons vivipares

L'aquarium :

TAILLE MINIMUM : 60 cm
TEMPÉRATURE : 20–28 °C
PH: 7,5–8
DURETÉ DE L'EAU : Neutre à dure et alcaline
COMPATIBILITÉ AVEC D'AUTRES POISSONS :
À installer avec d'autres poissons appréciant l'eau salée

Le véritable molly noir est un excellent poisson sociable, qui mange les algues poussant à la surface de l'aquarium. Il se reproduit fréquemment. Installez deux femelles pour un mâle, afin d'éviter les querelles. Les jeunes possèdent une taille importante dès la naissance et peuvent survivre dans l'aquarium principal, acceptant tout de suite de petits flocons. Les végétaux entrent pour une large part dans le régime de cette espèce : il faut donc aussi lui proposer ce type d'aliment, sous forme de flocons.

Il existe aussi des variétés tachetées ou à queue évasée. Les mollys noirs peuvent être acclimatés à des aquariums marins. D'ailleurs, lorsqu'ils vivent dans un aquarium dénué de sel ou dans une eau à pH peu élevé, les mollys noirs ont tendance à « tanguer », et deviennent sujets à des infections bactériennes.

Molly voile

paisible • actif • coloré • prolifique

NOM SCIENTIFIQUE : *Poecilia velifera* • FAMILLE : Poecilidés • ORIGINE : Mexique • HABITAT NATUREL : Ruisseaux, lacs, cours d'eau, estuaires et lagons d'eau salée • TAILLE ADULTE MOYENNE : 15 cm • COULEURS : Vert, or, noir, argent, rouge • DIMORPHISME SEXUEL : Femelles plus volumineuses ; gonopode chez les mâles • MODE DE REPRODUCTION : Vivipare • POTENTIEL DE REPRODUCTION : Élevé • ZONE DE NAGE : Haut • ALIMENTATION : Flocons végétaux, aliments vivants et congelés • VÉGÉTATION : Oui • BESOINS SPÉCIFIQUES : Femelles au moins deux fois plus nombreuses que les mâles • DIFFICULTÉ : Faible

L'aquarium :

TAILLE MINIMUM : 90 cm
TEMPÉRATURE : 24–28 °C
PH : 7,5–8,2
DURETÉ DE L'EAU : Dure et alcaline
COMPATIBILITÉ AVEC D'AUTRES POISSONS : Élevée

Les mollys voile vendus dans les magasins spécialisés peuvent souvent être des hybrides modernes de *P. velifera*, de *P. latipinna* et même de *P. sphenops*.

Dans l'aquarium, cette variété atteint une certaine taille, mais rarement les mensurations maxi-

males. Les éleveurs placent ces poissons dans des récipients allongés pour favoriser leur croissance et le développement d'une grande nageoire dorsale chez les mâles.

Le molly voile est une espèce active ; les mâles poursuivent les femelles dans tout l'aquarium et

paradent vigoureusement. Il existe de nombreuses couleurs.

Sur le plan du régime alimentaire, le molly voile est herbivore. Il doit vivre dans une eau dure, avec ajout de sel spécial pour aquarium ; sinon, il risque de contracter des infections bactériennes. Le molly voile peut manger des algues filamenteuses.

Poecilia reticulata

petit • amusant • actif • intéressant

NOM SCIENTIFIQUE : *Poecilia reticulata* « Endler's » • FAMILLE : Poecilidés • ORIGINE : Venezuela • HABITAT NATUREL : Étangs et fossés • TAILLE ADULTE MOYENNE : 2,5 cm• COULEURS : Mâles multicolores ; femelles grises DIMORPHISME SEXUEL : Mâles plus petits, avec gonopode • MODE DE REPRODUCTION : Vivipare • POTENTIEL DE REPRODUCTION : Élevé • ZONE DE NAGE : Milieu à haut • ALIMENTATION : Petites quantités de flocons et d'aliments congelés et vivants • VÉGÉTATION : Oui • BESOINS SPÉCIFIQUES : Filtration douce ; pas de voisins de grande taille susceptibles de les manger • DIFFICULTÉ : Faible

L'aquarium :

TAILLE MINIMUM : 30 cm

TEMPÉRATURE : 24 °C

PH: 7–8

DURETÉ DE L'EAU : Légèrement acide à alcaline, douce à dure

COMPATIBILITÉ AVEC D'AUTRES POISSONS : Ne cohabite pas avec de grands poissons ni avec des guppys

Ce poisson porte le nom de John Endler, l'un des scientifiques qui l'a découvert. Au premier abord, il ressemble beaucoup à une variété sauvage de guppy. Cependant, il s'agit d'une espèce distincte, qui ne doit pas s'hybrider.

La taille très limitée de ces poissons constitue l'un des problèmes principaux ; il faut donc les placer dans un aquarium sans voisins prédateurs de grande taille, ni filtre trop puissant qui les aspirerait.

La meilleure solution consisterait à utiliser un petit aquarium parvenu à maturation, avec un filtre à air de puissance limitée et une végétation dense pour protéger les jeunes. Ces poissons sont parfaits pour une première expérience et leurs évolutions présentent un intérêt éducatif ; ils conviennent donc bien à une chambre d'enfant.

Porte-épée

résistant • aspect inhabituel • entretien facile • prolifique

NOM SCIENTIFIQUE : *Xiphophorus helleri* • FAMILLE : Poecilidé • ORIGINE : Honduras, Mexique • HABITAT NATUREL : Cours d'eau, étangs et canaux à végétation dense • TAILLE ADULTE MOYENNE : 10 cm • COULEURS : Vert, noir, rouge, jaune, orange • DIMORPHISME SEXUEL : Queue allongée et gonopode chez les mâles ; femelles plus volumineuses • MODE DE REPRODUCTION : Vivipare • POTENTIEL DE REPRODUCTION : Élevé • ZONE DE NAGE : Milieu à haut • ALIMENTATION : Flocons, aliments congelés et vivants • VÉGÉTATION : Oui • BESOINS SPÉCIFIQUES : Plus de femelles que de mâles • DIFFICULTÉ : Faible

L'aquarium :

TAILLE MINIMUM : 75 cm
TEMPÉRATURE : 24–28 °C
PH : 7,5–8
DURETÉ DE L'EAU : Neutre à dure et alcaline
COMPATIBILITÉ AVEC D'AUTRES POISSONS : Cohabite avec la plupart des poissons

Les porte-épée doivent leur nom à l'extension caudale des mâles adultes. Les femelles ressemblent aux platys et ne possèdent pas cette particularité.

L'espèce, facile à entretenir, convient aux débutants. Elle se reproduit aisément en aquarium. Achetez des poissons dans différents magasins pour éviter la consanguinité. Les mâles peuvent s'avérer querelleurs s'ils ne sont pas entourés par des femelles en nombre suffisant, mais leur agressivité peut généralement être contrôlée s'ils sont installés dans un aquarium de vastes dimensions (longueur et largeur).

Il existe de nombreuses couleurs et formes, y compris des poissons dotés de queues en forme de lyre ; pour beaucoup, ils ne ressemblent plus guère au poisson d'origine, vert à l'état naturel.

Pour développer l'« épée » d'un mâle, donnez-lui un espace de nage suffisant et un régime varié (végétaux et larves de moustiques.

Platy

paisible • coloré • résistant • entretien facile

NOM SCIENTIFIQUE : *Xiphophorus maculatus* • FAMILLE : Poecilidés • ORIGINE : Bélize, Guatemala, Mexique
HABITAT NATUREL : Cours d'eau lents, canaux et fossés • TAILLE ADULTE MOYENNE : 5 cm • COULEURS : Vert, rouge,
jaune, bleu, argent, noir, orange • DIMORPHISME SEXUEL : Femelles plus volumineuses ; gonopode chez les
mâles • MODE DE REPRODUCTION : Vivipare • POTENTIEL DE REPRODUCTION : Élevé • ZONE DE NAGE : Milieu et haut
ALIMENTATION : Flocons, aliments congelés et vivants • VÉGÉTATION : Oui • BESOINS SPÉCIFIQUES : Vivent en
groupe ; plus de mâles que de femelles • DIFFICULTÉ : Faible

L'aquarium :

TAILLE MINIMUM : 60 cm
TEMPÉRATURE : 20–28 °C
PH: 7,5–8
DURETÉ DE L'EAU : Neutre à dure et alca-
line
COMPATIBILITÉ AVEC D'AUTRES POISSONS :
Cohabite avec tous les poissons
pas trop agressifs

Excellents poissons sociables, les
platys sont recommandés pour tous
les types d'aquariums tropicaux.
Leur facilité d'entretien et leur résistance en font de parfaits poissons
pour débutants. Ils supportent une
eau aux paramètres approximatifs,
et même une erreur aquariophile de
temps à autre.

Ces poissons sont très répandus
et peu onéreux ; ils existent en de
nombreuses couleurs et formes de
nageoire. Leur élevage est si facile
que de nombreuses femelles sont
déjà gravides au moment de
l'achat, et donneront naissance à
des jeunes quelques jours après
leur installation dans leur nouvel
aquarium.

Il vaut mieux conserver un ratio
de deux femelles pour un mâle, et
disposer quelques zones végétales
denses dans l'aquarium, ou un
endroit protégé, pour que les
jeunes survivent.

Les poissons vivipares

Platy perroquet

adaptable • résistant • prolifique • entretien facile

NOM SCIENTIFIQUE : *Xiphophorus variatus* • FAMILLE : Poecilidés • ORIGINE : Mexique • HABITAT NATUREL : Eaux lentes, à végétation dense • TAILLE ADULTE MOYENNE : 5 cm • COULEURS : Vert, rouge, jaune, orange, noir DIMORPHISME SEXUEL : Gonopode chez les mâles • MODE DE REPRODUCTION : Vivipare • POTENTIEL DE REPRODUCTION : Élevé • ZONE DE NAGE : Toutes • ALIMENTATION : Herbivore ; aliments en flocons, congelés et vivants • VÉGÉTATION : Oui • BESOINS SPÉCIFIQUES : Mâles plus nombreux que les femelles • DIFFICULTÉ : Faible

L'aquarium :

TAILLE MINIMUM : 60 cm

TEMPÉRATURE : 15–28 °C

PH : 7–8

DURETÉ DE L'EAU : Dure et alcaline

COMPATIBILITÉ AVEC D'AUTRES POISSONS : Élevée

Certains spécialistes pensaient que le platy perroquet était un hybride de platy et de porte-épée, mais il s'agit en fait d'une espèce à part entière. Ce poisson d'aquarium fort apprécié existe en presque autant de couleurs que le platy ou le porte-épée. Son corps est plus élancé que celui du platy, et comporte des touches noires la plupart du temps.

La particularité de cette espèce est liée à sa tolérance d'une eau plus froide, qui le rend apte à vivre dans un aquarium tempéré ou plus frais. Le platy perroquet est également très robuste et prolifique.

Pour que ce poisson conserve une condition optimale, placez-le dans de l'eau dure, à une tempéra-ture située dans la fourchette indi-quée. Il doit recevoir de bonnes quantités de flocons herbivores, avec des larves de moustique à l'occasion.

La robustesse du platy perroquet en fait un poisson idéal pour débu-tants en aquariophilie tropicale ou d'eau froide. L'espèce ne demande pas trop d'espace et se contentera d'un aquarium de 60 cm de long.

Les poissons vivipares

Les Characins

Les poissons de ce vaste groupe se trouvent en Amérique latine et en Afrique. Ils appartiennent tous à des espèces tropicales ; leur taille varie de quelques centimètres à presque un mètre ; leur régime varie d'exclusivement herbivore à carnivore. Certains des poissons tropicaux les plus connus du monde figurent parmi les Characins, comme le tétra néon (*Paracheidoron innesi*, p. 75), qui est sans doute l'une des espèces à avoir suscité le plus de vocations d'aquariophile.

Les tétras

Les tétras sont généralement des espèces de petite taille vivant en bancs ; ils conviennent parfaitement à un aquarium tropical. La plupart ne dépassent pas 5 cm de long, même à l'âge adulte, et un récipient de taille moyenne pourra facilement accueillir un banc de six individus, voire plus.

À quelques exceptions près, ces poissons sont originaires d'eaux acides et douces, comme les cours d'eau de la jungle, et se sont adaptés à de nombreux aliments de petite taille, pris à la surface ou dans une zone intermédiaire. Les tétras sont généralement pacifiques, mais certaines espèces, comme le serpae (*Hyphessobrycon callistus*, p. 69) peuvent mordiller les nageoires longues d'autres poissons.

Les tétras cohabitent avec les végétaux et apprécieront le couvert fourni par ces derniers. L'aquarium, parvenu à maturité, doit être garni de tourbe et d'une couche de sable fin.

Attention au tétra joyau, qui peut mordiller les longues nageoires de certains poissons.

Autres Characins

D'autres petits Characins, comme le poisson crayon (*Nannobrycon eques,* p. 85) et le poisson-hachette marbré (*Carnegellia strigata strigata,* p. 83) sont peu exigeants, se comportent comme des tétras et peuvent cohabiter avec eux. D'autres, comme l'anostome rayé (*Anostomus anostomus*, p. 64), le leporinus vert (*leporinus affinis,* p. 65) et le distichodus zèbre (*distichodus sexfasciatus,* p. 81) se montrent plus agressifs, entre eux et avec d'autres espèces ; il leur faut donc des aquariums plus grands et des voisins plus imposants, comme les Cichlidés. Ces poissons mangent aussi les plantes.

Le leporinus vert, le distichodus zèbre, le prochilodus argenté (*Semaprochilodus taeniurus*, p. 86), le pacu rouge (*Piaractus brachypomus*, p. 77), le piranha à

Le tétra cardinal, nageant en banc coloré,
est un choix apprécié.

ventre rouge (*Serrasalmus nattereri*, p. 78) et le poisson tigre (*Hoplias malabaricus*, p. 82) nécessitent tous une attention particulière à cause de leur taille : ils atteindront ou dépasseront 30 cm à l'âge adulte. Il leur faut des aquariums de vastes dimensions dotés de filtres puissants ; en outre, ils vivent longtemps. Les quatre premières espèces sont végétariennes et doivent suivre un régime comprenant des pois écrasés, des feuilles blanches de salade ou du concombre. Ils peuvent même manger des fruits ou des arachides.

Les prédateurs

Le piranha à ventre rouge et le poisson tigre sont deux espèces très différentes, mais appartenant à la même catégorie des « bizarreries », en raison notamment de leur bouche remplie de dents aiguisées. Ils ne sont pas du goût de tout le monde. S'ils en ont la possibilité, ils mangeront des poissons vivants, mais il vaut mieux leur offrir de la nourriture à appât déjà tuée. Il est préférable d'installer ces espèces dans un aquarium à part, les piranhas dans un banc important et le poisson tigre seul. Ils peuvent occasionner de vilaines morsures à une main imprudente, et doivent être éloignés des jeunes enfants.

CONSEIL

Les tétras ne se nourrissent pas au fond de l'aquarium. Un poisson récupérateur, comme le corydoras, qui ramasse toute la nourriture inutilisée, pourra se révéler utile dans l'aquarium.

Anostome rayé

aspect inhabituel • vivace • résistant • actif

NOM SCIENTIFIQUE : *Anostomus anostomus* • FAMILLE : Anostomidés • ORIGINE : Brésil, Colombie, Guyane, Venezuela (bassins des fleuves Amazone et Orénoque) • HABITAT NATUREL : Cours d'eau et zones forestières inondées • TAILLE ADULTE MOYENNE : 18 cm • COULEURS : Corps jaune avec rayures horizontales marron foncé DIMORPHISME SEXUEL : Femelles souvent plus volumineuses • MODE DE REPRODUCTION : Ovipare, ponte en pleine eau POTENTIEL DE REPRODUCTION : Faible • ZONE DE NAGE : Milieu • ALIMENTATION : Herbivore, flocons, aliments congelés et vivants • VÉGÉTATION : Non • BESOINS SPÉCIFIQUES : Grand aquarium ; voisins compatibles • DIFFICULTÉ : Moyenne

Les Characins

L'aquarium :

TAILLE MINIMUM : 1,2 m

TEMPÉRATURE : 24–28 °C

PH: 6–7

DURETÉ DE L'EAU : Douce et acide à dure et alcaline

COMPATIBILITÉ AVEC D'AUTRES POISSONS : Moyenne

L'anostome est souvent appelé poisson tête en bas, car il nage à l'envers pour se nourrir au fond de l'aquarium.

Ce Characin résistant sait se défendre, même contre des poissons plus gros, et il peut parfois s'avérer plus querelleur que certains Cichlidés.

L'anostome rayé est une espèce très esthétique, en particulier dans un grand aquarium décoré de tourbe et sans végétaux vivants. L'espace joue un rôle essentiel dans le bien-être de ce poisson, tout comme le choix des espèces qui cohabiteront avec lui.

L'anostome, herbivore, mangera volontiers des flocons végétaux et des algues filamenteuses.

Ce poisson préfère l'eau douce d'un aquarium parvenu à maturité, sans cohabitation avec des espèces lui ressemblant. Vous pourrez installer un groupe d'anostomes, mais il vaut mieux dans ce cas, les mettre tous dans l'eau en même temps. L'anostome préfère les zones sablonneuses et feuillues, remplies d'invertébrés.

Les anostomes se reproduisent rarement en captivité et sont principalement capturés dans la nature.

Leporinus vert

grand • aspect inhabituel • vif • asocial

NOM SCIENTIFIQUE : *Leporinus affinis* • FAMILLE : Anostomidés • ORIGINE : Brésil, Colombie, Pérou, Venezuela (Rio Negro) • HABITAT NATUREL : Cours d'eau sombre à crue saisonnière, se déversant dans des lacs et étangs

TAILLE ADULTE MOYENNE : 30 cm • COULEURS : Corps jaune et clair à rayures noires verticales ; nageoires incolores

DIMORPHISME SEXUEL : Inconnu • MODE DE REPRODUCTION : Ovipare, ponte en pleine eau • POTENTIEL DE REPRODUCTION : Faible • ZONE DE NAGE : Milieu • ALIMENTATION : Herbivore ; flocons, aliments congelés et vivants

VÉGÉTATION : Non • BESOINS SPÉCIFIQUES : Grand aquarium avec voisins sélectionnés • DIFFICULTÉ : Moyenne

L'aquarium :

TAILLE MINIMUM : 1,5 m
TEMPÉRATURE : 24–28 °C
PH: 6–7
DURETÉ DE L'EAU : Douce et acide à neutre
COMPATIBILITÉ AVEC D'AUTRES POISSONS :
Faible

Le leporinus vert est un véritable survivant de son environnement naturel ; son espèce est répandue en de nombreux endroits dans toute l'Amérique du Sud. Le leporinus à l'état naturel, d'une taille atteignant 10 cm, vit par bancs dans des cours d'eau et zones inondées. Les spécimens plus longs se montrent plus agressifs envers leurs congénères ou d'autres espèces.

Si vous êtes tenté par ce poisson, n'oubliez pas la taille qu'il finira par atteindre. Choisissez bien leurs voisins d'aquarium, car certains leporinus adultes peuvent dominer même de grands Cichlidés avec qui ils ne s'entendent pas bien. N'installez pas non plus un poisson de la même forme que le leporinus.

Décorez l'aquarium de rochers et de tourbe pour diviser l'espace en territoires. Un leporinus bien nourri sera moins tenté de mordre les nageoires d'autres poissons. Son alimentation doit comporter de la matière végétale.

L'aspect frappant du leporinus lui vaut une place dans les grands aquariums de démonstration. La plupart des aquariums domestiques sont tout simplement trop petits pour lui, et ce n'est guère un poisson sociable.

Attention !
Cette espèce grandit beaucoup.

Les Characins

Tétra noir

résistant • vit en banc • aspect inhabituel • entretien facile

NOM SCIENTIFIQUE : *Gymnocorymbus ternetzi* • FAMILLE : Characidés • ORIGINE : Bolivie, Paraguay (fleuves Guaporé et Paraguay) • HABITAT NATUREL : Cours d'eau et affluents • TAILLE ADULTE MOYENNE : 5 cm • COULEURS : Nageoires anale et dorsale noires, partie arrière noire, le corps devenant gris avec l'âge • DIMORPHISME SEXUEL : Femelles plus volumineuses • MODE DE REPRODUCTION : Ovipare, ponte en pleine eau • POTENTIEL DE REPRODUCTION : Faible • ZONE DE NAGE : Milieu • ALIMENTATION : Tous aliments, y compris flocons, congelés et vivants • VÉGÉTATION : Oui • BESOINS SPÉCIFIQUES : Banc de six ou plus • DIFFICULTÉ : Faible

L'aquarium :

TAILLE MINIMUM : 75 cm

TEMPÉRATURE : 22–28 °C

PH: 6–7

DURETÉ DE L'EAU : Douce et acide à dure et alcaline

COMPATIBILITÉ AVEC D'AUTRES POISSONS : Moyenne

Ces poissons courants et peu onéreux sont appréciés depuis longtemps ; ils ont fait la preuve de leur résistance et de leur longévité. Certains aquariophiles se montrent déçus en voyant les jeunes poissons perdre leur couleur noire, et devenir principalement argentés.

Installez un groupe de tétras noirs avec d'autres poissons plus grands comme d'autres tétras ou des barbus, et évitez les espèces à longue nageoire, que le tétra noir mordillerait. En disposant un banc de tétras noirs dans l'aquarium, vous limiterez les comportements agressifs, mais un groupe de deux ou trois risque de pro-

voquer des réactions de territorialité, et ne constitue pas un véritable banc.

Le tétra noir, d'entretien facile, convient bien pour une première expérience. Il réagit moins aux paramètres de l'eau que d'autres tétras, et supporte la plupart des températures et pH tropicaux.

Les tétras noirs ne sont généralement élevés que par des professionnels, mais les poissons femelles sont aisément reconnaissables à leurs corps plus volumineux. Il existe aussi des variétés élevées en lignée, comme le tétra noir à nageoires longues ou le tétra noir doré.

Nez rouge

élégant • paisible • coloré • vit en banc

NOM SCIENTIFIQUE : *Hemigrammus bleheri* • FAMILLE : Characidés • ORIGINE : Brésil, Colombie (Rio Negro)
HABITAT NATUREL : Cours d'eau sombre • TAILLE ADULTE MOYENNE : 5 cm • COULEURS : Corps opaque, tache rouge
vif sur la tête et queue rayée de noir et blanc • DIMORPHISME SEXUEL : Mâles plus fins • MODE DE REPRODUCTION :
Ovipare, ponte en pleine eau • POTENTIEL DE REPRODUCTION : Faible • ZONE DE NAGE : Milieu • ALIMENTATION :
En flocons, aliments congelés et vivants • VÉGÉTATION : Oui • BESOINS SPÉCIFIQUES : Banc de six ou plus
DIFFICULTÉ : Moyenne

L'aquarium :

TAILLE MINIMUM : 60 cm

TEMPÉRATURE : 23–28 °C

PH : 6–7

DURETÉ DE L'EAU : Douce et acide à neutre

COMPATIBILITÉ AVEC D'AUTRES POISSONS :
Moyenne

Trois espèces sont connues sous le nom de tétra nez rouge : *Hemigrammus bleheri*, *H. rhodostomus* et *Petitella georgiae*. *H. bleheri* (photo) est l'espèce la plus répandue ; la couleur rouge apparaît chez les spécimens adultes sur la partie supérieure de la tête et jusqu'aux ouïes.

Ces tétras sont paisibles. Ils dépassent juste la taille moyenne, ce qui leur permet de cohabiter avec le *Pterophyllum scalare* (p. 154), qui a tendance à manger des poissons de la taille des tétras néons. Le tétra nez rouge peut cohabiter avec d'autres petites espèces paisibles, et les aquariums contenant des plantes leur conviennent. L'eau doit être douce et acide.

Comme d'autres tétras, le nez rouge ne se nourrit pas au fond de l'aquarium ; ainsi, il est recommandé d'installer une espèce récupératrice pour nettoyer après eux.

Le nez rouge se reproduit rarement en aquarium, et les stocks des magasins proviennent de poissons capturés dans la nature ou élevés par des professionnels en Extrême-Orient ou en Europe de l'Est. Les spécimens élevés dans le commerce sont plus résistants que leurs congénères issus de milieux naturels, mais il faudra sans doute les placer en quarantaine, voire les traiter.

Tétra lumineux

subtil • petit • vit en banc • paisible

NOM SCIENTIFIQUE : *Hemigrammus erythrozonus* • FAMILLE : Characidés • ORIGINE : Guyane • HABITAT NATUREL : Affluents, ruisseaux, cours d'eau et lacs permanents, eau claire ou trouble • TAILLE ADULTE MOYENNE : 4 cm COULEURS : Corps opaque à reflets or et rouge, rayure néon de l'œil à la queue • DIMORPHISME SEXUEL : Femelles plus volumineuses • MODE DE REPRODUCTION : Ovipare, ponte en pleine eau • POTENTIEL DE REPRODUCTION : Faible • ZONE DE NAGE : Milieu • ALIMENTATION : Petits aliments, notamment congelés, vivants, et flocons VÉGÉTATION : Oui • BESOINS SPÉCIFIQUES : Banc de six ou plus • DIFFICULTÉ : Moyenne

Les Characins

L'aquarium :

TAILLE MINIMUM : 45 cm

TEMPÉRATURE : 24–28 °C

PH : 6–7

DURETÉ DE L'EAU : Douce et acide à neutre

COMPATIBILITÉ AVEC D'AUTRES POISSONS : Moyenne

Les tétras lumineux sont des poissons agréables convenant à des aquariums de petite taille, aux habitants tranquilles. La rayure fluorescente apparaît bien dans un éclairage adouci ou un environnement assombri par la tourbe. Disposez des végétaux dans l'aquarium pour fournir un couvert au poisson et d'éventuels sites de frai ; cependant, cette espèce se reproduit rarement dans ces conditions.

Nourrissez souvent et en petite quantité vos tétras lumineux, et instal-

lez-les dans une eau douce avec un pH bas. L'aquarium doit mûrir pendant six semaines au minimum avant l'arrivée des poissons.

Les tétras lumineux cohabitent avec d'autres espèces paisibles, de taille similaire, ainsi qu'avec de petits corydoras. Évitez en revanche les poissons plus gros susceptibles de les manger, et préférez d'autres espèces sud-américaines, partageant le même environnement d'origine. Un aquarium biotope, avec du bois, des feuilles, des plantes et un fond sablonneux, conviendra très bien aux tétras lumineux.

Serpae

vit en banc • coloré • vivace • esthétique

NOM SCIENTIFIQUE : *Hyphessobrycon callistus* • FAMILLE : Characidés • ORIGINE : Amérique du Sud (bassins des fleuves Amazone et Paraguay) • HABITAT NATUREL : Eau dormante contenant de la végétation • TAILLE ADULTE MOYENNE : 4 cm • COULEURS : Corps rouge profond avec nageoire dorsale noire et tache noire au-dessus de la nageoire pectorale • DIMORPHISME SEXUEL : Femelles plus volumineuses ; mâles plus colorés • MODE DE REPRODUCTION : Ovipare, ponte en pleine eau POTENTIEL DE REPRODUCTION : Faible • ZONE DE NAGE : Milieu ALIMENTATION : Tous aliments de petite taille, dont flocons, congelés et vivants • VÉGÉTATION : Oui • BESOINS SPÉCIFIQUES : Banc de six ou plus • DIFFICULTÉ : Moyenne

L'aquarium :

TAILLE MINIMUM : 60 cm
TEMPÉRATURE : 24–28 °C
PH : 6–7
DURETÉ DE L'EAU : Douce et acide à neutre
COMPATIBILITÉ AVEC D'AUTRES POISSONS : Moyenne

Le serpae est probablement le tétra le plus répandu. Son principal inconvénient est sa tendance à mordiller les nageoires longues d'autres poissons, comme le guppy ou le combattant du Siam.

Le serpae doit vivre en groupe important, afin de s'occuper et donc de diminuer les morsures de nageoire. Il faut le nourrir souvent et en petites quantités, notamment de daphnies et de larves de moustique. L'aquarium idéal comportera une grande quantité de végétation, avec une eau douce parvenue à maturité. Dans des conditions correctes, le serpae causera rarement des problèmes et complétera agréablement la plupart des aquariums.

D'autres espèces de tétras feront des voisins parfaits, mais vous pourrez aussi ajouter des corydoras de petite taille pour nettoyer le fond de l'aquarium.

Comme de nombreux autres tétras, le serpae se reproduit rarement en aquarium, mais il est élevé pour le commerce en Extrême-Orient.

Cœur saignant

Les Characins

NOM SCIENTIFIQUE : *Hyphessobrycon erythrostigma* • FAMILLE : Characidés • ORIGINE : Pérou (bassin supérieur du fleuve Amazone) • HABITAT NATUREL : Cours d'eau • TAILLE ADULTE MOYENNE : 8 cm • COULEURS : Corps orangé avec tache rouge (cœur saignant) • DIMORPHISME SEXUEL : Mâles plus volumineux, avec nageoire dorsale noire et plus élaborée • MODE DE REPRODUCTION : Ovipare, ponte en pleine eau • POTENTIEL DE REPRODUCTION : Faible • ZONE DE NAGE : Milieu • ALIMENTATION : Tous aliments de petite taille (lyophilisés, congelés et vivants) • VÉGÉTATION : Oui • BESOINS SPÉCIFIQUES : Espace ; vit en banc • DIFFICULTÉ : Moyenne

L'aquarium :

TAILLE MINIMUM : 1,2 m

TEMPÉRATURE : 24–28 °C

PH : 6–7

DURETÉ DE L'EAU : Douce et acide à neutre

COMPATIBILITÉ AVEC D'AUTRES POISSONS : Moyenne

Le cœur saignant, ainsi appelé à cause de ses taches rouges latérales, est apprécié depuis longtemps des aquariophiles ; il occupe la place d'honneur dans de nombreux aquariums de démonstration. Le mâle adulte est plus gros que la femelle, et, dans de bonnes conditions, il peut développer une nageoire dorsale allongée.

Ces tétras, plus grands que la moyenne, ont besoin de beaucoup d'espace pour nager. Installez des végétaux, mais en laissant de la place

sur la façade. Une eau douce et acide contribuera à l'apparition de la marque rouge caractéristique du cœur saignant. Les jeunes ne laissent nullement deviner l'aspect incroyablement esthétique qu'ils prendront à l'âge adulte.

Faciles à nourrir, les cœur saignant acceptent de nombreux types de nourriture, congelée ou vivante. Ils peuvent cohabiter avec divers poissons sociables, y compris des espèces plus volumineuses comme les gouramis. Le cœur saignant est cependant trop délicat pour vivre avec des Cichlidés de taille moyenne. Enfin, il se reproduit rarement en aquarium.

Néon noir

irisé • vit en banc • paisible • petit

NOM SCIENTIFIQUE : *Hyphessobrycon herbertaxelrodi* • FAMILLE : Characidés • ORIGINE : Brésil, Paraguay
HABITAT NATUREL : Ruisseaux et affluents • TAILLE ADULTE MOYENNE : 4 cm • COULEURS : Corps noir avec ligne
horizontale dorée et fluorescente, des ouïes à la queue • DIMORPHISME SEXUEL : Femelles plus volumineuses
MODE DE REPRODUCTION : Ovipare, ponte en pleine eau • POTENTIEL DE REPRODUCTION : Faible • ZONE DE NAGE :
Milieu • ALIMENTATION : Petits flocons, aliments congelés et vivants • VÉGÉTATION : Oui • BESOINS SPÉCIFIQUES :
Banc de six ou plus • DIFFICULTÉ : Moyenne

L'aquarium :
TAILLE MINIMUM : 45 cm
TEMPÉRATURE : 24–28 °C
PH: 6–7
DURETÉ DE L'EAU : Douce et acide
COMPATIBILITÉ AVEC D'AUTRES POISSONS :
Moyenne

Les néons noirs sont tout aussi esthétiques que les tétras néons (p. 75) ;
un grand banc de poissons de cette
espèce produit un effet particulièrement réussi. Les rayures fluorescentes sont bien mises en valeur
dans une eau teintée de tourbe ou
ombragée par des végétaux.

Ce petit poisson paisible convient
parfaitement à des aquariums de
taille limitée parvenus à maturité ; il
cohabitera avec des espèces peu
agressives (comme certains barbus et
arcs-en-ciel). Le néon noir, de la même
taille que le tétra néon, grandit plus
rapidement, mais les femelles possèdent des corps plus volumineux. Les
néons noirs ne doivent être installés
que dans des aquariums ayant au
moins six semaines de maturation.

Nourrissez-les régulièrement d'aliments coulant lentement, en leur
offrant des daphnies à l'occasion. Des
poissons comme certains corydoras
peuvent s'avérer utiles, en nettoyant le
fond de l'aquarium où les néons noirs
ne se nourrissent pas.

Un aquarium doté de végétaux
fournira un couvert et une certaine
sécurité à cette espèce, qui se sentira
mieux dans une eau douce et tiède.

Les Characins

Tétra citron

esthétique • paisible • coloré • vit en banc

NOM SCIENTIFIQUE : *Hyphessobrycon pulchripinnis* • FAMILLE : Characidés • ORIGINE : Brésil (bassin des fleuves Tapajós et Tocantins) • HABITAT NATUREL : Ruisseaux, cours d'eaux et affluents • TAILLE ADULTE MOYENNE : 4 cm COULEURS : Corps jaune avec nageoire anale jaune vive bordée de noir, rayure rouge sur l'œil • DIMORPHISME SEXUEL : Couleurs mieux définies sur la nageoire anale des mâles • MODE DE REPRODUCTION : Ovipare, ponte en pleine eau • POTENTIEL DE REPRODUCTION : Faible • ZONE DE NAGE : Milieu • ALIMENTATION : Petits flocons, aliments congelés et vivants • VÉGÉTATION : Oui BESOINS SPÉCIFIQUES : Banc de six ou plus • DIFFICULTÉ : Moyenne

L'aquarium :

TAILLE MINIMUM : 60 cm

TEMPÉRATURE : 24–28 °C

PH: 6–7

DURETÉ DE L'EAU : Douce et acide à neutre

COMPATIBILITÉ AVEC D'AUTRES POISSONS : Moyenne

Les tétras citron peuvent paraître sans intérêt à leur arrivée, mais dans de bonnes conditions, ils prennent de belles couleurs jaunes ; les mâles développent un liséré noir sur la nageoire anale.

Il vaut mieux placer ces poissons par banc de six ou plus dans un aquarium planté et parvenu à maturité, avec d'autres espèces paisibles et de petite taille, comme d'autres tétras. Évitez les poissons trop gros ou agressifs.

L'eau doit rester douce et acide. Le tétra citron est peu exigeant, sauf sur la qualité de l'eau. Peu onéreux en règle générale, ce poisson complétera bien un aquarium communautaire ou un biotope sud-américain.

Proposez une alimentation diversifiée au tétra citron, comme des daphnies et larves de moustique. Comme de nombreux autres tétras, cette espèce se nourrit à la surface ou au milieu de l'aquarium, mais pas au fond. Nourrissez-la souvent (jusqu'à trois fois par jour) mais en petites quantités.

Le tétra citron se reproduit rarement dans un aquarium domestique, mais l'espèce fait l'objet d'un élevage commercial en Extrême-Orient.

Moenkhausia aux yeux rouges

esthétique • vit en banc • résistant • pacifique

NOM SCIENTIFIQUE : *Moenkhausia sanctaefilomenae* • FAMILLE : Characidés • ORIGINE : Amérique du Sud, notamment Bolivie, Brésil, Paraguay, Pérou • HABITAT NATUREL : Cours d'eau et lacs • TAILLE ADULTE MOYENNE : 8 cm • COULEURS : Corps argenté à bande blanche et noire plus large à la base de la queue • DIMORPHISME SEXUEL : Femelles plus volumineuses • MODE DE REPRODUCTION : Ovipare, ponte en pleine eau • POTENTIEL DE REPRODUCTION : Faible • ZONE DE NAGE : Milieu à haut • ALIMENTATION : Tous aliments, notamment flocons, congelés et vivants • VÉGÉTATION : Oui • BESOINS SPÉCIFIQUES : Banc de six ou plus • DIFFICULTÉ : Faible

L'aquarium :

TAILLE MINIMUM : 90 cm

TEMPÉRATURE : 22–28 °C

PH : 6–7

DURETÉ DE L'EAU : Douce et acide à modérément dure et alcaline

COMPATIBILITÉ AVEC D'AUTRES POISSONS : Moyenne

Les moenkhausias aux yeux rouges sont particulièrement impressionnants en grands bancs dans des aquariums. Ils forment un groupe très soudé, qui tourne en bloc dans la même direction au même moment. Dans de vastes aquariums, ils nagent aussi près de la surface, ce qui distrait les Cichlidés de petite taille, qui pourraient autrement s'agresser entre eux.

Les moenkhausias aux yeux rouges deviennent assez grands à l'âge adulte pour cohabiter en groupe avec des poissons de grande ou moyenne taille, mais pas avec des espèces à nageoires longues, que les yeux rouges mor-

dilleraient. Ils possèdent d'ailleurs de petites dents bien visibles lors d'un examen attentif.

L'endurance de ce poisson rend son entretien facile, mais il préfère les aquariums parvenus à maturité. Sa taille, un peu plus grande que la moyenne ainsi que la nécessité de vivre en banc impliquent d'utiliser un récipient d'au moins 90 cm de long.

Tétra cardinal

esthétique • vit en banc • apprécié • petite taille

NOM SCIENTIFIQUE : *Paracheirodon axelrodi* • FAMILLE : Characidés • ORIGINE : Venezuela, Brésil, Colombie (Rio Negro) • HABITAT NATUREL : Cours d'eau sombres et affluents • TAILLE ADULTE MOYENNE : 5 cm • COULEURS : Moitié inférieure du corps rouge, surmontée d'une bande bleu-vert fluorescente • DIMORPHISME SEXUEL : Femelles plus volumineuses • MODE DE REPRODUCTION : Ovipare, ponte en pleine eau • POTENTIEL DE REPRODUCTION : Faible • ZONE DE NAGE : Milieu • ALIMENTATION : Aliments de petite taille (dont flocons, congelés et vivants) • VÉGÉTATION : Oui • BESOINS SPÉCIFIQUES : Banc de six ou plus • DIFFICULTÉ : Moyenne

L'aquarium :

TAILLE MINIMUM : 60 cm
TEMPÉRATURE : 24–30 °C
PH: 6–7
DURETÉ DE L'EAU : Douce et acide
COMPATIBILITÉ AVEC D'AUTRES POISSONS : Moyenne

Le tétra cardinal rivalise avec le tétra néon pour sa couleur et sa popularité auprès des aquariophiles. En banc, cette espèce produit un effet impressionnant, et les photographes s'en servent souvent pour promouvoir les poissons tropicaux. Le tétra cardinal est légèrement plus coloré que le tétra néon, avec sa couleur rouge sur la moitié inférieure du corps ; il atteint aussi une taille un peu supérieure.

Ce poisson a besoin d'un aquarium parvenu à maturité, rempli d'eau douce et tiède, et ne cohabite pas avec d'autres espèces assez grandes pour le manger. Le tétra cardinal apprécie la végétation, mais son habitat naturel d'eau sombre en Amérique du Sud est dénué de plantes vivantes, en raison de son

taux d'acidité élevée et de luminosité faible. Le tétra cardinal sera mis en valeur dans un aquarium biotope sud-américain, avec de la tourbe, des feuilles et une eau teintée de tanin.

Le tétra cardinal n'est élevé en captivité que par des professionnels ; en outre, il est parfois capturé dans son habitat naturel. Ses œufs sont sensibles à la lumière. Les femelles deviennent plus longues et plus grosses. Le tétra cardinal capturé dans la nature est sujet à des maladies bactériennes et doit être placé en quarantaine avant de rejoindre l'aquarium principal.

Tétra néon

petit • paisible • coloré • vit en banc

NOM SCIENTIFIQUE : *Paracheirodon innesi* • FAMILLE : Characidés • ORIGINE : Pérou (Solimoes) • HABITAT NATUREL : Cours d'eau claire ou sombre • TAILLE ADULTE MOYENNE : 4 cm • COULEURS : Ventre argenté avec rayure bleue fluorescente sur le haut ; queue rouge • DIMORPHISME SEXUEL : Femelles légèrement plus volumineuses • MODE DE REPRODUCTION : Ovipare, ponte en pleine eau • POTENTIEL DE REPRODUCTION : Faible • ZONE DE NAGE : Milieu ALIMENTATION : Aliment de petite taille (flocons, congelés et vivants) • VÉGÉTATION : Oui • BESOINS SPÉCIFIQUES : Banc de six ou plus • DIFFICULTÉ : Moyenne

L'aquarium :

TAILLE MINIMUM : 45 cm
TEMPÉRATURE : 24–28 °C
PH : 6–7
DURETÉ DE L'EAU : Douce et acide à neutre
COMPATIBILITÉ AVEC D'AUTRES POISSONS : Moyenne

Le tétra néon est universellement connu, même des non aquariophiles, et cette espèce est l'une des plus répandues dans les aquariums. Ces Characins paisibles et de petite taille ne doivent pas cohabiter avec de plus gros poissons, susceptibles de les manger.

Nourrissez-les souvent et par petites quantités, avec des aliments tombant lentement dans l'eau : les tétras néon ne mangent pas au fond de l'aquarium.

Cette espèce doit vivre dans une eau au pH inférieur à 7 et d'une température autour de 27 °C. Dans une eau de mauvaise qualité, les couleurs de ce poisson peuvent se faner, et l'animal risque de mourir d'une maladie liée au stress. Le tétra néon ne résiste pas non plus aux nitrites ; il faut donc tester l'eau avant de l'acheter et n'installer ce poisson que dans un milieu parvenu à maturation.

Les tétras néon doivent vivre avec des poissons de taille similaire, et disposer d'un couvert végétal vivant. Cette espèce se reproduit rarement dans des aquariums domestiques car les œufs, sensibles à la lumière, ne se développent pas correctement.

Les Characins

Tétra du Congo

esthétique • élégant • paisible • différent

NOM SCIENTIFIQUE : *Phenacogrammus interruptus* • FAMILLE : Characidés • ORIGINE : République démocratique du Congo • HABITAT NATUREL : Cours d'eau de jungle • TAILLE ADULTE MOYENNE : 10 cm • COULEURS : Reflets arc-en-ciel sur les écailles ; femelles moins élégantes • DIMORPHISME SEXUEL : Mâles plus volumineux, dotés de nageoires dorsales et caudales plus longues • MODE DE REPRODUCTION : Ovipare, ponte en pleine eau POTENTIEL DE REPRODUCTION : Moyen • ZONE DE NAGE : Milieu • ALIMENTATION : Aliments en flocons, congelés et vivants • VÉGÉTATION : Oui • BESOINS SPÉCIFIQUES : Espace ; groupe • DIFFICULTÉ : Moyenne

L'aquarium :

TAILLE MINIMUM : 1,2 m

TEMPÉRATURE : 24–26 °C

PH : 6–7

DURETÉ DE L'EAU : Douce et acide à neutre

COMPATIBILITÉ AVEC D'AUTRES POISSONS : Moyenne

Le tétra du Congo peut vivre dans des conditions similaires à celles de ses homonymes d'Amérique du Sud. Il peut atteindre une taille de 10 cm ; les groupes nécessiteront un aquarium plus vaste.

Les mâles deviennent plus gros que les femelles et développent les couleurs de l'arc-en-ciel sur leurs écailles réfléchissantes. Des nageoires caudales et dorsales allongées apparaîtront également s'ils disposent de suffisamment d'espace pour nager et ne sont pas environnés d'espèces agressives. Les mâles montent et descendent dans l'aquarium, s'intimidant mutuellement, ce qui constitue un spectacle intéressant. Les femelles, plus discrètes, possèdent aussi un certain charme.

Le tétra du Congo doit vivre en groupe, avec des plantes pour se dissimuler car l'espèce est très nerveuse. Il possède des dents visibles, mais elles ne représentent une menace que pour les larves de moustique. Ce poisson a besoin d'une eau douce et acide à neutre pour rester en bonne santé.

Le tétra du Congo se reproduit en aquarium, et ses œufs peuvent être recueillis par des aquariophiles prêts à s'en occuper comme il convient.

D'autres espèces de *Phenacogrammus* sont parfois disponibles, mais ne sont pas aussi colorées ou appréciées.

Pacu rouge

énorme • paisible • sociable • nerveux

NOM SCIENTIFIQUE : *Piaractus brachypomus* • FAMILLE : Characidés • ORIGINE : Brésil septentrional (Orénoque et Amazone) • HABITAT NATUREL : Systèmes fluviaux et forêts pendant la crue saisonnière • TAILLE ADULTE MOYENNE : 45 cm • COULEURS : Jeunes similaires au piranha à ventre rouge ; adultes noir et olive • DIMORPHISME SEXUEL : Aucun • MODE DE REPRODUCTION : Ovipare, ponte en pleine eau • POTENTIEL DE REPRODUCTION : Faible ZONE DE NAGE : Milieu • ALIMENTATION : Flocons, paillettes et bâtonnets, fruits, fruits à écale • VÉGÉTATION : Non BESOINS SPÉCIFIQUES : Grand aquarium • DIFFICULTÉ : Moyenne

L'aquarium :

TAILLE MINIMUM : 1.8 m

TEMPÉRATURE : 23–28 °C

PH : 6–7

DURETÉ DE L'EAU : Douce et acide

COMPATIBILITÉ AVEC D'AUTRES POISSONS : Élevée

Les pacus rouges figurent en grand nombre dans les magasins d'aquariophilie, et sont souvent confondus avec des piranhas à ventre rouge (p. 78).

La taille qu'ils finissent par atteindre ne les destine guère à l'aquarium. Ces poissons paisibles, qu'il vaut mieux garder en groupe, sont nerveux et peuvent se blesser contre les parois de l'aquarium s'ils sont surpris. Avec leur croissance rapide, ils produisent beaucoup de déchets, ce qui fatigue les systèmes de filtration.

Hormis sa taille, le pacu rouge s'avère être un poisson tolérant qui cohabite avec toutes sortes d'espèces, y compris les grosses comme le poisson-chat, ainsi qu'avec des Cichlidés ou même de petits poissons.

Le pacu rouge préfère une eau douce et acide comme celle de l'Amazone, mais tolérera une eau à pH plus élevée si elle est bien filtrée.

Si vous êtes tenté d'en acheter un, résistez à la tentation. Laissez ce poisson au magasin et allez le voir dans un aquarium public, où il figure souvent dans de grands biotopes.

Le pacu noir est similaire au rouge, mais il atteint 90 cm de long et peut peser jusqu'à 35 kg.

Attention !

Cette espèce grandit beaucoup.

Les Characins

Piranha à ventre rouge

prédateur • tristement célèbre • nerveux • dangereux

NOM SCIENTIFIQUE : *Serrasalmus nattereri* • FAMILLE : Characidés • ORIGINE : Guyane • HABITAT NATUREL : Cours d'eau à crue saisonnière, inondant des étangs et lacs herbeux • TAILLE ADULTE MOYENNE : 30 cm • COULEURS : Jeunes argentés à taches noires ; adultes plus sombres, à ventre rouge • DIMORPHISME SEXUEL : Aucun • MODE DE REPRODUCTION : Ovipare, ponte en pleine eau • POTENTIEL DE REPRODUCTION : Faible • ZONE DE NAGE : Milieu ALIMENTATION : Crevettes, poissons, aliments carnés et vivants • VÉGÉTATION : Oui • BESOINS SPÉCIFIQUES : Groupe ; aquarium à maturation • DIFFICULTÉ : Moyenne

L'aquarium :

TAILLE MINIMUM : 1,8 m

TEMPÉRATURE : 24–28 °C

PH: 6–7

DURETÉ DE L'EAU : Douce et acide

COMPATIBILITÉ AVEC D'AUTRES POISSONS : Faible

Dans l'aquarium, le piranha est un poisson nerveux et peu actif.

Il lui faut un grand aquarium d'eau douce et acide, avec un système de filtration parvenu à maturité. Nourrissez les jeunes piranhas de flocons et de larves de moustiques jusqu'à ce qu'ils aient atteint 5 cm de long. À ce stade, ils pourront manger des aliments plus carnés, notamment des coquillages. En revanche, nul besoin de leur donner des poissons vivants. Les piranhas doivent rester en groupe de cinq ou six individus de la même

taille, car ils s'attaquent : pour éviter cela, il faut qu'ils soient bien nourris en permanence.

Doté de mâchoires efficaces, le piranha ne peut cohabiter avec d'autres poissons. Approchez-les avec prudence, et, lors de l'entretien de l'aquarium, surveillez les plus gros spécimens. Évitez également d'installer des piranhas dans une pièce fréquentée par de jeunes enfants : la morsure de ces poissons n'est pas une légende.

Attention !

Cette espèce atteint une taille importante.

Tétra pingouin

esthétique • vit en banc • adaptable • entretien facile

NOM SCIENTIFIQUE : *Thayeria boehlkei* • FAMILLE : Characidés • ORIGINE : Brésil, Pérou (bassin de l'Amazone) HABITAT NATUREL : Cours d'eau et affluents • TAILLE ADULTE MOYENNE : 6 cm • COULEURS : Corps opaque avec bande noire horizontale jusqu'à la partie inférieure de la queue • DIMORPHISME SEXUEL : Femelles plus volumineuses • MODE DE REPRODUCTION : Ovipare, ponte en pleine eau • POTENTIEL DE REPRODUCTION : Faible ZONE DE NAGE : Milieu à haut • ALIMENTATION : Flocons, aliments congelés et vivants • VÉGÉTATION : Oui BESOINS SPÉCIFIQUES : Banc de six ou plus • DIFFICULTÉ : Moyenne

L'aquarium :

TAILLE MINIMUM : 75 cm

TEMPÉRATURE : 22–28 °C

PH : 6–7

DURETÉ DE L'EAU : Douce et acide à moyennement dure

COMPATIBILITÉ AVEC D'AUTRES POISSONS : Moyenne

Le tétra pingouin est un poisson esthétique ; il doit son nom à ses couleurs principales, le noir et le blanc. Ce tétra se déplace en banc serré ; ainsi, la bande de noire formée par ce groupe se détache nettement dans l'aquarium. Ces tétras nagent dans la même direction, légèrement inclinés, ce qui accentue la cambrure naturelle de leur rayure noire.

Le tétra pingouin, plus gros que d'autres tétras, peut cohabiter avec des poissons sociables d'une taille quelque peu supérieure ; un aquarium doté d'une bonne végétation le mettra en valeur. Ces poissons sont faciles à nourrir, acceptant divers aliments ; bien qu'ayant besoin d'un aquarium parvenu à maturation, ils

tolèrent une certaine amplitude thermique.

Le tétra pingouin, qui se reproduit rarement en aquarium, fait l'objet d'un élevage commercial en Extrême-Orient.

Plusieurs espèces sont appelées tétra pingouin ; la coloration blanche et noire est également connue chez les Characins *Hemiodopsis*, mais *T. boehlikei* reste le plus répandu.

Tête en bas

mangeur de plantes • asocial • esthétique • inhabituel

NOM SCIENTIFIQUE : *Chilodus punctatus* • FAMILLE : Chilodontidés • ORIGINE : Brésil, Guyane, Surinam, Venezuela • HABITAT NATUREL : Cours d'eau et zones forestières inondées avec humus d'arbres et de feuilles TAILLE ADULTE MOYENNE :10 cm • COULEURS : Corps opaque couvert de rangées de taches noires • DIMORPHISME SEXUEL : Peu apparent ; femelles plus volumineuses à l'âge adulte • MODE DE REPRODUCTION : Ovipare, ponte en pleine eau • POTENTIEL DE REPRODUCTION : Faible • ZONE DE NAGE : Fond • ALIMENTATION : : Flocons, aliments congelés, matière végétale • VÉGÉTATION : Non • BESOINS SPÉCIFIQUES : Aucun • DIFFICULTÉ : Moyenne

L'aquarium :

TAILLE MINIMUM : 90 cm
TEMPÉRATURE : 24–28 °C
PH: 6–7
DURETÉ DE L'EAU : Douce et acide à neutre
COMPATIBILITÉ AVEC D'AUTRES POISSONS :
Moyenne

Les poissons tête en bas forment un groupe de Characins de taille moyenne, originaires d'Amérique du Sud. Comme leur nom l'indique, ils nagent à l'envers, la tête en direction du fond. Cette adaptation vient du fait que l'espèce fouille le lit des cours d'eau pour se nourrir.

Ces poissons ne remportent pas un immense succès chez les aquariophiles pour deux raisons principales. Tout d'abord, ils aiment manger les plantes, ce qui signifie qu'il faut éviter les végétaux, ou installer un biotope avec de la tourbe et des pierres. Ensuite, ces poissons peuvent s'attaquer entre eux, ou s'en prendre aux nageoires d'autres espèces.

Le tête en bas tacheté est l'un des plus sociables de ce groupe et peut

rejoindre un aquarium avec des poissons plus gros, comme des Cichlidés paisibles ou d'autres Characins de plus grande taille. Un aquarium de belles dimensions diminuera le risque d'agression. Un biotope peut intéresser particulièrement le poisson tête en bas, qui retrouvera alors son comportement naturel, flottant la tête en bas au-dessus du fond.

Ces poissons préfèrent une eau douce et acide dans un aquarium doté d'une filtration suffisante et parvenue à maturation. Ils se reproduisent rarement en captivité.

Distichodus zèbre

gros • aspect inhabituel • esthétique • mangeur de plantes

NOM SCIENTIFIQUE : *Distichodus sexfasciatus* • FAMILLE : Citharinidés • ORIGINE : République démocratique du Congo • HABITAT NATUREL : Fleuves, berges du lac Tanganyika • TAILLE ADULTE MOYENNE : 45 cm • COULEURS : Six barres verticales sur un corps orange ; nageoires rouges • DIMORPHISME SEXUEL : Inconnu • MODE DE REPRODUCTION : Ovipare, ponte en pleine eau • POTENTIEL DE REPRODUCTION : Faible • ZONE DE NAGE : Milieu ALIMENTATION : Flocons, aliments congelés et vivants • VÉGÉTATION : Non • BESOINS SPÉCIFIQUES : Grand aquarium ; voisins adéquats • DIFFICULTÉ : Moyenne

L'aquarium :

TAILLE MINIMUM : 1,8 m
TEMPÉRATURE : 24–26 °C
PH : 7
DURETÉ DE L'EAU : Douce et acide à dure et alcaline
COMPATIBILITÉ AVEC D'AUTRES POISSONS : Moyenne

Le distichodus zèbre possède des marques similaires à la loche clown (p. 90). Les spécimens de petite taille sont particulièrement attrayants. Cette espèce atteint une taille considérable, néanmoins : il lui faut donc un aquarium adapté, avec une forte filtration. Dans leur milieu naturel, ces poissons peuvent mesurer 90 cm, mais ils dépassent rarement la moitié de cette longueur en captivité.

Il est possible de posséder un groupe de distichodus zèbre, mais ils doivent avoir grandi ensemble. Choisissez bien leurs voisins d'aquarium, car cette espèce peut mordiller les nageoires d'autres poissons ou les harceler, y compris de gros spécimens de forme similaire.

Le distichodus zèbre ne se montre pas trop sensible à la dureté de l'eau et supporte même les aquariums d'eau dure de certains Cichlidés. En revanche, il mangera les plantes vivantes et a besoin de beaucoup d'espace pour nager.

Attention !
Cette espèce atteint une taille importante.

Poisson tigre

asocial • intéressant • prédateur • calme

NOM SCIENTIFIQUE : *Hoplias malabaricus* • FAMILLE : Erythrinidés • ORIGINE : Fleuves d'Amérique du Sud
HABITAT NATUREL : Creux des cours d'eau rapides, dans l'humus de feuilles ; berges des lacs ; cours d'eau lents
• TAILLE ADULTE MOYENNE : 45 cm • COULEURS : Brun et beige ; nageoires tachetées • DIMORPHISME SEXUEL :
Femelles plus volumineuses • MODE DE REPRODUCTION : Ovipare, ponte sur substrat • POTENTIEL DE
REPRODUCTION : Faible • ZONE DE NAGE : Fond • ALIMENTATION : Carnée • VÉGÉTATION : Oui • BESOINS
SPÉCIFIQUES : Refuges DIFFICULTÉ : Moyenne à élevée

Les Characins

L'aquarium :

TAILLE MINIMUM : 1,5 m
TEMPÉRATURE : 22–28 °C
PH : 6–7
DURETÉ DE L'EAU : Douce et acide à dure
et alcaline
COMPATIBILITÉ AVEC D'AUTRES POISSONS :
Faible

Le poisson tigre est un prédateur spécialisé originaire des systèmes fluviaux d'Amérique du Sud, où il rôde avant de plonger sur sa proie. Dotée de dents proéminentes et d'une taille imposante, cette espèce est respectée même par les piranhas dans la nature.

Les couleurs du poisson tigre sont ternes, mais il a du caractère et se montre impressionnant au moment où il se nourrit. Vous pouvez lui donner du poisson congelé ou des coques, mais jamais de poisson vivant, ce qui est cruel et inutile.

L'aquarium doit comporter des racines et des cailloux, avec quelques plantes robustes pour fournir un couvert végétal. Le système de filtration doit être assez puissant.

Le poisson tigre se montre timide à ses débuts dans l'aquarium, mais il s'enhardit en reconnaissant les distributions de nourriture. D'une croissance rapide, il n'est guère actif, préférant observer ce qui se passe autour de lui.

Le poisson tigre a déjà été élevé en aquarium, mais l'introduction d'un couple provoque généralement la blessure de l'un de ses membres. Ce poisson ne convient pas à un débutant.

Attention !
Cette espèce atteint une taille importante.

Poisson hachette marbré

fragile • intéressant • nage à la surface • aspect inhabituel

NOM SCIENTIFIQUE : *Carnegiella strigata strigata* • FAMILLE : Gastéropélécidés • ORIGINE : Pérou (Iquitos)
HABITAT NATUREL : Cours d'eau des zones boisées • TAILLE ADULTE MOYENNE : 4 cm • COULEURS : Marron sombre,
motifs blanc argenté sur les flancs • DIMORPHISME SEXUEL : Femelles plus volumineuses • MODE DE REPRODUCTION :
Ovipare, ponte en pleine eau • POTENTIEL DE REPRODUCTION : Faible • ZONE DE NAGE : Fond • ALIMENTATION :
Flottante (flocons, aliments congelés et vivants) • VÉGÉTATION : Oui • BESOINS SPÉCIFIQUES : Couvercle
d'aquarium ajusté ; couvert à la surface • DIFFICULTÉ : Moyenne

L'aquarium :
TAILLE MINIMUM : 60 cm
TEMPÉRATURE : 24–28 °C
PH : 6–7
DURETÉ DE L'EAU : Douce et acide
COMPATIBILITÉ AVEC D'AUTRES POISSONS :
Moyenne

Le poisson hachette est un Characin d'aspect étrange, qui s'est adapté à une vie juste en dessous de la surface de l'eau. Sa bouche se trouve au sommet de sa tête, pour pouvoir attraper des insectes flottants ; la nageoire dorsale se trouve en arrière, sur un dos plat. Le poisson peut sauter hors de l'eau lorsque de gros prédateurs approchent par en bas.

Espèce agréable, le poisson hachette marbré convient à des aquariums parvenus à maturation. Il préfère une eau douce, avec un pH bas. Pour éviter des sauts trop fréquents, n'installez ce poisson qu'avec des espèces de la même taille, et étalez de grandes plantes à la surface de l'eau pour lui donner un sentiment de sécurité. Offrez-lui un régime alimentaire à base de larves d'insectes. Le poisson hachette doit vivre par groupe de six ou plus.

Cette espèce se reproduit rarement en captivité (même chez des professionnels) et la plupart des individus sont toujours capturés dans la nature. Il est donc recommandé de leur faire passer un certain temps en quarantaine, voire de les traiter contre la maladie des taches blanches, avant de les installer dans l'aquarium principal.

Les Characins

Characin arroseur

nage à la surface • paisible • intéressant • inhabituel

NOM SCIENTIFIQUE : *Copella arnoldi* • FAMILLE : Lebiasinidés • ORIGINE : Guyane (bassin inférieur de l'Amazone) et Colombie • HABITAT NATUREL : Cours d'eau • TAILLE ADULTE MOYENNE : 8 cm • COULEURS : Brun doré avec bordures rouges sur la queue • DIMORPHISME SEXUEL : Mâles plus volumineux, aux nageoires plus colorées
MODE DE REPRODUCTION : Ovipare, ponte sur substrat • POTENTIEL DE REPRODUCTION : Moyen • ZONE DE NAGE : Haut • ALIMENTATION : Flocons, aliments congelés et vivants • VÉGÉTATION : Oui • BESOINS SPÉCIFIQUES : Végétation au-dessus de la surface pour le frai • DIFFICULTÉ : Moyenne

L'aquarium :

TAILLE MINIMUM : 75 cm

TEMPÉRATURE : 24-28 °C

PH : 6-7

DURETÉ DE L'EAU : Douce et acide à moyennement dure

COMPATIBILITÉ AVEC D'AUTRES POISSONS : Moyenne

Les characins arroseurs sont bien connus pour leur mode de reproduction et ont été filmés dans leur environnement naturel. Mâles et femelles sautent à la surface de l'eau et disposent les œufs fertilisés sous une feuille. Puis, ils éclaboussent fréquemment les œufs pour leur conserver leur humidité, jusqu'au moment où le frai tombe dans l'eau. Cette pratique évite de perdre des œufs simplement éparpillés au fond de l'eau.

Les mâles sont plus grands et possèdent des nageoires plus longues que les femelles. Le frai peut avoir lieu en captivité, et les poissons utiliseront alors des surfaces au-dessus de l'eau, y compris une plaque en verre. Pour inciter les characins arroseurs à frayer, installez les mâles et les femelles ensemble dans une eau douce et acide et donnez-leur des quantités d'aliments congelés et

vivants. Le meilleur moyen de les observer consiste à les installer dans un grand aquarium rempli d'eau aux trois quarts, surmonté de plantes pendantes. Une *Echinodorus bleheri* (plante d'Amazonie) ou même les feuilles d'un faux philodendron (Monstera deliciosa), d'aspect naturel, donneront de bons résultats.

Le characin arroseur cohabite avec d'autres tétras. Il est recommandé de l'installer dans un aquarium rempli de poissons vivant dans les mêmes conditions aquatiques. Les biotopes sud-américains de tourbe ou d'eau teintée de tanin conviennent.

Poisson crayon

paisible • petite taille • intéressant • esthétique

NOM SCIENTIFIQUE : *Nannobrycon eques* • FAMILLE : Lebiasinidés • ORIGINE : Brésil, Colombie (Rio Negro)
HABITAT NATUREL : Zones peu profondes des fleuves, ou plans d'eau en crue saisonnière • TAILLE ADULTE MOYENNE :
5 cm • COULEURS : Partie inférieure du corps et de la queue marron foncé ; rayure horizontale marron clair,
dos marron • DIMORPHISME SEXUEL : Mâles plus colorés et élancés • MODE DE REPRODUCTION : Ovipare, ponte en
pleine eau • POTENTIEL DE REPRODUCTION : Faible • ZONE DE NAGE : Haut • ALIMENTATION : Petits aliments (en
flocons, congelés ou vivants) • VÉGÉTATION : Oui • BESOINS SPÉCIFIQUES : Groupe ; environnement calme
DIFFICULTÉ : Moyenne

L'aquarium :
TAILLE MINIMUM : 75 cm
TEMPÉRATURE : 24-28 °C
PH : 6-7
DURETÉ DE L'EAU : Douce et acide à dureté moyenne
COMPATIBILITÉ AVEC D'AUTRES POISSONS : Moyenne

Le poisson crayon est un petit Characin, ressemblant à un tétra allongé. Originaire des eaux sombres du Brésil, il vit dans les creux d'eau sur les berges du Rio Negro. En aquarium, il nage à la surface par petit groupe, la queue orientée vers le bas. Sa rayure horizontale accentue son angle de nage. En banc, il peut offrir un spectacle intéressant et parfois saisissant.

Ce poisson paisible ne cohabite qu'avec des espèces de petite taille. Dans un aquarium parvenu à maturation, avec de l'eau douce et des aliments adéquats, les mâles se distingueront des femelles plus volumineuses, et passeront beaucoup de temps à parader. Ce poisson cohabite avec son espèce ou d'autres

dans un biotope sud-américain. Sociable, le poisson crayon fournit une certaine animation au niveau supérieur de l'eau.

Cette espèce, qui se reproduit rarement en aquarium, est capturée dans son milieu naturel, et fait également l'objet d'un élevage commercial en Extrême-Orient bien qu'elle se reproduise rarement en aquarium.

Les Characins

Prochilodus argenté

grand • paisible • esthétique • mangeur d'algues

NOM SCIENTIFIQUE : *Semaprochilodus taeniurus* • FAMILLE : Prochilodontidés • ORIGINE : Brésil, Colombie (système fluvial de l'Amazone) • HABITAT NATUREL : Fleuves du bassin amazonien à faible visibilité • TAILLE ADULTE MOYENNE : 30 cm • COULEURS : Corps argenté, queue noire et blanche, nageoires pelviennes rouges • DIMORPHISME SEXUEL : Femelles parfois plus volumineuses à l'âge adulte • MODE DE REPRODUCTION : Ovipare, ponte en pleine eau POTENTIEL DE REPRODUCTION : Faible • ZONE DE NAGE : Milieu • ALIMENTATION : En flocons, congelée, matières végétales • VÉGÉTATION : Non • BESOINS SPÉCIFIQUES : Grand aquarium • DIFFICULTÉ : Moyenne

L'aquarium :

TAILLE MINIMUM : 1,8 m

TEMPÉRATURE : 24-26 °C

PH : 6-7

DURETÉ DE L'EAU : Douce et acide à neutre

COMPATIBILITÉ AVEC D'AUTRES POISSONS : Élevée

Le prochilodus argenté possède des marques bien visibles sur sa queue et ses flancs tachetés ; dans un grand aquarium, il produit un effet étonnant. Il cohabite avec tous les grands poissons, et comme il est essentiellement végétarien, il ne s'attaquera pas aux espèces de taille moindre.

Le prochilodus argenté suit une croissance rapide ; il faut un grand aquarium pour un seul individu, et un récipient énorme pour un groupe. Le prochilodus préfère une eau douce et acide, bien filtrée et aérée. Nourrissez-le de bâtonnets, flocons, paillettes et aliments végétaux, comme des beignets d'algue. Le prochilodus mange les plantes vivantes et n'a pas besoin du couvert de végétaux artificiels. Il mange parfois les algues sur la paroi en verre, et nettoie bien les surfaces, avec ses lèvres charnues d'herbivore.

Les jeunes sont un peu plus colorés que les adultes, qui restent néanmoins très esthétiques.

Le prochilodus ne se reproduit pas en captivité, même chez des professionnels. Comme il est capturé dans son milieu naturel, un placement en quarantaine est recommandé.

Attention !

Cette espèce atteint une grande taille.

Dollar d'argent

corps épais • paisible • herbivore • distrait les Cichlidés

NOM SCIENTIFIQUE : *Metynnis argenteus* • FAMILLE : Serrasalmidés • ORIGINE : Brésil, Guyane • HABITAT NATUREL : Cours d'eau et zones boisées inondées • TAILLE ADULTE MOYENNE : 15 cm • COULEURS : Argent métallique
DIMORPHISME SEXUEL : Nageoire anale plus développée chez le mâle • MODE DE REPRODUCTION : Ovipare, ponte en pleine eau • POTENTIEL DE REPRODUCTION : Faible • ZONE DE NAGE : Milieu • ALIMENTATION : Flocons, aliments congelés et vivants • VÉGÉTATION : Non • BESOINS SPÉCIFIQUES : Groupe ; grand aquarium • DIFFICULTÉ : Faible

L'aquarium :

TAILLE MINIMUM : 1,5 m
TEMPÉRATURE : 24-28 °C
PH : 6-7
DURETÉ DE L'EAU : Douce et acide à neutre
COMPATIBILITÉ AVEC D'AUTRES POISSONS : Élevée

Les dollars d'argent sont des poissons appréciés. Ils cohabitent avec la plupart des petits poissons, même s'il vaut mieux, en groupe, les installer avec des espèces de plus grande taille.

Le dollar d'argent est robuste et suit une croissance incroyablement rapide. Actif, il lui faut beaucoup d'espace pour nager. Il vaut mieux l'installer en groupe dans l'aquarium, pour créer une sensation de sécurité. Ces poissons préfèrent l'eau douce et acide, mais supporteront n'importe quel pH tant que l'eau est bien filtrée et parvenue à maturation.

Les dollars d'argent se reproduisent rarement en captivité mais, dans de bonnes conditions, les adultes se feront la cour. La plupart des dollars d'argent sont élevés pour le commerce en Extrême-Orient, mais il existe aussi des spécimens capturés en milieu naturel. Ces derniers peuvent souffrir d'un parasite transmis par un oiseau aquatique, mais qui disparaîtra généralement après quelques mois de captivité.

Le dollar d'argent possède de nombreux cousins d'aspect similaire, figurant en petit nombre chez les aquariophiles. Connus sous le nom de characins disque, ces poissons peuvent vivre dans les mêmes conditions et ont tendance à se regrouper en bancs.

Les Cyprinidés

Ce groupe important de familles de poissons domine les espèces d'eau douce froide et tropicale du monde. À l'exception de l'Amérique du Sud et de l'Australie, les Cyprinidés sont largement représentés et jouent souvent un rôle important à l'échelle locale pour l'alimentation, le commerce aquariophile et la pêche de loisirs. Certains des spécimens les plus courants appartiennent aux grandes familles de Cyprinidés.

Les familles de poissons

Les plus importantes familles pour les aquariophiles sont les Cobitidés, avec des espèces comme la loche clown (*Botia macracantha*, p. 90) et la loche coolie (*Pangio kuhlii*, p. 91) ; les Cyprinidés, qui incluent presque toutes les autres espèces, notamment les barbus, rasboras et les danios ; et les gyrinocheilidés, avec le célèbre mangeur d'algues, ou gyrino (*Gyrinocheilus aymonieri*, p. 109).

Les Cyprinidés comptent les espèces les mieux adaptées à l'aquarium, qui connaissent un grand succès chez les amateurs de poissons d'eau douce tropicaux, comme le barbus de Sumatra (*Barbus tetrazona*, p. 96), le danio zébré (*Brachydanio rerio*, p. 99) et le labéo bicolore (*Epalzeorhynchos bicolor*, p. 102).

La plupart de ces poissons font l'objet d'un élevage commercial en Extrême-Orient, et seule une petite partie d'entre eux est capturée en milieu naturel. Certaines nouvelles espèces apparaissent tous les ans, mais la plupart d'entre elles n'intéressent guère les aquariophiles en raison de leur manque de couleurs. Le barbus torpille à rayure rouge (*Puntius denisoni*, p. 105), cependant, est une redécouverte récente.

Le barbus de Sumatra, très apprécié dans les aquariums tropicaux.

L'entretien de l'aquarium

La plupart des Cyprinidés préfèrent une eau à 25 °C environ, neutre à légèrement acide. Leur environnement naturel varie des petits étangs et fossés, aux lacs et cours d'eau et aux torrents de montagne. La plupart de ces espèces sont actives ; elles apprécieront donc une eau bien oxygénée, avec un courant créé par un filtre à moteur. La plupart de ces poissons tolèrent les plantes vivantes, mais certaines espèces de taille plus importante, comme le barbus géant (*Barbus schwanefeldi*, p. 95) et le barbus du Siam (*Leptobarbus hoeveni*, p. 104) mangent les plantes, et ne cohabitent pas non plus avec de petits poissons.

Le requin d'argent ne convient qu'aux aquariums les plus vastes.

Ces espèces, dynamiques, doivent habiter un aquarium aussi vaste que possible. La majorité d'entre elles préfère vivre en groupes de mâles et femelles.

Dans des conditions aquatiques correctes, ces poissons demandent peu d'entretien et conviennent aux débutants en aquariophilie tropicale.

Espèces recommandées

Il existe de nombreuses espèces qui conviennent aux néophytes, mais le danio zébré est particulièrement conseillé. C'est l'un des poissons tropicaux les plus résistants ; il supporte de nombreux environnements aquatiques différents, y compris un aquarium non chauffé. Il reste aussi de petite taille, facile à entretenir et à élever.

Le barbus rosé (*Barbus conchonius*, p. 93), une autre espèce colorée et résistante, convient bien pour une première expérience.

Avertissement

Vous trouverez trois grandes espèces dans ce chapitre. Ces poissons ne doivent pas être durablement installés dans un aquarium inférieur à 1,5 m de long. Le barbus géant apparaît régulièrement dans les magasins spécialisés ; il est relogé dès qu'il dépasse 15 cm de long. Le requin d'argent (*Balantiocheilus melanopterus*, p. 92) figure aussi dans cette catégorie, mais il peut atteindre une longueur de 30 cm ; en outre, c'est un poisson nerveux. Enfin, le barbus du Siam, qui peut dépasser 60 cm de long, s'attaque souvent à ses voisins, et doit donc être évité dans le cadre d'un aquarium domestique.

Loche clown

intéressant • coloré • vit au fond • mangeur d'escargots

NOM SCIENTIFIQUE : *Botia macracantha* • FAMILLE : Cobitidés • ORIGINE : Bornéo, Sumatra • HABITAT NATUREL : Cours d'eau rocailleux et creux des rivières • TAILLE ADULTE MOYENNE : 30 cm • COULEURS : Corps orange, grandes rayures noires, queue rouge • DIMORPHISME SEXUEL : Aucun • MODE DE REPRODUCTION : Ovipare, ponte en pleine eau • POTENTIEL DE REPRODUCTION : Faible • ZONE DE NAGE : Fond • ALIMENTATION : Aliments vivants (escargots, coques) et en tablettes • VÉGÉTATION : Oui • BESOINS SPÉCIFIQUES : Nourriture adéquate ; groupe DIFFICULTÉ : Moyenne

L'aquarium :

TAILLE MINIMUM : 1 m

TEMPÉRATURE : 25-30 °C

PH : 6-7

DURETÉ DE L'EAU : Douce et acide

COMPATIBILITÉ AVEC D'AUTRES POISSONS : Élevée

Les loches clowns figurent parmi les poissons tropicaux les plus appréciés, offrant de la couleur et du mouvement dans les couches inférieures de l'aquarium. Leur nom fait allusion à leur comportement étrange : elles s'allongent régulièrement sur le côté, faisant les mortes et clignant de l'œil à l'adresse de leur propriétaire. Les loches clowns émettent aussi des cliquetis perceptibles quand elles communiquent entre elles, en particulier à l'heure des repas.

Peu de gens les croient capables d'atteindre 30 cm de long ; il leur faut de toute façon des années avant de parvenir à la moitié de cette taille.

Avec l'âge vient la maturité sexuelle ; des milliers d'aquariophiles ont tenté de les élever, mais sans suc-

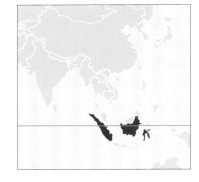

cès. Certaines sources affirment que les loches deviennent de féroces mangeurs de poissons avant le frai, dévorant leurs compagnons d'aquarium dans une quête désespérée de protéines, mais ces informations n'ont pas été confirmées.

Cette espèce mange les escargots, et peut donc contribuer à nettoyer l'aquarium. N'installez-la que dans une eau parvenue à maturation.

En installant des poissons dans votre aquarium, réchauffez l'eau de quelques degrés et, par précaution, traitez-les contre la maladie des points blancs.

Loche coolie

timide • aspect inhabituel • fouisseur • apprécié

NOM SCIENTIFIQUE : *Pangio kuhlii* • FAMILLE : Cobitidés • ORIGINE : Vietnam • HABITAT NATUREL : Sables et rochers des ruisseaux et rivières • TAILLE ADULTE MOYENNE : 10 cm • COULEURS : Jaune sur la partie inférieure, avec de grandes rayures marron sur le dos • DIMORPHISME SEXUEL : Femelles plus volumineuses • MODE DE REPRODUCTION : Ovipare, ponte en pleine eau • POTENTIEL DE REPRODUCTION : Faible • ZONE DE NAGE : Fond • ALIMENTATION : Larves de moustique, tablettes • VÉGÉTATION : Oui • BESOINS SPÉCIFIQUES : Refuges • DIFFICULTÉ : Moyenne

L'aquarium :

TAILLE MINIMUM : 60 cm

TEMPÉRATURE : 24-28 °C

PH : 6-7

DURETÉ DE L'EAU : Douce à modérément dure

COMPATIBILITÉ AVEC D'AUTRES POISSONS : Moyenne

Les loches coolie offrent un spectacle surprenant. Elles forment généralement un enchevêtrement de corps au fond de l'aquarium. Certains les trouvent attendrissantes, d'autres écœurantes, mais ces poissons rencontrent un vif succès, et profitent à l'aquarium. Leurs corps élancés sont conçus pour l'enfouissement, et elles se glissent dans de petites anfractuosités à la recherche de nourriture. Cette particularité est bénéfique pour l'environnement aquatique, car la loche coolie accède à des endroits hors de portée des autres espèces – sous des cailloux ou entre des tiges, par exemple – mangeant tout reste de nourriture qui s'y accumule. La forme particulière de ce poisson présente néanmoins l'inconvénient

qu'il peut pénétrer dans les filtres, ou se rendre presque impossible à attraper sans enlever toute l'installation de l'aquarium. La loche coolie aime se cacher en période diurne.

L'aquarium doit lui fournir de nombreuses cachettes, qui lui donneront une impression de sécurité. Tapissez le fond de sable fin pour l'enfouissement, et installez six individus ou plus.

Les jeunes, très minces, grossissent vite pendant leur croissance, et les femelles posséderaient des corps plus épais afin de pouvoir porter des œufs ; ceci étant, il s'est toujours

avéré impossible d'élever ces poissons. De nombreuses espèces sont vendues sous le nom de loche coolie.

Requin d'argent

grand • miroitant • nerveux • distrait les cichlidés

NOM SCIENTIFIQUE : *Balantiocheilus melanopterus* • FAMILLE : Cyprinidés • ORIGINE : Bornéo, Malaisie, Sumatra, Thaïlande • HABITAT NATUREL : Grands cours d'eau et lacs (milieu de l'eau) • TAILLE ADULTE MOYENNE : 35 cm

COULEURS : Écailles argentées réfléchissantes, nageoires blanches bordées de noir • DIMORPHISME SEXUEL : Femelles plus volumineuses • MODE DE REPRODUCTION : Ovipare, ponte en pleine eau • POTENTIEL DE REPRODUCTION : Faible

ZONE DE NAGE : Milieu • ALIMENTATION : Flocons, bâtonnets et paillettes, aliments vivants et congelés • VÉGÉTATION : Non • BESOINS SPÉCIFIQUES : Grand aquarium • DIFFICULTÉ : Moyenne

Les Cyprinidés

L'aquarium :

TAILLE MINIMUM : 1,5 m

TEMPÉRATURE : 24-28 °C

PH : 6-8

DURETÉ DE L'EAU : Douce et acide à dure et alcaline

COMPATIBILITÉ AVEC D'AUTRES POISSONS : Moyenne

Le requin d'argent connaît un certain succès, mais beaucoup de gens ignorent qu'il peut atteindre une grande taille. Un spécimen parvenu à maturité sera long de 35 cm, à condition qu'il dispose d'un vaste aquarium aux paramètres corrects, et d'une alimentation convenable. De nombreux individus n'atteignent pas cette taille et voient leur croissance limitée à 15 cm. À partir de cette taille, ils mangent souvent de petits poissons, comme le tétra néon, et s'attaquent aux plantes vivantes fragiles.

Nerveux, le requin d'argent se cognera violemment contre les parois s'il panique. Pour éviter ce problème,

installez-le en groupe dans un aquarium bien décoré, où il ne sera pas affecté par le bruit, les vibrations ou les mouvements extérieurs.

Le requin d'argent est facile à nourrir. Il ne s'est jamais reproduit dans de simples aquariums, mais est élevé à grande échelle en Extrême-Orient pour répondre à la demande.

Le requin d'argent est compatible avec d'autres poissons de grande taille, et peut également servir à distraire certains Cichlidés (voir p. 73).

Attention !

Cette espèce grandit beaucoup.

Barbus rosé

paisible • résistant • coloré • actif

NOM SCIENTIFIQUE : *Barbus conchonius* • FAMILLE : Cyprinidés • ORIGINE : Afghanistan, Inde du Nord, Népal, Pakistan • HABITAT NATUREL : Torrents frais • TAILLE ADULTE MOYENNE : 5 cm • COULEURS : Femelles dorées, mâles rouges • DIMORPHISME SEXUEL : Couleur • MODE DE REPRODUCTION : Ovipare, ponte en pleine eau • POTENTIEL DE REPRODUCTION : Élevé • ZONE DE NAGE : Milieu • ALIMENTATION : Flocons, aliments congelés et vivants VÉGÉTATION : Oui • BESOINS SPÉCIFIQUES : Aucun • DIFFICULTÉ : Faible

L'aquarium :

TAILLE MINIMUM : 90 cm

TEMPÉRATURE : 18-26 °C

PH : 6-7,5

DURETÉ DE L'EAU : Douce à modérément dure

COMPATIBILITÉ AVEC D'AUTRES POISSONS : Élevée

Les barbus rosés, excellents poissons sociables, sont recommandés pour les débutants et les premiers aquariums. Ils cohabitent avec toutes sortes de poissons, des petits tétras aux Cichlidés de taille moyenne, et présentent l'avantage supplémentaire de tolérer les changements de température ; ils supportent les aquariums non chauffés, dans un intérieur tempéré.

Le barbus rosé peut atteindre 10 cm de long mais reste généralement beaucoup plus petit, avec 5 cm de long en moyenne. Ce poisson actif a besoin d'un aquarium relativement vaste, avec des espaces dégagés. La qualité de l'eau doit être bonne, mais son pH ne dérange guère le barbus rosé, à condition d'éviter les extrêmes.

Les mâles sont rouges et les femelles jaune pâle. La couleur des mâles varie d'intensité selon l'humeur et la maturité ; il existe différentes nuances, notamment fluorescentes. En règle générale, plus le poisson est heureux, plus il est coloré.

Pour élever des barbus rosés, installez un groupe avec plus de femelles que de mâles et donnez-leur des larves de moustique. Ajoutez quelques plantes buissonneuses pour

recueillir le frai. Enlevez les œufs après le frai et installez-les dans un autre aquarium que les parents.

Barbus à tête pourpre

résistant • paisible • entretien facile • actif

NOM SCIENTIFIQUE : *Barbus nigrofasciatus* • FAMILLE : Cyprinidés • ORIGINE : Sri Lanka • HABITAT NATUREL : Ruisseaux de forêts et collines ; étangs et lacs • TAILLE ADULTE MOYENNE : 6 cm • COULEURS : Femelles marron avec de grandes rayures verticales ; mâles à nageoires noires et tête rouge en activité sexuelle • DIMORPHISME SEXUEL : Femelles plus volumineuses ; mâles plus colorés • MODE DE REPRODUCTION : Ovipare, ponte en pleine eau • POTENTIEL DE REPRODUCTION : Moyen • ZONE DE NAGE : Milieu • ALIMENTATION : Flocons, aliments congelés et vivants • VÉGÉTATION : Oui • BESOINS SPÉCIFIQUES : Groupe • DIFFICULTÉ : Faible

Les Cyprinidés

L'aquarium :

TAILLE MINIMUM : 75 cm

TEMPÉRATURE : 24-26 °C

PH : 6-7,5

DURETÉ DE L'EAU : Douce et acide

COMPATIBILITÉ AVEC D'AUTRES POISSONS : Élevée

Les jeunes barbus à tête pourpre paraissent quelconques, mais les adultes deviennent souvent de magnifiques poissons. Leur couleur évolue d'une base marron avec des rayures noires, jusqu'à des écailles réfléchissantes, avec une tête cramoisie et une pointe de rouge sur la poitrine. Dans de bonnes conditions, cette transformation peut se produire quelques jours après l'achat, et le poisson se comportera différemment, les mâles nageant pour attirer les femelles.

Ces poissons sont faciles à entretenir et très courants en magasin ; ils conviennent bien aux débutants. Il vaut mieux avoir plus de femelles

que de mâles, décorer l'aquarium de tourbe et de plantes résistantes, et leur donner un régime varié. Les barbus à tête pourpre cohabitent avec d'autres barbus et poissons sociables. L'espèce, paisible, ne s'en prendra pas aux nageoires d'autres poissons.

Les femelles deviennent plus volumineuses en arrivant à maturité, et peuvent se reproduire en aquarium. Disposez des plantes à feuilles fines dans l'aquarium principal pour encourager les parents à frayer dessus. Enlevez les œufs et installez-les dans un autre aquarium.

Barbus géant

miroitan • gros • paisible • vit en banc

NOM SCIENTIFIQUE : *Barbonymus schwanefeldi* • FAMILLE : Cyprinidés • ORIGINE : Bornéo, Singapour, Sumatra
HABITAT NATUREL : Cours d'eau, ruisseaux et canaux ; champs inondés • TAILLE ADULTE MOYENNE : 30 cm
COULEURS : Corps argenté, nageoires rouges, bordure noire sur la nageoire caudale • DIMORPHISME SEXUEL :
Femelles plus volumineuses • MODE DE REPRODUCTION : Ovipare, ponte en pleine eau • POTENTIEL DE
REPRODUCTION : Faible • ZONE DE NAGE : Milieu • ALIMENTATION : Flocons, paillettes, bâtonnets et aliments
congelés • VÉGÉTATION : Non • BESOINS SPÉCIFIQUES : Grand aquarium ; groupe • DIFFICULTÉ : Faible

L'aquarium :

TAILLE MINIMUM : 1,8 m
TEMPÉRATURE : 24-26 °C
PH : 6-7,5
DURETÉ DE L'EAU : Douce à dure
COMPATIBILITÉ AVEC D'AUTRES POISSONS :
Moyenne

Le barbus géant est un poisson tropical apprécié mais il a un inconvénient : sa taille. Il peut atteindre 30 cm de long, ce qui rend le trop volumineux pour la plupart des aquariums. En revanche, dans un aquarium de grande dimension, le barbus géant est un poisson résistant, paisible et d'entretien facile ; il cohabite avec presque toutes les grandes espèces tropicales.

Le corps du barbus géant est argenté et luisant ; les adultes possèdent des nageoires d'un rouge profond. En groupe, cette espèce est particulièrement esthétique ; leur mouvement ascendant et descendant continu est très relaxant à observer.

Le barbus géant mangera toutes sortes d'aliments, y compris les feuilles de plantes d'aquarium : optez pour des végétaux artificiels.

La reproduction en aquarium est rare, mais sans doute parce que peu d'aquariophiles possèdent des groupes de grands spécimens parvenus à maturité sexuelle. Les mâles ont des nageoires plus rouges, et les femelles des corps plus volumineux. Dans une eau de bonne qualité et avec un régime varié, le barbus géant peut tout à fait frayer.

Le barbus géant n'est pas onéreux, et les magasins spécialisés vous proposeront des spécimens de 15 cm.

Attention !
Cette espèce grandit beaucoup.

Barbus de Sumatra

esthétique • actif • vit en banc • apprécié

NOM SCIENTIFIQUE : *Barbus tetrazona* • FAMILLE : Cyprinidés • ORIGINE : Bornéo, Sumatra • HABITAT NATUREL : Cours d'eau • TAILLE ADULTE MOYENNE : 6 cm • COULEURS : Corps beige avec quatre rayures noires verticales, nageoires et nez rouges • DIMORPHISME SEXUEL : Femelles plus volumineuses, mâles plus colorés • MODE DE REPRODUCTION : Ovipare, ponte en pleine eau • POTENTIEL DE REPRODUCTION : Faible • ZONE DE NAGE : Milieu ALIMENTATION : Flocons, aliments congelés et vivants • VÉGÉTATION : Oui • BESOINS SPÉCIFIQUES : Groupe DIFFICULTÉ : Moyenne

Les Cyprinidés

L'aquarium :

TAILLE MINIMUM : 90 cm
TEMPÉRATURE : 24-26 °C
PH : 6-7,5
DURETÉ DE L'EAU : Douce à dure
COMPATIBILITÉ AVEC D'AUTRES POISSONS : Moyenne

Les barbus de Sumatra font partie des espèces que même les débutants peuvent identifier en magasin. Ce poisson est, malheureusement, responsable de nombreux malentendus

concernant le groupe des barbus dans son ensemble. Les barbus de Sumatra peuvent s'attaquer aux nageoires longues de certains poissons, comme les guppys ou les combattants du Siam.

Pour éviter cela, installez les barbus de Sumatra par groupes de six ou plus dans des aquariums spacieux, et proposez-leur un régime varié. Plus le groupe sera important, plus il sera soudé et moins il dérangera les autres poissons. Les

problèmes se posent quand l'aquarium compte moins de six barbus de Sumatra et qu'ils peuvent être alors tentés de devenir agressifs.

Ce léger inconvénient mis à part, les barbus de Sumatra sont très agréables ; ils existent en vert et albinos, en plus des couleurs beige, noire et rouge habituelles. Les femelles deviennent plus volumineuses avec la maturité, et les mâles possèdent des nageoires plus colorées. Le barbus de Sumatra peut frayer dans l'aquarium, mais les œufs doivent être transférés ailleurs pour éviter toute prédation.

Barbus cerise

paisible • actif • coloré • résistant

NOM SCIENTIFIQUE : *Barbus titteya* • FAMILLE : Cyprinidés • ORIGINE : Sri Lanka • HABITAT NATUREL : Ruisseaux forestiers charriant de l'humus de feuilles • TAILLE ADULTE MOYENNE : 5 cm • COULEURS : Femelles de couleur claire avec rayure marron, tachetées de brun ; teinte rouge sur le corps des mâles • DIMORPHISME SEXUEL : Couleur • MODE DE REPRODUCTION : Ovipare, ponte en pleine eau • POTENTIEL DE REPRODUCTION : Moyen • ZONE DE NAGE : Milieu • ALIMENTATION : Flocons, aliments congelés et vivants • VÉGÉTATION : Oui • BESOINS SPÉCIFIQUES : Groupe • DIFFICULTÉ : Faible

L'aquarium :

TAILLE MINIMUM : 45 cm

TEMPÉRATURE : 22-26 °C

PH : 6-7,5

DURETÉ DE L'EAU : Douce à moyennement dure

COMPATIBILITÉ AVEC D'AUTRES POISSONS : Élevée

Les barbus cerise sont d'excellents poissons sociables et sont recommandés pour les aquariums récents et les aquariophiles néophytes. Ces barbus restent petits, et ne mesurent souvent que 2,5 cm lors de leur vente. Les mâles sont rouge vif ; ils peuvent frayer dans un aquarium, mais les adultes doivent être séparés des œufs pour éviter qu'ils ne les mangent.

Ces poissons peuvent vivre dans de petits aquariums. Ils apprécient les décors végétaux vivants, qui mettront en valeur les coloris des mâles. Cette espèce est très active, mais s'ils s'arrêtent quelque temps, vous réussirez à apercevoir de minuscules barbillons au coin de leur bouche.

Installez deux femelles pour un mâle, afin de diminuer l'agressivité de ces derniers, et proposez-leur un régime varié, avec des aliments vivants ou congelés. Les femelles, plus ternes, restent de couleur marron, mais possèdent néanmoins un certain charme et s'arrondissent lors du frai.

Cette espèce peut mettre un certain temps à atteindre sa taille de 5 cm, mais l'attente en vaut la peine ; le barbus cerise est un poisson gratifiant.

Les Cyprinidés

Danio albo

actif • entretien facile • esthétique • vit en banc

NOM SCIENTIFIQUE : *Brachydanio albolineatus* • FAMILLE : Cyprinidés • ORIGINE : Birmanie (Myanmar), Laos, Sumatra, Thaïlande • HABITAT NATUREL : Torrents • TAILLE ADULTE MOYENNE : 6 cm • COULEURS : Corps opaque, bleu et rose près de la queue • DIMORPHISME SEXUEL : Mâles plus élancés et colorés • MODE DE REPRODUCTION : Ovipare, ponte en pleine eau • POTENTIEL DE REPRODUCTION : Élevé • ZONE DE NAGE : Haut • ALIMENTATION : Flocons, aliments congelés et vivants • VÉGÉTATION : Oui • BESOINS SPÉCIFIQUES : Groupe de six ou plus
DIFFICULTÉ : Faible

Les Cyprinidés

L'aquarium :

TAILLE MINIMUM : 45 cm

TEMPÉRATURE : 20-24 °C

PH : 6-8

DURETÉ DE L'EAU : Douce à dure, acide à alcaline

COMPATIBILITÉ AVEC D'AUTRES POISSONS : Élevée

Les danios albo sont d'un entretien facile et conviennent aux débutants. Ils supportent des températures peu élevées, ce qui permet de les installer dans un aquarium d'intérieur non chauffé.

Ces poissons nagent constamment et s'arrêtent rarement pour révéler les minuscules barbillons sur les côtés de leur bouche, qui sont caractéristiques de tous les danios.

Le danio albo peut être le premier poisson installé dans un nouvel aquarium, et il supporte même des erreurs d'aquariophile débutant. Il accepte volontiers toutes sortes d'aliments, qu'il faut lui donner régulièrement pour entretenir son énergie. L'aquarium doit lui offrir un espace suffisant, avec des plantes à

feuilles fines que le poisson utilisera pour le frai. Les œufs tombent sur les végétaux et peuvent être élevés, à l'écart des parents. Une fois parvenu à maturité, le danio albo peut frayer fréquemment.

Les mâles sont plus petits, plus élancés et plus colorés que les femelles, plus volumineuses. Ils cohabitent avec tous les poissons, sauf ceux qui sont assez grands pour les manger. En outre, le danio est peu onéreux et très courant à la vente, car il est issu d'élevages commerciaux en Extrême-Orient.

Danio rerio

actif • résistant • vit en banc • entretien facile

NOM SCIENTIFIQUE : *Brachydanio rerio* • FAMILLE : Cyprinidés • ORIGINE : Inde • HABITAT NATUREL : Rizières, ruisseaux et fossés • TAILLE ADULTE MOYENNE : 5 cm • COULEURS : Rayures bleu-vert sur corps doré avec nageoires caudales et anales rayées • DIMORPHISME SEXUEL : Femelles plus volumineuses ; mâles plus élancés, avec des marques plus prononcées sur les nageoires anales • MODE DE REPRODUCTION : Ovipare, ponte en pleine eau • POTENTIEL DE REPRODUCTION : Élevé • ZONE DE NAGE : Haut • ALIMENTATION : Flocons, aliments congelés et vivants • VÉGÉTATION : Oui • BESOINS SPÉCIFIQUES : Espace pour nager ; groupe de six ou plus • DIFFICULTÉ : Faible

L'aquarium :

TAILLE MINIMUM : 45 cm

TEMPÉRATURE : 18-24 °C

PH : 7-8

DURETÉ DE L'EAU : Douce à dure

COMPATIBILITÉ AVEC D'AUTRES POISSONS : Élevée

Le danio rerio est un poisson apprécié qui convient aux débutants, grâce à sa robustesse. Il tolère des fluctuations de température et peut même vivre dans un aquarium d'intérieur non chauffé. Actif en permanence, le danio rerio doit disposer d'une zone pour nager, et sentir un courant d'eau fourni par un filtre à moteur. Le danio rerio nage à la surface et est toujours le premier à se nourrir : ne l'installez pas avec des poissons à qui il pourrait prendre les aliments.

Le danio rerio ne semble pas très coloré, mais dans de bonnes conditions, il présentera des rayures horizontales d'un bleu profond, avec des dessins sur les nageoires.

Les danios rério se reproduisent par millions, et ont été élevés en lignée pour produire des variantes, notamment dorées et à nageoires longues.

L'espèce a aussi fait l'objet d'expériences de modifications génétiques, pour briller dans le noir. Ces poissons modifiés sont contrôlés pour les empêcher de contaminer les poissons d'origine naturelle ; il ne faut pas acheter ces poissons « fluo », car cela ne ferait qu'encourager la création d'autres mutants artificiels.

Mangeur d'algues siamois

mangeur d'algues • paisible • recherché • subtil

NOM SCIENTIFIQUE : *Crossocheilus siamensis* • FAMILLE : Cyprinidés • ORIGINE : Malaisie, Thaïlande • HABITAT NATUREL : Ruisseaux et rivières à crue saisonnière • TAILLE ADULTE MOYENNE : 15 cm • COULEURS : Ventre blanc avec bande noire horizontale et dos marron • DIMORPHISME SEXUEL : Inconnu • MODE DE REPRODUCTION : Ovipare, ponte en pleine eau • POTENTIEL DE REPRODUCTION : Faible • ZONE DE NAGE : Fond • ALIMENTATION : Algues, tablettes et pastilles • VÉGÉTATION : Oui • BESOINS SPÉCIFIQUES : Aliments à base d'algues • DIFFICULTÉ : Moyenne

Les Cyprinidés

L'aquarium :

TAILLE MINIMUM : 90 cm
TEMPÉRATURE : 24-26 °C
PH : 6-7,5
DURETÉ DE L'EAU : Douce à dure
COMPATIBILITÉ AVEC D'AUTRES POISSONS : Élevée

Le mangeur d'algues siamois est recherché par les personnes possédant des aquariums plantés, à cause de sa capacité d'enlever les algues poussant sur les feuilles. Il peut cependant se révéler difficile d'identifier cette espèce dans un magasin spécialisé. D'autres poissons sont également connus pour posséder cette particularité, comme l'*Epalzeorhynchus kallopterus* et les *Garra spp.* mais aucun d'eux n'est aussi paisible que le mangeur d'algues siamois. Les autres poissons se reconnaissent à leur couleur sur la partie supérieure de leur corps, et l'*E. kallopterus* possède des nageoires plus flamboyantes.

Le vrai mangeur d'algues siamois paraît mince et transparent quand il est jeune, et la rayure noire ne s'étend pas jusqu'à la queue.

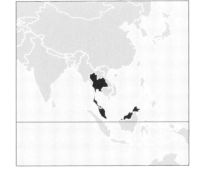

Ce poisson peut cohabiter avec des poissons de toutes les tailles, et contribuera à la propreté de l'aquarium.

Il faut compléter son régime d'aliments en tablettes, à base d'algues, si l'aquarium n'en contient pas assez. Pour ce faire, cette espèce doit occuper un récipient de 90 cm de long ou davantage. Le poisson peut vivre en groupe, et atteindra une taille de 15 cm.

Il ne se reproduit qu'irrégulièrement en aquarium domestique, mais fait l'objet d'un élevage en Extrême-Orient, à destination des marchés occidentaux.

Danio géant

impressionnant • esthétique • actif • distrait les Cichlidés

NOM SCIENTIFIQUE : *Devario aequipinnatus* • FAMILLE : Cyprinidés • ORIGINE : Inde • HABITAT NATUREL : Torrents et cours d'eau rapide, avec petits rochers • TAILLE ADULTE MOYENNE : 10 cm • COULEURS : Corps argenté avec des striures bleues sur les flancs • DIMORPHISME SEXUEL : Femelles adultes beaucoup plus volumineuses, et moins colorées • MODE DE REPRODUCTION : Ovipare, ponte en pleine eau • POTENTIEL DE REPRODUCTION : Moyen ZONE DE NAGE : Haut • ALIMENTATION : Flocons, aliments congelés et vivants • VÉGÉTATION : Oui • BESOINS SPÉCIFIQUES : Espace ; groupe de six ou plus • DIFFICULTÉ : Moyenne

L'aquarium :

TAILLE MINIMUM : 1,2 m

TEMPÉRATURE : 24 °C

PH : 6-7

DURETÉ DE L'EAU : Douce à dure, acide à alcaline

COMPATIBILITÉ AVEC D'AUTRES POISSONS : Élevée

Les danios géants sont d'impressionnants poissons de taille moyenne, qui cohabiteront bien avec d'autres espèces de taille moyenne ou grande. Leurs corps argentés striés de bleu les rendent fort esthétiques, et leur taille adulte implique qu'ils ne seront pas mangés par de gros poissons, tout en n'étant pas assez imposants pour s'attaquer à de petits compagnons d'aquarium. Avec sa nage permanente en banc serré à la surface, le danio géant peut détourner l'attention des Cichlidés mâles hyperactifs, évitant qu'ils harcèlent les femelles (p. 73).

Le danio géant est élevé en grand nombre par les aquariophiles du monde entier, mais ces dernières années, il a montré une tendance à un manque de vitalité et une vulnérabilité accrue aux maladies. En outre, les poissons élevés en Extrême-Orient pourraient bien être des hybrides de l'espèce : choisissez-les donc avec soin et placez en quarantaine vos nouveaux danios géants.

L'espèce fraie dans l'aquarium en pondant des œufs sur des plantes. Les mâles se distinguent par leur corps élancé et leurs couleurs plus vives.

Le danio géant a besoin d'espace : comme ses cousins plus petits, il ne s'arrête pas de nager ou presque.

Labéo bicolore

asocial • esthétique • vit au fond • coloré

NOM SCIENTIFIQUE : *Epalzeorhynchos bicolor* • FAMILLE : Cyprinidés • ORIGINE : Thaïlande (bassin du Mékong)
HABITAT NATUREL : Cours d'eau ; espèce potentiellement éteinte en milieu naturel • TAILLE ADULTE MOYENNE : 15 cm
COULEURS : Corps et nageoires d'un noir mat, queue rouge vif ; bout de la nageoire dorsale blanc chez l'adulte
DIMORPHISME SEXUEL : Nageoire anale pointue chez le mâle • MODE DE REPRODUCTION : Ovipare, ponte en
pleine eau • POTENTIEL DE REPRODUCTION : Faible • ZONE DE NAGE : Fond • ALIMENTATION : Algues, tablettes et
aliments congelés • VÉGÉTATION : Oui • BESOINS SPÉCIFIQUES : Refuges • DIFFICULTÉ : Moyenne

L'aquarium :

TAILLE MINIMUM : 1,2 m
TEMPÉRATURE : 24-26 °C
PH : 6-8
DURETÉ DE L'EAU : Neutre, douce à moyennement dure
COMPATIBILITÉ AVEC D'AUTRES POISSONS : Moyenne

Le labéo bicolore est un poisson tropical bien connu, qui jouit toujours d'un certain succès au fil des ans.

Il est cependant parfois mal connu et peut semer la terreur dans un aquarium paisible. Il faut donc comprendre ses besoins. Tout d'abord, ce labéo est territorial. Comme il est naturellement herbivore, il doit empêcher les autres membres de son espèce, ou d'autres, de manger sa source de nourriture. Il ne doit donc pas cohabiter avec ses semblables ou d'autres espèces leur ressemblant, car il les attaquera. Dans un aquarium de dimensions restreintes, même les poissons rouges risquent d'être agressés parce que leur couleur énerve le labéo bicolore. Pour éviter

ce genre de problème, installez un grand aquarium décoré de nombreux cailloux, branches, plantes et trous, en les répartissant au fond pour créer des séparations. Le labéo bicolore sera alors content de disposer de zones où il peut se nourrir sans être menacé par d'autres poissons.

Le labéo bicolore cohabite mal avec les espèces en forme de requin.

Les poissons récemment acquis sembleront souvent pâles, mais ils prendront rapidement du volume, et acquerront une couleur noire typique, avec une queue rouge et une nageoire dorsale à bout blanc.

Labéo à nageoires rouges

asocial • coloré • mangeur d'algues • vit au fond

NOM SCIENTIFIQUE : *Epalzeorhynchos frenatus* • FAMILLE : Cyprinidés • ORIGINE : Thaïlande (bassins du Bang Fai et du Mae Khlong) • HABITAT NATUREL : Cours d'eau en crue • TAILLE ADULTE MOYENNE : 15 cm • COULEURS : Corps gris sombre, avec une tache à la base de la queue et une rayure sur l'œil ; nageoires rouges • DIMORPHISME SEXUEL : Liséré noir sur la nageoire anale chez les mâles • MODE DE REPRODUCTION : Ovipare, ponte en pleine eau POTENTIEL DE REPRODUCTION : Faible • ZONE DE NAGE : Fond • ALIMENTATION : Tablettes à base d'algues et aliments coulant au fond • VÉGÉTATION : Oui • BESOINS SPÉCIFIQUES : Refuges • DIFFICULTÉ : Moyenne

L'aquarium :

TAILLE MINIMUM : 1,2 m

TEMPÉRATURE : 24-26 °C

PH : 6-8

DURETÉ DE L'EAU : Douce à moyennement dure

COMPATIBILITÉ AVEC D'AUTRES POISSONS : Moyenne

Le labéo à nageoires rouges ressemble au labéo bicolore, mais toutes ses nageoires sont rouges, contrairement au labéo bicolore. Les deux espèces présentent un comportement similaire : l'aquarium ne doit comporter qu'un seul spécimen, et aucun autre poisson d'aspect similaire.

Décorez l'aquarium de cailloux et de tourbe, en créant des séparations territoriales au moyen de plantes, où le poisson pourra se nourrir.

Plus l'aquarium sera grand, plus le labéo sera heureux ; en outre, d'autres espèces de poissons pourront vivre dans les zones supérieures.

Le labéo peut s'avérer utile, car il enlèvera des algues filamenteuses dans l'aquarium. Il crée aussi de la couleur et du mouvement dans les zones inférieures de l'eau.

Il est difficile de distinguer les femelles des mâles, mais ceux-ci possèdent une nageoire anale plus sombre à l'âge adulte. Dans un aquarium doté de paramètres aquatiques corrects, le labéo bicolore s'épanouira, et reprendra de belles couleurs qu'il n'arborait pas nécessairement dans les magasins spécialisés.

La reproduction semble impossible en aquarium, en grande partie parce que ce poisson déteste ses congénères ; le labéo à nageoires rouges

est cependant élevé en grand nombre en Extrême-Orient pour fournir les magasins occidentaux.

Barbus du Siam

grande taille • paisible • vit en banc • distrait les Cichlidés

NOM SCIENTIFIQUE : *Leptobarbus hoeveni* • FAMILLE : Cyprinidés • ORIGINE : Bornéo, Sumatra, Malaisie, Thaïlande
HABITAT NATUREL : Fleuves et rivières inondant des zones boisées • TAILLE ADULTE MOYENNE : 45 cm • COULEURS :
Écailles argentées, nageoires pelviennes et anales rouges, queue rouge avec liséré noir • DIMORPHISME SEXUEL :
Femelles plus volumineuses • MODE DE REPRODUCTION : Ovipare, ponte en pleine eau • POTENTIEL DE
REPRODUCTION : Faible • ZONE DE NAGE : Milieu • ALIMENTATION : Flocons, paillettes, bâtonnets et fruits
VÉGÉTATION : Non • BESOINS SPÉCIFIQUES : Grand aquarium • DIFFICULTÉ : Faible

Les Cyprinidés

L'aquarium :

TAILLE MINIMUM : 1,8 m

TEMPÉRATURE : 24-26 °C

PH : 6-8

DURETÉ DE L'EAU : Douce à moyennement dure

COMPATIBILITÉ AVEC D'AUTRES POISSONS : Moyenne

Acheté jeune, le barbus du Siam semble innocent, avec sa taille de 5 à 8 cm, mais il grandit rapidement et est souvent rapporté au magasin quand sa longueur dépasse 15 cm. De fait, cette espèce atteint des pro-portions considérables et doit vivre dans un grand aquarium, de 1,8 m de long au minimum, et 2,4 m dans l'idéal ou si vous souhaitez posséder plusieurs poissons.

Dans son habitat naturel, ce pois-son mange certains fruits tombés dans l'eau qui peuvent affecter son comportement, le faisant nager de manière erratique. Le barbus du Siam est donc parfois surnommé « poisson fou ».

Dans un aquarium, il se comporte de manière plus calme, mais il a ten-dance à sauter, or un poisson de plus

de 30 cm de long peut facilement se blesser, voire briser un couvercle en verre.

Malgré sa taille, le barbus du Siam est paisible. Cependant, les adultes mangent les petits poissons ; il ne doit donc cohabiter qu'avec des espèces de taille similaire, comme les Astro-natus (*Astronotus ocellatus*, p. 139) ; en outre, le barbus du Siam sera un compagnon idéal des couples de grands Cichlidés (voir p. 73).

Attention !
Cette espèce atteint une taille importante.

Barbus torpille à rayure rouge

esthétique • coloré • timide • onéreux

NOM SCIENTIFIQUE : *Puntius denisonii* • FAMILLE : Cyprinidés • ORIGINE : Inde • HABITAT NATUREL : Torrents de montagne frais • TAILLE ADULTE MOYENNE : 15 cm • COULEURS : Corps blanc avec bande horizontale noire et tache rouge du nez jusqu'à la base de la nageoire dorsale ; queue tachée de blanc et noir • DIMORPHISME SEXUEL : Femelles plus volumineuses • MODE DE REPRODUCTION : Ovipare, ponte en pleine eau • POTENTIEL DE REPRODUCTION : Faible • ZONE DE NAGE : Milieu • ALIMENTATION : Flocons, aliments congelés et vivants VÉGÉTATION : Oui • BESOINS SPÉCIFIQUES : Aquarium à maturité • DIFFICULTÉ : Moyenne

L'aquarium :

TAILLE MINIMUM : 1,2 m

TEMPÉRATURE : 22-25 °C

PH : 7

DURETÉ DE L'EAU : Neutre

COMPATIBILITÉ AVEC D'AUTRES POISSONS : Moyenne

Le barbus torpille à rayure rouge connaît un succès croissant, en grande partie à cause de la couleur rouge sur la partie supérieure de son corps, si vive qu'on la dirait presque artificielle. En fait, cette couleur est parfaitement naturelle et devient plus vive avec l'âge.

Ce poisson doit son succès à son caractère accommodant, qui lui permet de cohabiter avec toutes les espèces paisibles, y compris la sienne. Le barbus torpille n'attaque pas non plus les plantes et présente un intérêt esthétique certain.

Ces avantages ont un coût ; en outre, il a été élevé dans une optique quantitative plutôt que qualitative, même chez les professionnels d'Extrême-Orient fournissant les maga-sins. Quelques générations passées dans un aquarium ont suffi à affaiblir les qualités de ce poisson.

Le barbus torpille a besoin d'un aquarium assez vaste pour un petit groupe et d'un espace suffisant pour nager. Il lui faut également un refuge végétal. Ce poisson ne supporte pas longtemps les températures élevées et l'eau très acide ; avant de l'installer, il faut donc tester l'eau et l'aérer pour qu'elle conserve son pH. Assurez-vous aussi que l'aquarium et le filtre sont parvenus à maturité. De nombreux

barbus torpille ont succombé à l'enthousiasme inexpérimenté d'aquariophiles trop pressés.

Poisson arlequin

petite taille • actif • vit en banc • paisible

NOM SCIENTIFIQUE : *Rasbora heteromorpha* • FAMILLE : Cyprinidés • ORIGINE : Malaisie occidentale, Singapour, Sumatra, Thaïlande • HABITAT NATUREL : Ruisseaux de forêts • TAILLE ADULTE MOYENNE : 4 cm • COULEURS : Corps marron avec teintes orange ou roses, grande tache en forme de coin sur la moitié arrière • DIMORPHISME SEXUEL : Femelles plus volumineuses et moins colorées • MODE DE REPRODUCTION : Ovipare, ponte en pleine eau POTENTIEL DE REPRODUCTION : Faible • ZONE DE NAGE : Milieu • ALIMENTATION : Flocons, aliments congelés et vivants • VÉGÉTATION : Oui • BESOINS SPÉCIFIQUES : Groupe de six ou plus • DIFFICULTÉ : Moyenne

Les Cyprinidés

L'aquarium :

TAILLE MINIMUM : 45 cm

TEMPÉRATURE : 24-26 °C

PH : 6-7

DURETÉ DE L'EAU : Douce et acide

COMPATIBILITÉ AVEC D'AUTRES POISSONS : Moyenne

Les poissons arlequins sont de petits rasboras, qui compléteront parfaitement des aquariums peuplés de poissons de taille limitée. Les poissons arlequins se déplacent par bancs serrés et nagent dans toutes les zones de l'aquarium, créant un spectacle fort esthétique.

Vous pourrez les installer dans un petit aquarium, mais doté de végétation, d'eau douce et d'une filtration à maturité. Le poisson arlequin cohabite avec toutes les autres espèces sauf celles assez grosses pour le manger ; évitez donc les poissons dépassant 10 cm de long.

Les arlequins se reproduisent rarement en aquarium – ils frayent sous

des feuilles, mais sont élevés pour le commerce en Extrême-Orient. Chez l'adulte, le dimorphisme sexuel est apparent : les mâles sont plus petits, moins épais et plus colorés.

Facile à nourrir, le poisson arlequin accepte de nombreux aliments de petite taille. Sa couleur peut changer selon les conditions de l'eau ; des poissons récemment arrivés peuvent sembler ternes par rapport à ceux qui vivent dans un aquarium planté et évolué depuis des années.

Parmi les espèces similaires figurent *R. espei* et *R. hengeli*, qui possèdent une marque latérale plus étroite.

Rasbora nain

minuscule • coloré • fragile • vit en banc

NOM SCIENTIFIQUE : *Rasbora maculata* • FAMILLE : Cyprinidés • ORIGINE : Malaisie, Singapour, Sumatra • HABITAT NATUREL : Cours d'eau forestiers à couvert • TAILLE ADULTE MOYENNE : 2,5 cm • COULEURS : Corps rouge avec taches noires près des nageoires anales et caudales et sur les flancs • DIMORPHISME SEXUEL : Femelles plus volumineuses, mâles plus colorés • MODE DE REPRODUCTION : Ovipare, ponte en pleine eau • POTENTIEL DE REPRODUCTION : Faible • ZONE DE NAGE : Milieu • ALIMENTATION : Petits aliments lyophilisés, congelés et vivants VÉGÉTATION : Oui • BESOINS SPÉCIFIQUES : Groupe ; filtration douce ; voisins de petite taille • DIFFICULTÉ : Moyenne

L'aquarium :

TAILLE MINIMUM : 30 cm
TEMPÉRATURE : 24-26 °C
PH : 6-7
DURETÉ DE L'EAU : Douce et acide
COMPATIBILITÉ AVEC D'AUTRES POISSONS :
Faible

Le rasbora nain est l'un des plus petits poissons tropicaux disponibles à la vente. Il peut être aspiré dans un tuyau de filtre, ou mangé par un poisson plus gros. Il peut par contre vivre en banc dans un très petit aquarium.

Ces poissons ont besoin d'un filtre à air avec mousse, de plantes à feuilles fines et d'une eau douce. Leurs voisins d'aquarium ne doivent pas être plus grands qu'eux, et il faut ajouter un otocinclus nain (*Otocinclus affinis*, p. 170) pour nettoyer le fond de l'aquarium. Le rasbora nain reste très esthétique, même dans un petit aquarium de chambre.

Il faut les nourrir souvent et en petites quantités, avec des flocons, des daphnies ou encore des larves de moustique. Les rasboras nains se reproduisent en aquarium mais ont besoin d'une eau très douce au pH bas. Les mâles sont plus petits et colorés que les femelles. Pendant le frai, les œufs sont éparpillés dans l'eau.

Installez un groupe de 12 individus ou plus, qui formera un banc. Le rasbora nain coûte généralement la moitié du prix d'autres poissons, même petits comme les tétras, car son transport coûte moins cher.

Poisson ciseau

paisible • vit en banc • élégant • subtil

NOM SCIENTIFIQUE : *Rasbora trilineata* • FAMILLE : Cyprinidés • ORIGINE : Bornéo, Malaisie, Sumatra • HABITAT NATUREL : Cours d'eau lents, lacs, fossés et canaux, où l'espèce vit juste en dessous de la surface en mangeant des insectes • TAILLE ADULTE MOYENNE : 10 cm • COULEURS : Corps opaque (éventuellement doré à l'âge adulte), discrète bordure noire sur les écailles, marques noires et blanches sur la queue • DIMORPHISME SEXUEL : Femelles plus volumineuses • MODE DE REPRODUCTION : Ovipare, ponte en pleine eau • POTENTIEL DE REPRODUCTION : Moyen • ZONE DE NAGE : Milieu • ALIMENTATION : Flocons, aliments congelés et vivants • VÉGÉTATION : Oui • BESOINS SPÉCIFIQUES : Groupe • DIFFICULTÉ : Moyenne

Les Cyprinidés

L'aquarium :

TAILLE MINIMUM : 90 cm

TEMPÉRATURE : 24-26 °C

PH : 6-7

DURETÉ DE L'EAU : Douce et acide à dure et alcaline

COMPATIBILITÉ AVEC D'AUTRES POISSONS : Élevée

Le poisson-ciseau est connu des aquariophiles depuis des décennies, mais il a récemment perdu du terrain face à d'autres poissons plus colorés. Cependant, installé en groupe dans un aquarium décoré de végétation, il peut produire un effet saisissant, car il nage en banc serré.

L'espèce doit son nom de « poisson ciseau » aux marques noires et blanches sur sa queue. Celle-ci remue quand le poisson est au repos, évoquant une paire de ciseaux.

Ce poisson sociable est aussi robuste et parvient à une taille suffisante pour ne pas être mangé par des espèces comme le poisson ange adulte. Le poisson ciseau accepte volontiers toutes sortes

d'aliments, et, dans une eau douce, peut développer des écailles luisant d'une couleur or.

Les femelles sont plus volumineuses, les mâles portent des marques mieux définies. Ces poissons se sont reproduits en captivité ; des adultes peuvent tout à fait frayer dans l'aquarium, pondant les œufs sur des plantes buissonneuses. Il faudra cependant disposer les œufs dans un autre aquarium, car les autres poissons les mangeraient.

Le grand poisson ciseau (*Rasbora caudimaculata*), d'aspect similaire, est beaucoup plus rare à la vente.

Gyrino

mangeur d'algues • nettoyeur • paisible • résistant

NOM SCIENTIFIQUE : *Gyrinocheilus aymonieri* • FAMILLE : Gyrinocheilidés • ORIGINE : Thaïlande • HABITAT NATUREL : Cours d'eau rapides • TAILLE ADULTE MOYENNE : 15 cm • COULEURS : Dos marron avec rayure horizontale de la bouche à la queue, ventre blanc • DIMORPHISME SEXUEL : Apparition d'une crête épaisse autour des yeux chez les mâles • MODE DE REPRODUCTION : Ovipare, ponte en pleine eau • POTENTIEL DE REPRODUCTION : Faible • ZONE DE NAGE : Fond • ALIMENTATION : Algues, tablettes et pastilles (au fond) • VÉGÉTATION : Oui • BESOINS SPÉCIFIQUES : Zones de nourriture végétale • DIFFICULTÉ : Faible

L'aquarium :

TAILLE MINIMUM : 90 cm
TEMPÉRATURE : 20-28 °C
PH : 6-8
DURETÉ DE L'EAU : Douce à dure
COMPATIBILITÉ AVEC D'AUTRES POISSONS : Moyenne

Le gyrino doit son autre nom de « mangeur d'algues » à son efficacité quand il s'agit d'enlever les algues de toutes les surfaces de l'aquarium. Pour cette raison, cette espèce présente un grand avantage pour l'aquariophile.

Certains spécimens auraient atteint une taille de 30 cm, mais la plupart ne dépassent jamais quelques centimètres, et sont donc plus faciles à installer que des poissons chats à bouche suceuse. Dans un aquarium de 90 cm de long, plusieurs individus peuvent s'attaquer aux algues et nettoyer les lieux, en ne se querellant qu'à l'occasion. Leur capacité est telle que s'il ne reste plus d'algues, il faut leur donner de la nourriture coulant au fond, pour que le poisson ne perde pas de poids.

Il existe une forme dorée du gyrino, peut-être plus répandue, mais dans les deux cas, ces poissons sont peu onéreux. Résistants, ils supportent différents pH et températures dans l'aquarium. Ils tolèrent également bien leurs voisins et cohabitent avec presque tous les poissons, des petits tétras aux grands Cichlidés. Le seul inconvénient est que les gyrinos « broutent » parfois le corps volumineux d'un voisin lent, mais c'est généralement une simple recherche de nourriture.

Les poissons arc-en-ciel

Les poissons arc-en-ciel vivent dans les eaux douces et saumâtres d'Australie, de Madagascar, de Papouasie Nouvelle-Guinée et d'Irian Jaya. Jeunes, ce sont des poissons petits et argentés, passant facilement inaperçus dans un magasin spécialisé, mais en grandissant, ils développent des couleurs splendides. Certaines espèces, comme l'arc-en-ciel de Boeseman (*Melanotaenia boesemani*, p. 115) figurent parmi l'une des espèces d'eau douce les plus colorées du monde.

Des poissons sociables

La famille des Mélanotaéniidés forme l'essentiel des poissons arc-en-ciel, qui sont tous de tempérament similaire. Il s'agit d'espèces assez volumineuses et généralement paisibles, quoique parfois un peu remuantes. Ils sont relativement faciles à nourrir et entretenir. Ces poissons, dotés d'un grand appétit, acceptent divers aliments lyophilisés, congelés et vivants. Ils ne mangent pas les plantes et apprécient un certain courant dans l'aquarium, fourni par un

CONSEIL

Beaucoup de poissons arc-en-ciel n'apparaîtront pas colorés dans un aquarium vide. Leur couleur est mise en valeur dans des aquariums décorés.

filtre à moteur. Les poissons arc-en-ciel cohabitent entre eux et avec d'autres espèces de taille moyenne, comme les barbus. Les mâles sont plus colorés et plus gros que les femelles, et se livrent à une parade vigoureuse lors du frai, laissant parfois apparaître une crête flamboyante sur le sommet de leur tête.

L'arc-en-ciel filigrane (*Iriatherina werneri*, p. 114) est un poisson d'aspect très différent, doté d'un corps élancé avec des nageoires délicates et allongées.

L'élevage

Tous ces poissons pratiquent la ponte en pleine eau, et mangent leurs propres œufs et leur frai si ces derniers ne sont pas enlevés de l'aquarium.

Dans les groupes, les femelles doivent être plus nombreuses que les mâles, car des mâles adultes

L'arc-en-ciel de Boeseman acquiert de splendides couleurs à la maturité.

peuvent harceler les femelles. Ces poissons éparpillent leurs œufs sur des feuilles fines ; il est possible de créer des « éponges à frai » en laine, pour les recueillir.

Les autres familles

L'arc-en-ciel de Madagascar (*Bedotia madagascariensis,* p. 112) peut cohabiter avec les arcs-en-ciel mélanotaeniidés dans un grand aquarium. Un groupe de spécimens adultes, avec leur coloration subtile et leur forme élancée, peut produire un superbe effet. L'arc-en-ciel de Madagascar peut s'attaquer aux petits poissons mais s'entend bien avec la plupart des espèces de taille similaire. Installez-le dans un récipient décoré de végétaux.

L'arc-en-ciel filigrane, un poisson délicat au corps élancé.

L'entretien de l'aquarium

La plupart des poissons arc-en-ciel ont besoin d'un aquarium de bonne taille décoré de plantes, de cailloux et de tourbe. Le pH et la dureté de l'eau ne sont pas d'une importance capitale, tant que les extrêmes sont évités. En revanche, l'eau doit rester d'une bonne qualité, avec un faible taux de nitrates.

L'éclairage peut être atténué ou intense, selon les exigences des plantes. Il est conseillé d'installer des tubes d'éclairage qui mettront en valeur les riches couleurs de ces poissons. Ces espèces habitent des lacs et criques d'eau claire à l'état naturel : dans la mesure du possible, il est préférable de reproduire cet environnement.

Arc-en-ciel de Madagascar

coloré • vit en banc • paisible • actif

NOM SCIENTIFIQUE : *Bedotia madagascariensis* • FAMILLE : Bédotidés • ORIGINE : Madagascar • HABITAT NATUREL : Eau douce en zone côtière • TAILLE ADULTE MOYENNE : 12 cm • COULEURS : Corps opaque avec nageoires rouges, réfraction irisée • DIMORPHISME SEXUEL : Nageoires plus colorées chez les mâles • MODE DE REPRODUCTION : Ovipare, ponte en pleine eau • POTENTIEL DE REPRODUCTION : Faible • ZONE DE NAGE : Milieu • ALIMENTATION : Flocons, aliments congelés et vivants • VÉGÉTATION : Oui • BESOINS SPÉCIFIQUES : Aucun • DIFFICULTÉ : Moyenne

Les poissons arc-en-ciel

L'aquarium :

TAILLE MINIMUM : 90 cm
TEMPÉRATURE : 22-25 °C
PH : 6-7
DURETÉ DE L'EAU : Douce et acide
COMPATIBILITÉ AVEC D'AUTRES POISSONS : Moyenne

L'arc-en-ciel de Madagascar est recherché pour ses couleurs riches et subtiles ; il occupe souvent la place d'honneur dans un aquarium.

Ce poisson est sociable, mais peut manger le frai à l'âge adulte. Installez-le dans un aquarium aussi vaste que possible, en lui ménageant un grand espace pour nager près de la façade. Vous pouvez décorer l'arrière de tourbe, de cailloux et de plantes résistantes, qui mettront en valeur les couleurs de l'arc-en-ciel. En outre, ce refuge donnera au poisson un sentiment de sécurité, qui l'encouragera à développer ses couleurs.

Il s'agit d'une espèce paisible qui doit vivre en groupe, avec d'autres arcs-en-ciel ou poissons sociables de taille moyenne. L'arc-en-ciel de Madagascar accepte la plupart des aliments mais il préfère un régime varié, et abon-

dant en nourriture vivante et congelée.

Les poissons adultes sont souvent impressionnants, mais demandent un investissement de plusieurs années et une qualité de l'eau parfaite, avant de réaliser leur potentiel.

Le dimorphisme sexuel est apparent : le contour des nageoires dorsales, anales et caudales est plus sombre chez le mâle. Les femelles sont légèrement plus volumineuses, avec un ventre plus clair et des nageoires moins colorées. Cet arc-en-ciel peut frayer dans de bonnes conditions, mais il est rarement élevé par les aquariophiles.

Arc-en-ciel rouge de Guinée

paisible • esthétique • vit en banc • actif

NOM SCIENTIFIQUE : *Glossopelis incisus* • FAMILLE : Mélanotaeniidés • ORIGINE : Irian Jaya (lac Sentani) • HABITAT NATUREL : Lacs de collines • TAILLE ADULTE MOYENNE : 15 cm • COULEURS : Corps rouge, écailles partiellement argentées • DIMORPHISME SEXUEL : Femelles de couleur plus olivâtre ; mâles plus volumineux • MODE DE REPRODUCTION : Ovipare, ponte en pleine eau • POTENTIEL DE REPRODUCTION : Moyen • ZONE DE NAGE : Milieu • ALIMENTATION : Flocons, aliments congelés et vivants • VÉGÉTATION : Oui • BESOINS SPÉCIFIQUES : Espace pour nager • DIFFICULTÉ : Moyenne

L'aquarium :

TAILLE MINIMUM : 1 m

TEMPÉRATURE : 24-26 °C

PH : 7-8

DURETÉ DE L'EAU : Douce à moyennement dure

COMPATIBILITÉ AVEC D'AUTRES POISSONS : Moyenne

L'arc-en-ciel rouge de Guinée est un splendide poisson sociable de taille moyenne, pour un aquarium un peu plus grand que la moyenne. La couleur des mâles peut changer du tout au tout, passant de l'argent rougeâtre des jeunes poissons à un rouge vif, pourpre ou bordeaux à l'âge adulte. Certaines écailles deviennent aussi argentées, et le corps s'épaissit.

L'aquarium doit contenir des plantes vivantes, avec des cailloux et de la tourbe au fond, mais surtout un vaste espace pour permettre au poisson de nager d'un bout à l'autre du récipient. Le régime de cet arc-en-ciel sera varié, comportant de grandes quantités d'aliments vivants et congelés ; il faut aussi changer fréquemment une partie de l'eau.

L'arc-en-ciel rouge de Guinée se mêlera très esthétiquement à d'autres arcs-en-ciel, mais évitez les petits tétras, dont la période de frai risque d'être dérangée par les ébats de ce poisson chatoyant.

Parvenue à l'âge adulte, cette espèce peut se reproduire dans l'aquarium, mais il faut alors enlever les œufs aux parents pour les élever sans risque de prédation.

Arc-en-ciel filigrane

élégant • sensible • petite taille • paisible

NOM SCIENTIFIQUE : *Iriatherina werneri* • FAMILLE : Mélanotaéniidés • ORIGINE : Australie (cap York, Queensland), Papouasie Nouvelle-Guinée • HABITAT NATUREL : Marécages et criques à faible courant • TAILLE ADULTE MOYENNE : 5 cm • COULEURS : Corps gris avec nageoires noires allongées et queue rose ; corps parfois luisant DIMORPHISME SEXUEL : Nageoires allongées et couleurs accentuées chez les mâles • MODE DE REPRODUCTION : Ovipare, ponte en pleine eau • POTENTIEL DE REPRODUCTION : Faible • ZONE DE NAGE : Milieu • ALIMENTATION : Flocons, aliments congelés et vivants • VÉGÉTATION : Oui • BESOINS SPÉCIFIQUES : Groupe • DIFFICULTÉ : Moyenne

L'aquarium :

TAILLE MINIMUM : 60 cm

TEMPÉRATURE : 24-29 °C

PH : 6-7

DURETÉ DE L'EAU : douce et acide

COMPATIBILITÉ AVEC D'AUTRES POISSONS : Moyenne

L'arc-en-ciel filigrane appartient à la même famille que plusieurs autres espèces d'arcs-en-ciel, mais semble bien plus fragile et doit être traité comme tel. Installez-le dans un aquarium parvenu à maturité, sans poisson trop voyant ou agressif.

Espèce paisible, l'arc-en-ciel filigrane s'intégrera parfaitement à un groupe de petits poissons. Il préfère l'eau douce et tiède, à l'instar des petits tétras d'Amérique du Sud. L'aquarium doit être moyennement à densément planté de végétaux vivants, et équipé d'un système de filtration doux.

Offrez à ce poisson une nourriture diversifiée, notamment des aliments vivants suffisamment petits, comme des daphnies ou des larves de moustique.

Les différences sexuelles sont évidentes chez l'arc-en-ciel filigrané : les mâles possèdent des nageoires allongées et de couleur vive. Les mâles pavanent devant les femelles en agitant leurs nageoires. Cependant, de nombreux arrivages issus d'élevages commerciaux ne contiennent que des mâles, sans doute pour empêcher les aquariophiles d'élever à leur tour cette espèce, ce qui ferait baisser les prix. Les arcs-en-ciel filigranes peuvent se reproduire en captivité, mais il est difficile pour un amateur d'élever les alevins.

Arc-en-ciel de Boeseman

esthétique • actif • coloré • paisible

NOM SCIENTIFIQUE : *Melanotaenia boesemani* • FAMILLE : Mélanotaéniidés • ORIGINE : Nouvelle-Guinée (péninsule de Vogelkop) • HABITAT NATUREL : Lacs de grande taille • TAILLE ADULTE MOYENNE : 10 cm • COULEURS : Corps bleu avec partie arrière jaune vif • DIMORPHISME SEXUEL : Mâles plus volumineux et plus colorés à l'âge adulte • MODE DE REPRODUCTION : Ovipare, ponte en pleine eau • POTENTIEL DE REPRODUCTION : Moyen • ZONE DE NAGE : Milieu • ALIMENTATION : Flocons, aliments congelés et vivants • VÉGÉTATION : Oui • BESOINS SPÉCIFIQUES : Espace • DIFFICULTÉ : Moyenne

L'aquarium :

TAILLE MINIMUM : 1 m
TEMPÉRATURE : 24-28 °C
PH : 7-8
DURETÉ DE L'EAU : Douce et acide
COMPATIBILITÉ AVEC D'AUTRES POISSONS : Moyenne

L'arc-en-ciel de Boeseman, avec ses couleurs bleu et jaune vif, figure parmi les plus colorés des poissons tropicaux disponibles à la vente. Souvent présenté dans des aquariums de démonstration, il sert en quelque sorte d'ambassadeur à ses congénères tropicaux.

Les femelles possèdent de belles couleurs, mais les mâles deviennent d'une beauté étourdissante, avec des teintes encore plus vives. Pour que ces poissons restent dans les meilleures conditions, décorez leur aquarium de végétaux vivants, de tourbe et de cailloux, en leur fournissant des espaces de nage dégagés. Mêlez les femelles aux mâles pour encourager ceux-ci à exhiber leurs couleurs, et nourrissez-les de bonnes quantités d'aliments vivants et congelés. Changez régulièrement une partie de l'eau. Dans de bonnes conditions, l'arc-en-ciel de Boeseman peut frayer, surtout le matin, mais il faut rapidement changer les œufs d'aquarium pour ne pas qu'il les mange.

Ces poissons paisibles s'intégreront sans difficulté à un grand aquarium communautaire. Les adultes cohabitent avec tous les autres barbus et arcs-en-ciel de taille similaire, mais peuvent s'avérer trop remuants pour de petits tétras.

L'arc-en-ciel de Boeseman vit longtemps et embellit avec l'âge.

Arc-en-ciel turquoise

coloré • esthétique • paisible • actif

NOM SCIENTIFIQUE : *Melanotaenia lacustris* • FAMILLE : Mélanotaéniidés • ORIGINE : Papouasie Nouvelle-Guinée (lac Kubutu) • HABITAT NATUREL : Berges et affluents des lacs • TAILLE ADULTE MOYENNE : 10 cm • COULEURS : Corps et nageoires bleues, ventre blanc • DIMORPHISME SEXUEL : Mâles plus volumineux et colorés, avec une crête dorée sur la tête • MODE DE REPRODUCTION : Ovipare, ponte en pleine eau • POTENTIEL DE REPRODUCTION : Moyen • ZONE DE NAGE : Milieu • ALIMENTATION : Flocons, aliments congelés et vivants • VÉGÉTATION : Oui BESOINS SPÉCIFIQUES : Aucun • DIFFICULTÉ : Moyen

L'aquarium :

TAILLE MINIMUM : 90 cm

TEMPÉRATURE : 22-26 °C

PH : 7-8

DURETÉ DE L'EAU : Douce à moyennement dure

COMPATIBILITÉ AVEC D'AUTRES POISSONS : Élevée

Les jeunes arcs-en-ciel turquoise peuvent sembler sans intérêt, car peu de gens réalisent l'intensité des couleurs qu'ils acquièrent à l'âge adulte.

En fait cette espèce démontre à merveille que, dans de bonnes conditions, les jeunes poissons d'aspect terne deviennent des spécimens tropicaux d'une rare beauté et vivacité.

D'argenté, l'arc-en-ciel turquoise devient en effet un adulte au corps plein, présentant plusieurs nuances de bleu et une crête dorée allant du museau à la nageoire dorsale. Cette crête, parfois fluorescente, est destinée à attirer l'attention des femelles. Les mâles sont d'ailleurs plus colorés

et volumineux que celles-ci ; les spécimens masculins âgés de plusieurs années semblent parfois bossus. Plus ternes, les femelles encouragent cependant les mâles à se présenter sous leur meilleur jour.

Installez ces poissons dans un aquarium spacieux doté de plantes vivantes, de cailloux et de tourbe, ainsi que de zones plus dégagées où ils pourront nager. Les adultes peuvent frayer fréquemment, mais les œufs et les tout jeunes alevins seront mangés par leurs parents, sauf s'ils se trouvent dans un aquarium particulièrement vaste et bien planté.

Arc-en-ciel néon

paisible • coloré • couleurs vives • esthétique

NOM SCIENTIFIQUE : *Melanotaenia praecox* • FAMILLE : Mélanotaéniidés • ORIGINE : Nouvelle-Guinée (système fluvial du Mamberambo) • HABITAT NATUREL : Cours d'eau au lit caillouteux • TAILLE ADULTE MOYENNE : 6 cm
COULEURS : Bleu, nageoires rouges • DIMORPHISME SEXUEL : Femelles plus claires ; mâles plus colorés et volumineux • MODE DE REPRODUCTION : Ovipare, ponte en pleine eau • POTENTIEL DE REPRODUCTION : Moyen
ZONE DE NAGE : Milieu • ALIMENTATION : Flocons, aliments congelés et vivants • VÉGÉTATION : Oui • BESOINS
SPÉCIFIQUES : Aucun • DIFFICULTÉ : Moyenne

L'aquarium :

TAILLE MINIMUM : 75 cm
TEMPÉRATURE : 24-28 °C
PH : 7-8
DURETÉ DE L'EAU : Douce à moyennement dure
COMPATIBILITÉ AVEC D'AUTRES POISSONS : Élevée

Paisible et coloré, l'arc-en-ciel néon atteint une taille de 6 cm environ, ce qui en fait un poisson idéal pour un aquarium communautaire. Cette espèce, assez petite pour cohabiter avec des tétras, reste suffisamment grande pour ne pas être harcelée ou mangée par des poissons de taille moyenne ou grande.

Installez cette espèce dans un aquarium planté, au fond tapissé de tourbe et de cailloux. Laissez des espaces dégagés et filtrez bien l'eau, en procédant à de nombreux changements d'eau partiels. Il faut aussi donner à ce poisson un régime varié.

L'arc-en-ciel néon sera installé par groupe de six ou plus, avec deux femelles pour un mâle. Ces derniers se reconnaissent à la bordure rouge vif sur leur nageoire. Ils possèdent des corps plus volumineux et bleu ciel. Les femelles sont plus ternes.

À la maturité, l'arc en ciel néon fraiera sans problème dans l'aquarium ; des feuilles fines disposées de manière stratégique recueilleront les œufs. Il vaut mieux changer ceux-ci d'aquarium, pour éviter toute prédation parentale.

Les Labyrinthidés

Le poisson le plus connu et reconnaissable de ce groupe est le combattant du Siam (*Betta splendens*, p. 121). Élevée en lignée et en captivité pour développer des couleurs plus intenses, des nageoires plus longues et un instinct guerrier plus aiguisé, la variété d'aquarium ne ressemble plus guère au poisson d'origine. Les individus de cette espèce doivent vivre seuls, sinon ils risquent de s'épuiser en parades ou de se faire mordre les nageoires par d'autres espèces.

L'air et l'eau

La différence fondamentale entre les Labyrinthidés et les autres groupes est leur capacité à respirer dans l'air. Ils possèdent en effet un organe « labyrinthe » qui leur permet de prendre de l'oxygène en avalant l'air à la surface de l'eau, au lieu d'utiliser leurs branchies. Cette adaptation permet aux poissons de ce groupe de vivre dans des plans d'eau pauvres en oxygène et donc de profiter des insectes et des plantes vivant en ces lieux. Les Labyrinthidés se trouvent principalement en Asie du Sud-Est, où ils se trouvent dans des canaux, fossés, cours d'eau et étangs encombrés d'herbes.

Les nids de bulles

À l'exception des poissons à incubation buccale maternelle, comme le gourami chocolat (*Sphaerichthys osphromenoides*, p. 128), les membres de la famille des Bélontidés, comme le gourami nain (*Colisa lalia*, p. 125) élèvent leurs jeunes de manière innovante. Le mâle souffle une mousse de petites bulles collantes à la surface de l'eau : le nid de bulles. Il se sert parfois de tiges végétales pour le renforcer et l'empêcher de dériver. Ensuite, il attire la femelle jusqu'au nid, où ils s'accouplent : les œufs et le sperme sont alors pris dans les bulles. Le mâle surveille le nid et

remplace tous les œufs fertilisés qui tombent. Les alevins sortis de l'œuf sont minuscules, et la période d'apparition de l'organe labyrinthe peut être difficile, mais toutes les espèces se sont reproduites en captivité, et l'élevage de gouramis dans des bassins fut autrefois la colonne vertébrale de l'industrie aquariophile de Singapour, l'un des grands pays exportateurs dans cette spécialité. La plupart des espèces de gouramis s'adaptent très bien à l'aquarium.

La taille colossale du gourami géant lui interdit la plupart des aquariums domestiques.

Poisson grégaire, le gourami nain existe en diverses couleurs.

Attention aux communautés

Certains Labyrinthidés ne conviennent pas à l'aquarium communautaire standard. Parmi ces espèces figurent le gourami géant (*Osphronemus goramy*, p. 135), un colosse doté d'un appétit en proportion, et le gourami chocolat, trop fragile pour la plupart des aquariums, car il préfère une eau très douce et acide, ainsi que des aliments vivants. Le cténopoma léopard (*Ctenopoma acutirostre*, p. 120) est un Anabantidé prédateur et ne doit pas côtoyer de petits poissons ; quant au poisson de paradis (Macropodus opercularis, p. 126), trop agressif pour la plupart des aquariums communautaires, il conviendra bien à un aquarium non chauffé et densé-

CONSEIL

Dans un aquarium, les Labyrinthidés comme le combattant du Siam et les gouramis respirent l'air par la surface de l'eau. Dans le cas contraire – si l'aquarium est trop rempli, par exemple – ces poissons peuvent se noyer.

ment planté – mais à son seul usage. N'installez pas non plus un combattant du Siam dans un aquarium communautaire. La plupart des aquariums sont trop vastes, trop puissamment filtrés et trop remuants pour les combattants du Siam, qu'il vaut mieux accueillir dans un aquarium équipé spécialement à leur intention.

Cténopoma léopard

prédateur • camouflé • inhabituel • paisible

NOM SCIENTIFIQUE : *Ctenopoma acutirostre* • FAMILLE : Ananbantidés • ORIGINE : République démocratique du Congo • HABITAT NATUREL : Affluents du Congo • TAILLE ADULTE MOYENNE : 15 cm • COULEURS : Corps jaune couvert de grandes taches marron • DIMORPHISME SEXUEL : Mâles plus colorés, aux nageoires plus longues, à la tête couverte de piquants • MODE DE REPRODUCTION : Ovipare (œufs flottants) • POTENTIEL DE REPRODUCTION : Faible • ZONE DE NAGE : Milieu • ALIMENTATION : Poisson, aliments carnés • VÉGÉTATION : Oui • BESOINS SPÉCIFIQUES : Refuges • DIFFICULTÉ : Moyenne

L'aquarium :

TAILLE MINIMUM : 90 cm

TEMPÉRATURE : 24-26 °C

PH : 6-7

DURETÉ DE L'EAU : Douce à moyennement dure

COMPATIBILITÉ AVEC D'AUTRES POISSONS : Moyenne

Le cténopoma léopard appartient à une famille connue pour ses tendances prédatrices et capable, prétendument, de grimper aux arbres. Le cténopoma léopard est l'un des plus esthétiques de cette famille.

En période difficile, ce poisson peut quitter le milieu aquatique à la recherche de nouveaux trous d'eau ; l'un d'eux a effectivement été retrouvé dans un arbre, mais cela semble exceptionnel. Dans un aquarium, cette espèce a besoin d'un fort couvert végétal, de tourbe et de plantes vivantes, avec un éclairage adouci. La filtration doit être lente, mais efficace sur le plan biologique, car ces prédateurs produisent des déchets riches en ammoniac. Le cté-

nopoma léopard, poisson paisible, doit cohabiter avec d'autres espèces calmes, mais d'une taille suffisante pour ne pas figurer sur son menu.

Lors de son installation, le cténopoma léopard éprouvera des difficultés à se nourrir, mais il faudra résister à la tentation de lui donner des poissons vivants.

Il est possible d'installer plusieurs de ces poissons dans le même aquarium, mais ils se reproduisent rarement en captivité ; la plupart sont encore capturés dans leur environnement naturel. Vous distinguerez des piquants autour des ouïes, chez le mâle.

Les Labyrinthidés

Combattant du Siam

coloré • nageur lent • mauvaise réputation • agressif

NOM SCIENTIFIQUE : *Betta splendens* • FAMILLE : Bélontidés • ORIGINE : Cambodge, Thaïlande • HABITAT NATUREL : Cours d'eau peu profonds, rizières • TAILLE ADULTE MOYENNE : 6 cm • COULEURS : Rouge, bleu ou vert, à partir d'ancêtres plus ternes • DIMORPHISME SEXUEL : Mâles plus colorés, avec des nageoires plus longues • MODE DE REPRODUCTION : Ovipare, nid de bulles • POTENTIEL DE REPRODUCTION : Moyen • ZONE DE NAGE : Haut ALIMENTATION : Flocons, aliments congelés et vivants • VÉGÉTATION : Oui • BESOINS SPÉCIFIQUES : Aquarium calme • DIFFICULTÉ : Moyenne

L'aquarium :

TAILLE MINIMUM : 30 cm
TEMPÉRATURE : 24-30 °C
PH : 6-7
DURETÉ DE L'EAU : Douce et acide
COMPATIBILITÉ AVEC D'AUTRES POISSONS : Faible

Le combattant du Siam est bien connu dans le monde entier pour sa terrible réputation guerrière. Les mâles ne peuvent cohabiter car ils s'attaquent mutuellement dans les secondes qui suivent leur rencontre. Cette caractéristique, ainsi que les nageoires allongées et les couleurs plus riches, a été renforcée par l'élevage en lignée ; mais au fil des décennies, certaines tendances se sont affaiblies et ce poisson n'est plus aussi agressif qu'avant. Il peut même être victime de sa beauté si un autre poisson tire ses nageoires flottantes. Un combattant du Siam malheureux se contentera de flotter en dessous de la surface, dans un coin tranquille.

Cette espèce a besoin d'un aquarium spécial, de petite taille et à filtration douce, au moyen d'un filtre à air et à éponge. L'eau doit être douce et tiède, avec des plantes. Les daphnies et les larves de moustique conviennent très bien au combattant du Siam.

Les femelles peuvent être installées dans l'aquarium, mais cela accroîtra brutalement l'agressivité du mâle, qui peut même poursuivre des femelles non matures. En outre, les femelles peuvent se quereller entre elles. Le mâle souffle un nid de bulles lors de la reproduction.

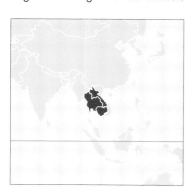

Gourami miel

petit • paisible • subtil • calme

NOM SCIENTIFIQUE : *Colisa chuna* • FAMILLE : Bélontidés • ORIGINE : Bangladesh, Inde • HABITAT NATUREL : Fossés, étangs et lacs bordés de végétation • TAILLE ADULTE MOYENNE : 5 cm • COULEURS : Corps orange ; nageoire pectorale noire et dorsale jaune chez les mâles adultes ; femelles plus claires, avec rayure noire horizontale
MODE DE REPRODUCTION : Ovipare, nid de bulles • POTENTIEL DE REPRODUCTION : Faible • ZONE DE NAGE : Haut
ALIMENTATION : Flocons, aliments congelés et vivants • VÉGÉTATION : Oui • BESOINS SPÉCIFIQUES : Aquarium calme • DIFFICULTÉ : Moyenne

Les Labyrinthidés

L'aquarium :

TAILLE MINIMUM : 45 cm
TEMPÉRATURE : 24-28 °C
PH : 6-7
DURETÉ DE L'EAU : Douce et acide
COMPATIBILITÉ AVEC D'AUTRES POISSONS :
Moyenne

Les gouramis miel ressemblent aux gouramis nains (*Colisa lalia*, p. 125) mais ils sont généralement plus petits.

Ils ne sont pas élevés en lignée pour intensifier leurs couleurs, et les mâles adultes parviennent à une coloration orange.

Paisibles, les gouramis miel ne doivent pas cohabiter avec des poissons agressifs. Ils n'apprécient pas les aquariums de dimensions trop vastes, et n'aiment pas non plus une filtration trop forte. Il faut les installer dans des récipients plus petits, par-

venus à maturité, avec un filtre à air et une eau douce et acide. Les plantes leur conviennent bien, notamment les végétaux flottants qui leur offrent un couvert et un endroit où déposer leur nid de bulles.

Les gouramis miel cohabitent avec d'autres poissons de petite taille, comme les rasboras ou les tétras. Il vaut mieux qu'ils restent les seuls gouramis de l'aquarium.

Nourrissez-les de petits aliments congelés et vivants et de flocons. Le gourami miel se reproduit en captivité mais les alevins, minuscules, ne sont pas faciles à élever.

Colisa rayé

paisible • subtil • timide • coloré

NOM SCIENTIFIQUE : *Colisa fasciata* • FAMILLE : Bélontidés • ORIGINE : Inde, Bangladesh, Birmanie (Myanmar)
HABITAT NATUREL : Cours d'eau, lacs et étangs envahis d'herbes • TAILLE ADULTE MOYENNE : 10 cm • COULEURS :
Corps couleur rouille, avec rayures turquoise • DIMORPHISME SEXUEL : Mâles plus longs et plus colorés • MODE
DE REPRODUCTION : Ovipare, nid de bulles • POTENTIEL DE REPRODUCTION : Faible • ZONE DE NAGE : Milieu, haut
ALIMENTATION : Flocons, aliments congelés et vivants • VÉGÉTATION : Oui • BESOINS SPÉCIFIQUES : Plantes,
aquarium calme • DIFFICULTÉ : Moyenne

L'aquarium :

TAILLE MINIMUM : 90 cm
TEMPÉRATURE : 24-28 °C
PH : 6-7
DURETÉ DE L'EAU : Douce à moyennement dure
COMPATIBILITÉ AVEC D'AUTRES POISSONS : Moyenne

Parfois appelé gourami géant, le colisa rayé ne doit cependant pas être confondu avec le véritable gourami géant (*Osphronemus goramy*, p. 135), qui atteint une longueur de 70 cm. Le colisa rayé ne dépasse guère les 10 cm et ressemble beaucoup au gourami lippu.

Ces poissons sont d'un entretien relativement facile, à condition de disposer d'un aquarium à filtration efficace, avec des plantes vivantes et des voisins tranquilles. Il vaut mieux que le colisa rayé soit la seule espèce de gourami dans l'aquarium, car il est timide et sera plus enclin à montrer ses belles couleurs s'il se sent en sécurité.

Le colisa rayé se distingue du gourami lippu par sa tête plus arrondie. En outre, les mâles comme les femelles possèdent une attache caudale plus épaisse. Les mâles sont plus colorés, avec des corps plus élancés ; les femelles ont des nageoires plus courtes.

Dans un environnement favorable, ils peuvent se reproduire en aquarium : le mâle soufflera alors un nid de bulles à la surface de l'eau. Tous les alevins de gourami sont d'une taille minuscule et ont besoin d'aliments tout aussi petits.

Gourami lippu

paisible • subtil • gracieux • paisible

NOM SCIENTIFIQUE : *Colisa labiosa* • FAMILLE : Bélontidés • ORIGINE : Inde • HABITAT NATUREL : Cours d'eau bordés de végétation • TAILLE ADULTE MOYENNE : 8 cm • COULEURS : Corps orangé, avec rayures verticales et ventre turquoise • DIMORPHISME SEXUEL : Mâles plus volumineux, plus colorés et allongés • MODE DE REPRODUCTION : Ovipare, nid de bulles • POTENTIEL DE REPRODUCTION : Faible • ZONE DE NAGE : Milieu, haut • ALIMENTATION : Flocons, aliments congelés et vivants • VÉGÉTATION : Oui • BESOINS SPÉCIFIQUES : Courant faible • DIFFICULTÉ : Moyenne

Les labyrinthidés

L'aquarium :

TAILLE MINIMUM : 75 cm

TEMPÉRATURE : 24-28 °C

PH : 6-7

DURETÉ DE L'EAU : Douce à moyennement dure

COMPATIBILITÉ AVEC D'AUTRES POISSONS : Élevée

Le gourami lippu ne figure qu'occasionnellement dans les magasins spécialisés, mais son cousin le gourami nain est beaucoup plus courant et apprécié – cela est surprenant, car le gourami lippu est un poisson sociable et adaptable.

Les poissons en bonne condition portent des rayures turquoise fort esthétiques, avec un corps couleur rouille, et ces couleurs s'intensifient chez les mâles souhaitant se reproduire. En outre, il existe une variante couleur orange. Globalement, cette espèce ressemble au colisa rayé (p. 123).

L'aquarium idéal sera décoré de nombreuses plantes vivantes, avec de la tourbe, et des végétaux flottants à la surface pour faciliter l'installation du nid de bulles. Le courant doit rester lent, mais une aération supplémentaire n'est pas nécessaire car, comme tous les gouramis, cette espèce peut respirer l'air de l'atmosphère.

Poisson paisible, le gourami lippu cohabite avec toutes les espèces de taille inférieure. Installez-le par couple : les mâles sont plus grands et colorés, les femelles plus trapues. Le gourami lippu se reproduit parfois en captivité mais rarement dans un aquarium domestique ; il provient en majorité des élevages d'Extrême-Orient.

Gourami nain

paisible • petit • lent • coloré

NOM SCIENTIFIQUE : *Colisa lalia* • FAMILLE : Bélontidés • ORIGINE : Bornéo, Inde • HABITAT NATUREL : Étangs, fossés de drainage et ruisseaux lents • TAILLE ADULTE MOYENNE : 5 cm • COULEURS : Mâles rayés de bleu et rouge ; femelles argentées • DIMORPHISME SEXUEL : Mâles plus volumineux et colorés • MODE DE REPRODUCTION : Ovipare, nid de bulles • POTENTIEL DE REPRODUCTION : Faible • ZONE DE NAGE : Haut • ALIMENTATION : Flocons, aliments congelés et vivants • VÉGÉTATION : Oui • BESOINS SPÉCIFIQUES : Voisins d'aquarium calmes • DIFFICULTÉ : Moyenne

L'aquarium :

TAILLE MINIMUM : 45 cm

TEMPÉRATURE : 24-28 °C

PH : 6-7

DURETÉ DE L'EAU : Douce et acide à neutre

COMPATIBILITÉ AVEC D'AUTRES POISSONS : Moyenne

Poissons paisibles, les gouramis nains conviennent aux aquariums tropicaux calmes, de petite taille. Ils préfèrent une eau douce et acide, à faible courant, avec de la végétation. Comme de nombreux autres membres de la famille des Bélontidés, le mâle souffle un nid de bulles à la surface de l'eau, dans lequel sont déposés les œufs fertilisés.

Comme les gouramis disposent d'un organe « labyrinthe », leur permettant de respirer l'air de l'atmosphère, ils doivent pouvoir atteindre la surface de l'eau.

Le gourami nain existe en de nombreuses couleurs différentes, élaborées pour les aquariophiles. Cet élevage en lignée a affaibli l'espèce : assurez-vous donc que l'aquarium est parvenu à maturation, avec une bonne qualité d'eau. Sous sa forme naturelle, le gourami nain présente un dimorphisme bien visible, les mâles colorés se distinguant des femelles plus ternes. Dans les variantes élevées en lignée, les femelles peuvent posséder les mêmes couleurs que les mâles, mais ceux-ci restent plus gros.

Le gourami nain peut se reproduire en aquarium, mais les alevins minuscules demandent des soins particuliers.

Poisson du paradis

coloré • résistant • agressif • mangeur d'escargots

NOM SCIENTIFIQUE : *Macropodus opercularis* • FAMILLE : Bélontidés • ORIGINE : Chine, Corée, Taiwan • HABITAT NATUREL : Cours d'eau et eaux dormantes à faible taux d'oxygène • TAILLE ADULTE MOYENNE : 10 cm • COULEURS : Corps rouge bleu avec rayures verticales • DIMORPHISME SEXUEL : Mâles plus colorés, plus gros, avec des nageoires plus longues • MODE DE REPRODUCTION : Ovipare, nid de bulles • POTENTIEL DE REPRODUCTION : Moyen ZONE DE NAGE : Milieu, haut • ALIMENTATION : Flocons, aliments congelés et vivants • VÉGÉTATION : Oui • BESOINS SPÉCIFIQUES : Couvert végétal dense • DIFFICULTÉ : Faible

Les Labyrinthidés

L'aquarium :

TAILLE MINIMUM : 60 cm

TEMPÉRATURE : 15-28 °C

PH : 6-7,5

DURETÉ DE L'EAU : Douce à moyennement dure

COMPATIBILITÉ AVEC D'AUTRES POISSONS : Faible

Le poisson du paradis est célèbre pour avoir été, dit-on, le premier poisson tropical jamais importé et installé dans des aquariums ornementaux.

Cette espèce respire l'air de l'atmosphère et supporte les températures fraîches, des facteurs cruciaux pour la survie de l'espèce en captivité.

Le poisson du paradis peut se montrer agressif et ne doit pas cohabiter avec la plupart des poissons sociables paisibles de petite taille. Certains individus se mettent à apprécier les yeux des autres poissons et peuvent les arracher même à un poisson chat ou d'autres espèces. En outre, les mâles se battent.

Sur un plan plus positif, ces poissons sont résistants et colorés. Issus de régions sub-tropicales, ils peuvent vivre dans des aquariums simples et non chauffés, et sont très utiles pour nettoyer les lieux des escargots nuisibles. L'aquarium doit comporter un couvert végétal dense, et le poisson doit aussi disposer de zones hors de la vue d'autres poissons de paradis. La végétation de surface accueillera les nids de bulles.

Plus colorés que les femelles, les mâles possèdent en outre des nageoires plus longues. Il existe aussi une variété albinos.

Gourami réglisse

petit • coloré • fragile • aspect inhabituel

NOM SCIENTIFIQUE : *Parosphronemus deissneri* • FAMILLE : Bélontidés • ORIGINE : Malaisie, Singapour, Sumatra HABITAT NATUREL : Eaux sombres peu profondes, avec végétation • TAILLE ADULTE MOYENNE : 3,5 cm • COULEURS : Corps jaune, avec épaisses rayures horizontales marron • DIMORPHISME SEXUEL : Nageoires plus colorées chez les mâles • MODE DE REPRODUCTION : Ponte en zone protégée • POTENTIEL DE REPRODUCTION : Moyen • ZONE DE NAGE : Fond • ALIMENTATION : Aliments vivants et congelés • VÉGÉTATION : Oui • BESOINS SPÉCIFIQUES : Eau douce • DIFFICULTÉ : Élevée

L'aquarium :

TAILLE MINIMUM : 45 cm

TEMPÉRATURE : 24-28 °C

PH : 5-7

DURETÉ DE L'EAU : Douce et acide

COMPATIBILITÉ AVEC D'AUTRES POISSONS : Moyenne

Les gouramis réglisse sont petits et fragiles ; il faut leur accorder une attention particulière et ne pas les intégrer dans un aquarium communautaire standard. Cette espèce est originaire des zones d'eau sombre d'Asie du Sud-Est : le gourami réglisse vit dans des eaux douces et acides, faiblement minérales, et teintées de brun par les tanins des bois et des feuilles.

L'aquarium doit être de petite taille, avec un courant faible et une filtration à air. La température, élevée, doit s'appliquer à une eau traitée par osmose inverse pour devenir douce et acide. Ajoutez de la tourbe filtrée pour teindre l'eau. N'utilisez que de petits tubes fluorescents.

Les plantes vivantes risquent de ne pas survivre mais les végétaux flottants jouent un rôle bénéfique, en atténuant la lumière.

Le gourami réglisse se reproduit dans des anfractuosités, construisant son nid de bulles dans leur partie inférieure. Nourrissez les adultes d'aliments congelés et vivants.

Si vous accordez à ce poisson l'attention particulière dont il a besoin, il sera capable de se reproduire.

Les Labyrinthidés

Gourami chocolat

petit • subtil • fragile • paisible

NOM SCIENTIFIQUE : *Sphaerichthys osphromenoides* • FAMILLE : Bélontidés • ORIGINE : Bornéo, Malaisie, Sumatra
HABITAT NATUREL : Cours d'eau forestiers peu profonds, bordés de végétation • TAILLE ADULTE MOYENNE : 5 cm
COULEURS : Corps marron à rayures dorées • DIMORPHISME SEXUEL : Bordure jaune sur la nageoire anale du
mâle adulte • MODE DE REPRODUCTION : Incubation buccale maternelle • POTENTIEL DE REPRODUCTION : Moyen
ZONE DE NAGE : Milieu • ALIMENTATION : Flocons, aliments congelés et vivants • VÉGÉTATION : Oui • BESOINS
SPÉCIFIQUES : Eau douce et acide • DIFFICULTÉ : Élevée

Les Labyrinthidés

L'aquarium :
TAILLE MINIMUM : 45 cm
TEMPÉRATURE : 25-30 °C
PH : 5-7
DURETÉ DE L'EAU : Douce et acide
COMPATIBILITÉ AVEC D'AUTRES POISSONS :
Moyenne

Le gourami chocolat connaîtrait un plus grand succès s'il était moins difficile d'entretien. Il fait l'objet d'un élevage commercial mais supporte mal la captivité car il a besoin d'une eau très acide. Même ainsi, il meurt parfois prématurément d'infection bactérienne.

Si l'on vous propose des spécimens en bonne santé, installez-leur un aquarium spécialement pour eux, avec une eau très douce et acide, et nourrissez-les abondamment d'aliments congelés et vivants. Leur environnement n'a pas besoin d'être vaste ou fortement filtré ; un filtre à air et à éponge parvenu à maturation suffira. Si le gourami chocolat survit à ses premières semaines de captivité, il deviendra plus robuste et supportera mieux une eau moins acide.

Ce poisson peut se reproduire en captivité, la femelle incubant les œufs dans sa bouche.

Si vous mêlez le gourami chocolat à d'autres espèces, choisissez des poissons tranquilles appréciant le même type d'eau, mais placez les gouramis en quarantaine pendant plusieurs semaines.

En raison de cette fragilité, le gourami chocolat n'est recommandé qu'aux aquariophiles expérimentés.

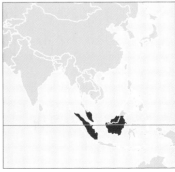

Gourami perlé

coloré • paisible • subtil • gracieux

NOM SCIENTIFIQUE : *Trichogaster leeri* • FAMILLE : Bélontidés • ORIGINE : Bornéo, Malaisie, Sumatra • HABITAT NATUREL : Eaux dormantes avec plantes flottantes • TAILLE ADULTE MOYENNE : 12 cm • COULEURS : Motifs de dentelle sur fond doré • DIMORPHISME SEXUEL : Poitrine rouge et nageoire dorsale plus longue chez le mâle MODE DE REPRODUCTION : Ovipare, nid de bulles • POTENTIEL DE REPRODUCTION : Faible • ZONE DE NAGE : Milieu, haut • ALIMENTATION : Aliments lyophilisés, congelés et vivants • VÉGÉTATION : Oui • BESOINS SPÉCIFIQUES : Plus de femelles que de mâles • DIFFICULTÉ : Moyenne

L'aquarium :

TAILLE MINIMUM : 90 cm

TEMPÉRATURE : 24-28 °C

PH : 6-7

DURETÉ DE L'EAU : Douce à moyennement dure

COMPATIBILITÉ AVEC D'AUTRES POISSONS : Élevée

Le gourami perlé est un excellent poisson sociable et coloré, qui s'intégrera bien à un aquarium communautaire un peu plus grand que la moyenne. Ce poisson nage de manière gracieuse, créant une impression de paix et de sérénité dans son environnement. Il préfère les aquariums à faible courant, parvenus à maturité ; ses couleurs seront mises en valeur par de la végétation convenant à une eau douce et tiède.

Le gourami perlé peut vivre en groupe, mais les mâles plus colorés doivent être en nombre inférieur aux femelles, pour les empêcher de devenir agressifs.

Le gourami perlé accepte diverses nourritures mais il préfère les larves de moustique rouge. Il est possible d'élever ce poisson en aquarium : il construit un nid de bulles à la surface de l'eau, retenu par des plantes vivantes. Cependant, le frai reste difficile, et il faut une attention particulière pour parvenir à élever le gourami perlé. En revanche, celui-ci est élevé par milliers dans des bassins d'Extrême-Orient, et destiné à la vente en Occident.

Les Labyrinthidés

Gourami lune

grand • réfléchissant • gracieux • paisible

NOM SCIENTIFIQUE : *Trichogaster microlepsis* • FAMILLE : Bélontidés • ORIGINE : Cambodge, Thaïlande • HABITAT NATUREL : Étangs et lacs peu profonds, avec végétation • TAILLE ADULTE MOYENNE : 15 cm • COULEURS : Reflets argentés • DIMORPHISME SEXUEL : Nageoires ventrales plus sombres chez les mâles • MODE DE REPRODUCTION : Ovipare, nid de bulles • POTENTIEL DE REPRODUCTION : Faible • ZONE DE NAGE : Milieu • ALIMENTATION : Flocons, aliments congelés et vivants • VÉGÉTATION : Oui • BESOINS SPÉCIFIQUES : Grand aquarium • DIFFICULTÉ : Moyenne

L'aquarium :

TAILLE MINIMUM : 1,2 m

TEMPÉRATURE : 25-28 °C

PH : 6-7

DURETÉ DE L'EAU : Douce et acide

COMPATIBILITÉ AVEC D'AUTRES POISSONS : Élevée

Le gourami lune intéresse les aquariophiles depuis des décennies, et convient bien à des aquariums de bonne taille, avec des voisins moyens ou grands. Une fois intégré, le gourami lune se révèle robuste, mais lors de son importation, il est sujet à des infections bactériennes. La quarantaine est donc recommandée, et tout changement du pH et de la dureté de l'eau doit être progressif. Il vaut mieux acheter des spécimens plus gros, qui sont plus résistants.

Le gourami lune a besoin d'un aquarium aussi vaste que possible, car il peut atteindre sa taille maximale de 15 cm même en captivité. Décorez l'eau de tourbe et de plantes vivantes, mais laissez un espace de nage suffisant. Un groupe de gouramis lune peut produire un effet particulièrement réussi dans un aquarium décoré de nombreuses plantes à feuilles fines et doté d'un substrat léger ; en effet, les écailles du gourami lune réfléchissent fortement les couleurs de l'aquarium. Cette espèce accepte une nourriture variée, et devrait nager activement une fois installée.

Le gourami lune peut se reproduire, à l'aide d'un grand nid de bulles, mais il fait surtout l'objet d'un élevage commercial en Extrême-Orient.

Gourami bleu

résistant • gracieux • coloré • agité

NOM SCIENTIFIQUE : *Trichogaster trichopterus* • FAMILLE : Bélontidés • ORIGINE : Birmanie (Myanmar), Malaisie, Sumatra, Thaïlande, Vietnam • HABITAT NATUREL : Berges de cours d'eau lents, avec faible visibilité et végétation dense • TAILLE ADULTE MOYENNE : 12 cm • COULEURS : Corps bleu ciel avec taches ou stries bleues, selon la variété ; il existe une variété dorée • DIMORPHISME SEXUEL : Nageoires dorsales allongées chez les mâles, plus courtes chez les femelles • MODE DE REPRODUCTION : Ovipare, nid de bulles • POTENTIEL DE REPRODUCTION : Faible ZONE DE NAGE : Milieu, haut • ALIMENTATION : Flocons, aliments congelés et vivants • VÉGÉTATION : Oui • BESOINS SPÉCIFIQUES : Plus de femelles que de mâles • DIFFICULTÉ : Moyenne

L'aquarium :

TAILLE MINIMUM : 90 cm

TEMPÉRATURE : 24-28 °C

PH : 6-7

DURETÉ DE L'EAU : Douce à moyennement dure

COMPATIBILITÉ AVEC D'AUTRES POISSONS : Élevée

Le gourami bleu, de taille moyenne, convient à un aquarium de dimensions similaires ou supérieures. Ce poisson résistant est connu des aquariophiles depuis des décennies, et il semble avoir été l'une des rares espèces bleues disponibles depuis les origines de ce loisir. Il existe une variété dorée, et aussi une forme striée de cette espèce, le gourami marbré.

Le gourami bleu vit mieux en groupe, avec plusieurs femelles par mâle ; celui-ci peut en effet devenir assez agité et harceler les femelles seules ou d'autres mâles. Cet inconvénient mis à part, le gourami bleu cohabite sans difficulté avec des espèces aussi petites que le tétra néon (p. 75) et aussi grandes que le barbus géant (p. 95) ou le requin d'argent adulte (p. 92).

Il faut au gourami bleu un aquarium bien décoré, doté d'un couvert végétal vivant, qui accueillera aussi le nid de bulles. Cette espèce n'apprécie pas un courant trop fort : si vous utilisez un filtre à moteur, laissez une zone abritée. Donnez une alimentation variée à votre gourami, dont des larves de moustique. L'eau douce incitera le poisson à se reproduire. Les femelles ont un corps plus volumineux.

Gourami nain grogneur

petit • fragile • timide • esthétique •

NOM SCIENTIFIQUE : *Trichopsis pumila* • FAMILLE : Bélontidés • ORIGINE : Cambodge, Sumatra, Thaïlande, Vietnam • HABITAT NATUREL : Étangs et fossés d'eau stagnante avec plantes flottantes • TAILLE ADULTE MOYENNE : 3,5 cm • COULEURS : Petites taches bleues sur corps blanc ; nageoires tachées de bleu et rouge • DIMORPHISME SEXUEL : Nageoires dorsales pointues chez les mâles • MODE DE REPRODUCTION : Ovipare, nid de bulles POTENTIEL DE REPRODUCTION : Faible • ZONE DE NAGE : Milieu • ALIMENTATION : Petits flocons et aliments congelés et vivants • VÉGÉTATION : Oui • BESOINS SPÉCIFIQUES : Petit aquarium • DIFFICULTÉ : Moyenne

Les labyrinthidés

L'aquarium :

TAILLE MINIMUM : 30 cm

TEMPÉRATURE : 24-28 °C

PH : 6-7

DURETÉ DE L'EAU : Douce et acide

COMPATIBILITÉ AVEC D'AUTRES POISSONS : Moyenne

Le gourami nain grogneur est un poisson tropical minuscule, généralement long de 1 cm quand il est proposé à la vente. Il est souvent dédaigné et confondu avec un tétra ou un rasbora.

À cause de sa taille, ce poisson doit disposer d'un aquarium spécial, de petites dimensions si possible, avec une filtration douce par filtre à air équipé d'une éponge. L'eau, douce et acide avec un pH bas, doit être chauffée un peu plus que la normale, et l'aquarium décoré de petites plantes recouvrant aussi une partie de la surface.

Le poisson peut être installé par groupe de six ou plus, mâles et femelles mélangés, à partir duquel un couple au moins se formera. Le mâle construit un nid de bulles avant le frai.

Nourrissez le gourami nain grogneur de petits aliments, comme les daphnies et larves de moustiques ; en grandissant, les couleurs des adultes s'affirment davantage. Le gourami nain peut cohabiter avec d'autres espèces, mais préférez dans ce cas des poissons de très petite taille. Parmi ces derniers figurent le *Rasbora maculata* (p. 107) et le *Corydoras pygmaeus* (p. 163).

Gourami grogneur

petit • subtil • inhabituel • fragile

NOM SCIENTIFIQUE : *Trichopsis vittata* • FAMILLE : Bélontidés • ORIGINE : Inde orientale, Malaisie, Thaïlande, Vietnam • HABITAT NATUREL : Fossés, étangs, champs inondés et eaux peu profondes à forte présence végétale
TAILLE ADULTE MOYENNE : 6 cm • COULEURS : Corps beige avec rayures horizontales marron ; reflets colorés
DIMORPHISME SEXUEL : Nageoires anales plus rouges chez les mâles • MODE DE REPRODUCTION : Ovipare, nid de bulles • POTENTIEL DE REPRODUCTION : Faible • ZONE DE NAGE : Milieu • ALIMENTATION : Flocons, aliments congelés et vivants • VÉGÉTATION : Oui • BESOINS SPÉCIFIQUES : Aquarium tranquille • DIFFICULTÉ : Moyenne

L'aquarium :

TAILLE MINIMUM : 60 cm

TEMPÉRATURE : 24-28 °C

PH : 7

DURETÉ DE L'EAU : Douce à moyennement dure

COMPATIBILITÉ AVEC D'AUTRES POISSONS : Élevée

Le gourami grogneur doit son nom au croassement émis par le mâle pour attirer les femelles pendant la période de frai. Cette espèce ne connaît pas un grand succès, car elle semble assez terne à première vue, mais ses coloris subtils conviennent bien à un aquarium communautaire de dimensions modestes.

Le gourami grogneur atteint ou dépasse 5 cm à l'âge adulte, mais à son arrivée dans l'aquarium, il sera bien plus petit : seul un œil entraîné le repérera dans un grand aquarium d'un magasin spécialisé.

Ce poisson préfère les environnements densément plantés, avec une eau douce et tiède et une filtration lente, comme celle d'un filtre à air. L'eau doit rester de bonne qualité et être partiellement changée de manière régulière, car le gourami grogneur est sujet à des infections bactériennes si les conditions aquatiques ne sont pas optimales.

Cette espèce cohabite avec d'autres poissons de taille comparable, mais il vaut mieux qu'elle reste le seul gourami de l'aquarium. Le gourami peut être élevé en captivité, mais dans ce cas, il faut enlever tous les autres poissons pour qu'ils ne mangent pas le frai.

Gourami embrasseur

étonnant • grand • paisible • mangeur d'algues

NOM SCIENTIFIQUE : *Helostoma temminckii* • FAMILLE : Helostomatidés • ORIGINE : Thaïlande, Java • HABITAT NATUREL : Eaux dormantes à végétation dense • TAILLE ADULTE MOYENNE : 20 cm • COULEURS : Rose ; vert sous sa forme naturelle • DIMORPHISME SEXUEL : Femelles plus volumineuses • MODE DE REPRODUCTION : Ovipare, œufs flottants • POTENTIEL DE REPRODUCTION : Faible • ZONE DE NAGE : Milieu • ALIMENTATION : Algues, flocons et aliments congelés • VÉGÉTATION : Non • BESOINS SPÉCIFIQUES : Grand aquarium • DIFFICULTÉ : Moyenne

Les Labyrinthidés

L'aquarium :

TAILLE MINIMUM : 1,2 m

TEMPÉRATURE : 24-28 °C

PH : 7

DURETÉ DE L'EAU : Douce à dure

COMPATIBILITÉ AVEC D'AUTRES POISSONS : Élevée

La famille des Hélostomatidés, monotypique, ne comporte que cette espèce.

Le gourami embrasseur doit son nom au « baiser » qu'échangent deux poissons de leurs lèvres hypertrophiées. Ce baiser n'a rien de passionné, au contraire, il correspond à un rapport de force. Les lèvres sont naturellement utilisées pour manger des algues et des matières végétales, voir des plantes à feuilles tendres.

Le gourami embrasseur atteint une taille importante et sera donc transféré vers un aquarium plus grand. Contrairement aux gouramis utilisant les nids de bulles, il pond des œufs flottants.

La couleur rose n'est pas naturelle : elle correspond à un élevage en lignée, à partir de la couleur verte du poisson à l'état naturel.

Il existe aussi une forme « ballon », fort esthétique, avec un corps beaucoup plus court, mais qui correspond

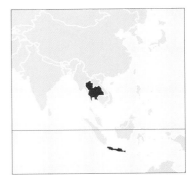

à une mutation et ne doit pas être encouragée, car de nombreuses autres espèces tropicales subiraient le même sort.

Gourami géant

énorme • animal de compagnie • résistant • parfois territorial

NOM SCIENTIFIQUE : *Osphronemus goramy* • FAMILLE : Osphronemidés • ORIGINE : Chine, Inde, Indonésie, Thaïlande
HABITAT NATUREL : Cours d'eau lents, canaux et lacs à faible concentration d'oxygène et végétation dense ; introduit
dans de nombreuses eaux à des fins d'élevage alimentaire • TAILLE ADULTE MOYENNE : 70 cm • COULEURS : Gris à
tête blanche ; éventuelle coloration rose de la queue • DIMORPHISME SEXUEL : Nageoires plus longues et dents plus
grosses chez les mâles • MODE DE REPRODUCTION : Ovipare ; nid de bulles • POTENTIEL DE REPRODUCTION : Faible
ZONE DE NAGE : Milieu • ALIMENTATION : Bâtonnets, paillettes, fruits, légumes, aliments vivants, vers • VÉGÉTATION :
Non • BESOINS SPÉCIFIQUES : Grand aquarium ; propriétaires responsables • DIFFICULTÉ : Faible

L'aquarium :

TAILLE MINIMUM : 2,4 m
TEMPÉRATURE : 24-30 °C
PH : 6-7,5
DURETÉ DE L'EAU : Douce à dure
COMPATIBILITÉ AVEC D'AUTRES POISSONS :
Moyenne

Les gouramis géants sont des poissons de grande taille et intelligents qui feront de bons animaux de compagnie, mais qui peuvent dépasser 60 cm de long. De nombreux spécimens adultes sont abandonnés par des propriétaires qui ne prennent pas la peine de les installer dans un aquarium à leur taille, ou de s'en occuper pendant toute leur durée de vie, qui peut atteindre 20 ans.

Si vous êtes prêt à accueillir un gourami géant à long terme, cet animal se comportera de manière gratifiante ; vous pourrez le nourrir à la main. Le gourami mange de nombreux aliments destinés aux humains, comme les bananes, les tomates, les pommes ou la salade. Il mange aussi les coques, les moules, les vers de pêche ou les vers de terre.

Le gourami produit de grandes quantités de déchets et doit disposer d'un aquarium suffisamment filtré. Très résistante, cette espèce peut respirer l'air de l'atmosphère (cette adaptation permet à ces gros poissons de survivre dans des eaux naturelles ou artificielles pauvres en oxygène). Le gourami peut cohabiter avec d'autres espèces, mais il arrive qu'un individu (souvent un mâle) adopte un comportement territorial et attaque la paroi de verre à vue.

Attention !
Cette espèce grandit beaucoup.

Les Labyrinthidés

Les Cichlidés

Les poissons de ce groupe sont très appréciés des aquariophiles en raison de leurs couleurs flamboyantes, de leur vivacité ainsi que de la façon unique dont certains d'entre eux élèvent leurs petits. Ils sont plus intelligents que la plupart des autres poissons et semblent réfléchir avant de nager, se déplaçant dans l'aquarium avec un but apparent. Toutes les variétés de Cichlidés ne supportent pas bien la vie en communauté, que ce soit avec leurs congénères ou avec d'autres espèces. Ils sont souvent divisés en deux catégories principales : les Cichlidés d'eau douce et les Cichlidés d'eau dure.

Les Cichlidés d'eau douce

Les Cichlidés d'eau douce vivent dans les rivières d'Amérique du Sud et en Afrique de l'Ouest ou centrale. L'eau des rivières s'enrichit en traversant les forêts tropicales : elle s'adoucit et s'acidifie grâce aux acides tanniques et humiques produits par le bois et les feuilles

Le discus, originaire d'Amérique du Sud, est le plus célèbre des Cichlidés d'eau douce.

qui tombent dans le lit de la rivière. L'eau peut d'ailleurs prendre une teinte brun foncé (on parle alors d'eaux noires) ou bien contenir tellement de sédiments qu'elle en devient trouble et que la visibilité est très réduite.

Les Cichlidés sont la proie de prédateurs aériens et aquatiques, si bien que certains d'entre eux ont développé une technique de camouflage, tout en conservant un marquage unique qui leur permet de se reconnaître dans l'obscurité. Les mâles, bien sûr, doivent faire bonne figure pour attirer une femelle pendant la période de frai.

Ils se nourrissent de larves de moustique et forment des couples pour pondre des œufs et élever leurs petits. Ils peuvent alors faire preuve d'agressivité mais, en dehors de la période de frai, ils cohabitent sans difficulté avec d'autres espèces de taille similaire.

Les Cichlidés d'eau dure

Ce groupe de Cichlidés peut être divisé entre les espèces d'Amérique centrale, comme le Cichlidé à gorge rouge ou gorge de feu (*Thorichthys meeki*, p. 156), et celles des lacs d'Afrique de l'Est, comme le bossu du Tanganyika (*Cyphotilapia frontosa*, p. 142).

Les Cichlidés d'Amérique centrale vivent pour la plupart dans des rivières peu profondes et à fort courant ou dans des grands lacs. En période de frai, ils forment des couples et la femelle pond sur le substrat.

Les Cichlidés

La princesse du Burundi a besoin d'une eau
dure et d'un d'environnement rocheux.

Les parents défendent férocement leurs petits. Ils sont faciles à nourrir et demandent peu d'entretien. En revanche, ils peuvent être un peu trop agressifs pour des compagnons fragiles. Leur aquarium doit être garni de rochers et de racines de bois afin de créer des territoires et des emplacements de ponte. Le cichlidé à gorge rouge est particulièrement recommandé aux débutants.

Les grands lacs d'Afrique de l'Est comprennent le Lac Malawi et le Lac Tanganyika et, bien que la composition chimique de l'eau des deux lacs soit similaire, les espèces de poissons que l'on y trouve sont bien distinctes. Presque tous les Cichlidés du lac Malawi pratiquent l'incubation buccale maternelle. De nombreux Cichlidés du Lac Tanganyika pratiquent également l'incubation buccale maternelle, mais certains forment des

CONSEIL

Un bon Cichlidé, pour les novices, est le cichlidé pourpre (*Pelvicachromis pulcher*, p. 152). C'est un Cichlidé petit et coloré originaire d'Afrique de l'Ouest, qui peut être élevé avec des spécimens plus petits. Dans l'aquarium, il élira domicile dans un recoin ou une cachette à son goût ; il aime les plantes et il est facile à élever.

couples et pondent sur le substrat (c'est-à-dire que la femelle pond sur une surface et que les parents protègent les œufs et les alevins des prédateurs). Parmi les espèces qui pondent sur substrat, on trouve les *Julidochromis* (p. 145) et la princesse du Burundi (*Neolamprologus brichardi*, p. 148).

Apisto-perroquet

petit • calme • fin • sensible

NOM SCIENTIFIQUE : *Apistogramma cacatuoides* • FAMILLE : Cichlidés • ORIGINE : Amérique du Sud (bassin de l'Amazone) • HABITAT NATUREL : Affluents petits et calmes • TAILLE MOYENNE ADULTE : 7 cm • COULEURS : Corps beige avec des rayures horizontales plus sombres, nageoires rouges, queue tachetée et marques vertes sur la tête • DIMORPHISME SEXUEL : Les mâles sont plus gros et plus colorés • MODE DE REPRODUCTION : Ovipare ; ponte sur substrat • POTENTIEL DE REPRODUCTION : Moyen • ZONE DE VIE : Haut • ALIMENTATION : Aliments vivants ou surgelés • VÉGÉTATION : Oui • BESOINS SPÉCIFIQUES : Eau douce dans un aquarium calme • DIFFICULTÉ : Élevée

L'aquarium

TAILLE MINIMUM : 60 cm

TEMPÉRATURE : 24–26 °C

PH: 6–7

DURETÉ DE L'EAU : Eau douce et acide

COMPATIBILITÉ AVEC D'AUTRES POISSONS : Moyenne

L'apisto-perroquet appartient au genre des *Apistogramma* dans la famille des Cichlidés. Il préfère les aquariums calmes, sans compagnon turbulent, remplis d'une eau douce et acide et dotés d'une filtration à faible débit.

L'apisto-perroquet est un spécimen particulièrement attachant de Cichlidé. Les mâles possèdent des nageoires rouges et deviennent plus gros que les femelles, qui sont plus ternes. Les mâles ont également une plus grosse bouche. Il est conseillé d'élever des couples dans un aquarium garni de plantes et de racines de bois. Des pots de fleurs ou des noix de coco vides peuvent être

ajoutés pour créer des cavités pour la ponte. Les adultes se nourrissent d'aliments vivants ou surgelés.

Afin d'obtenir une eau douce adaptée à cette espèce, ayez recours à un simple filtre à osmose inverse.

Si vous préparez correctement l'aquarium et prenez bien en considération les besoins du poisson avant son achat, vous ne devriez rencontrer aucune difficulté. Cependant, il s'agit d'un poisson sensible et, si des conditions strictes ne sont pas respectées, il peut ne vivre que quelques semaines.

Il est élevé et commercialisé dans toute l'Europe.

Oscar

gros • asocial • animal de compagnie très apprécié

NOM SCIENTIFIQUE : *Astronotus ocellatus* • FAMILLE : Cichlidés • ORIGINE : Brésil, Colombie, Pérou • HABITAT
NATUREL : Fond des rivières calmes, parmi les racines des arbres • TAILLE MOYENNE ADULTE : 35 cm • COULEURS :
Noir et gris avec des marques orange et une tache sur la queue • DIMORPHISME SEXUEL : Aucun • MODE DE
REPRODUCTION : Ovipare ; ponte sur substrat • POTENTIEL DE REPRODUCTION : Faible • ZONE DE VIE : Milieu
ALIMENTATION : Nourriture vivante (poissons, vers) et sèche (granulés et sticks) • VÉGÉTATION : Non • BESOINS
SPÉCIFIQUES : Aquarium spacieux et bien filtré • DIFFICULTÉ : Faible

L'aquarium

TAILLE MINIMUM : 1,5 m
TEMPÉRATURE : 24–28 °C
PH : 6–7
DURETÉ DE L'EAU : Douce et acide
COMPATIBILITÉ AVEC D'AUTRES POISSONS :
Faible

Les oscars sont de gros poissons, à la personnalité bien marquée. Ils font de très bons animaux de compagnie, mais nécessitent une grande surface d'aquarium et un système de filtration puissant pour se débarrasser de leurs déchets. Ils apprennent à reconnaître la personne qui les nourrit et sont capables de développer un lien avec leur maître.

À l'état sauvage, ce sont des prédateurs redoutables qui se cachent et dévorent tout ce qui passe à leur portée. La tache en forme d'œil sur la queue leur sert à se protéger des attaques de piranhas qui s'en prennent à la queue plutôt que la tête.

Dans l'aquarium, les jeunes oscars se font une compétition acharnée et malmènent les autres poissons pour souvent finir par les manger. Il est donc préférable de les élever dans un large aquarium à part, décoré de racines de bois, de rochers et de plantes artificielles. S'ils grandissent en groupe et qu'un couple se forme, celui-ci peut être isolé dans un autre aquarium.

En plus des spécimens habituels, il est possible de trouver des individus albinos ou tigrés rouge sur rouge.

Attention !
Ces poissons grandissent beaucoup.

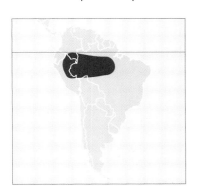

Les Cichlidés

Cichlidé paon jaune

coloré • paisible • calme

NOM SCIENTIFIQUE : *Aulonocara baenschi* • FAMILLE : Cichlidés • ORIGINE : Afrique (lac Malawi) • HABITAT NATUREL : Zones rocheuses ou sablonneuses • TAILLE MOYENNE ADULTE : 15 cm • COULEURS : Flancs orange et tête bleue • DIMORPHISME SEXUEL : Les mâles sont plus colorés et présentent des points jaunes sur la nageoire anale ; les femelles sont ternes • MODE DE REPRODUCTION : Ovipare ; incubation buccale maternelle POTENTIEL DE REPRODUCTION : Moyen • ZONE DE VIE : Milieu • ALIMENTATION : Aliments secs (paillettes), surgelés ou vivants • VÉGÉTATION : Oui • BESOINS SPÉCIFIQUES : Aquarium de Cichlidés paisibles • DIFFICULTÉ : Moyenne

Les Cichlidés

L'aquarium

TAILLE MINIMUM : 90 cm

TEMPÉRATURE : 24–26 °C

PH: 7,5–8,2

DURETÉ DE L'EAU : Dure et alcaline

COMPATIBILITÉ AVEC D'AUTRES POISSONS : Moyenne

Les représentants du genre *Aulonocara* sont également connus sous le nom de cichlidés paons. *A. baenschi* présente une coloration orange à l'âge adulte tandis que la plupart n'ont que des teintes bleues. Ils ont évolué pour se nourrir de plancton plutôt que de manger les algues des rochers.

L'aquarium doit être assez aéré, avec seulement quelques rochers et des plantes résistantes comme la mousse de Java *(Vesicularia dubyana)*. L'eau doit être de bonne qualité et le sol de l'aquarium doit être recouvert d'une couche de sable fin.

Il est facile de différencier les mâles des femelles, car seuls les mâles prennent des couleurs vives à l'âge adulte, tandis que les femmes restent ternes, avec de petites nageoires.

Le mâle *Aulonocara baenschi* est le centre de l'aquarium. Idéalement, il devra être le seul mâle *Aulonocara* (afin d'éviter l'hybridation) et être entouré d'un harem de femelles. Il est possible d'introduire des représentants d'autres familles que les Cichlidés, mais la meilleure option reste encore un aquarium biotope contenant des cichlidés malawi paisibles et peut-être quelques poissons-chats *Synodontis* du Lac Malawi.

Il est possible de leur proposer une variété d'aliments surgelés, comme des vers de vase ou des artémias.

Bagnard

agressif • territorial • prolifique • robuste

NOM SCIENTIFIQUE : *Cryptoheros nigrofasciatus* • FAMILLE : Cichlidés • ORIGINE : Amérique centrale • HABITAT NATUREL : Rivières et lacs ; acclimaté à de nombreuses eaux hors de leur milieu naturel • TAILLE MOYENNE ADULTE : 15 cm • COULEURS : Gris avec des rayures verticales noires • DIMORPHISME SEXUEL : Les mâles sont plus gros et peuvent développer une bosse nucale ; les femelles développent de très belles couleurs sur le ventre MODE DE REPRODUCTION : Ovipare ; ponte sur substrat • POTENTIEL DE REPRODUCTION : Élevé • ZONE DE VIE : Milieu ALIMENTATION : Aliments secs, surgelés et vivants • VÉGÉTATION : Non • BESOINS SPÉCIFIQUES : Lieux de pontes DIFFICULTÉ : Faible

L'aquarium

TAILLE MINIMUM : 90 cm

TEMPÉRATURE : 24–26 °C

PH : 7–8

DURETÉ DE L'EAU : Eau neutre à dure et alcaline

COMPATIBILITÉ AVEC D'AUTRES POISSONS : Moyenne

Les bagnards correspondent à tout ce que l'on peut attendre d'un Cichlidé. Ce sont de petits poissons robustes qui parcourent l'aquarium avec une réelle détermination. Ils mangent à peu près n'importe quoi et supportent une grande variété de températures et de pH, bien qu'ils préfèrent les eaux à pH élevé et de température moyenne.

Les mâles deviennent plus gros que les femelles et présentent des nageoires légèrement plus longues, ainsi que des rayures noires verticales. Les femelles sont plus petites et, lorsqu'elles sont sexuellement matures, leur ventre prend de belles teintes jaune et verte.

Si vous possédez un mâle et une femelle, ils se reproduiront. Les bagnards forment des couples et s'installent dans une cavité ou sous un élément de décor, pour que la femelle ponde ses œufs et que le mâle les féconde. Si votre mâle devient soudain plus agressif et que la femelle se cache, alors ils se sont probablement reproduits. À leur naissance, les alevins restent cachés plusieurs jours avant d'être autorisés à nager librement et d'être emmenés par leurs parents à la recherche de nourriture. C'est alors que les ennuis commencent, car tout autre poisson sera considéré comme une menace potentielle pour les alevins, même si ce n'est pas le cas. Les couples qui se reproduisent devront donc être isolés des autres poissons de l'aquarium.

Bossu du Tanganyika

grand • étonnant • paisible • cher

NOM SCIENTIFIQUE : *Cyphotilapia frontosa* • FAMILLE : Cichlidés • ORIGINE : Afrique (lac Tanganyika) • HABITAT NATUREL : Eaux profondes et fond rocheux ou sablonneux • TAILLE MOYENNE ADULTE : 35 cm • COULEURS : Rayures verticales blanches et noires • DIMORPHISME SEXUEL : Les mâles présentent une bosse nucale et ont des nageoires plus longues • MODE DE REPRODUCTION : Ovipare ; incubation buccale maternelle • POTENTIEL DE REPRODUCTION : Faible • ZONE DE VIE : Fond • ALIMENTATION : Crustacés, sticks • VÉGÉTATION : Oui • BESOINS SPÉCIFIQUES : Grand aquarium • DIFFICULTÉ : Moyenne

L'aquarium

TAILLE MINIMUM : 1,8 m

TEMPÉRATURE : 24–26 °C

PH: 7,5–8,2

DURETÉ DE L'EAU : Dure et alcaline

COMPATIBILITÉ AVEC D'AUTRES POISSONS : Moyenne

Le bossu est un gros Cichlidé prédateur. À l'état sauvage, il vit dans les profondeurs et se nourrit de petits poissons qu'il digère pendant son sommeil. Son aspect est étonnant avec ses larges rayures noires et blanches et sa grosse bosse nucale. Il nécessite un aquarium suffisamment grand pour contenir cinq ou six adultes, avec une eau bien filtrée et entretenue. La lumière doit être faible.

Les bossus n'ont pas de comportement prédateur en captivité et devront être élevés dans un aquarium à part ou avec d'autres gros poissons qui ne voleront pas leur nourriture, car ils ne sont pas rapides pour manger. Un groupe idéal comprend un mâle et plusieurs femelles. Ces dernières ont besoin de cachettes à l'abri du mâle pour pondre leurs œufs et incuber les alevins.

Proposez-leur des coques, des moules, des crevettes, de la blanchaille et de la nourriture en sticks. Cependant, une nourriture sèche trop abondante peut les faire flotter.

Attention !
Cette espèce grandit beaucoup.

Cichlidé joyau

colorés • jolis • prédateurs • parfois agressifs

NOM SCIENTIFIQUE : *Hemichromis* spp. • FAMILLE : Cichlidés • ORIGINE : Cameroun, Côte d'Ivoire, Togo, Nigeria
HABITAT NATUREL : Rivières peu profondes en zone boisée • TAILLE MOYENNE ADULTE : 10 cm • COULEURS : Rouge
tacheté de petits points bleus partout sur le corps • DIMORPHISME SEXUEL : Les mâles sont plus allongés et leurs
nageoires dorsale et anale sont plus pointues • MODE DE REPRODUCTION : Ovipare ; ponte sur substrat
POTENTIEL DE REPRODUCTION : Moyen • ZONE DE VIE : Milieu • ALIMENTATION : Aliments secs, surgelés et vivants
VÉGÉTATION : Oui • BESOINS SPÉCIFIQUES : Aucun • DIFFICULTÉ : Moyenne

L'aquarium

TAILLE MINIMUM : 90 cm
TEMPÉRATURE : 24–28 °C
PH : 6–7
DURETÉ DE L'EAU : Douce et acide à moyennement dure
COMPATIBILITÉ AVEC D'AUTRES POISSONS : Moyenne

Les Cichlidés joyaux sont des poissons de taille moyenne très appréciés et originaires de l'Afrique de l'Ouest.

De couleur rouge, ils sont aussi couverts, des ouïes aux flancs, de taches irisées qui les rendent très élégants. À l'état sauvage, ils se nourrissent de tout, depuis les insectes jusqu'aux petits poissons. C'est pourquoi ils ne peuvent cohabiter avec de petits spécimens comme les tétras néon.

Leur aquarium doit contenir des rochers et des racines de bois, afin de créer des repères pour marquer leur territoire, ainsi que des plantes comme la mousse de Java *(Vesicularia dubyana)* et la fougère de Java *(Microsorium pteropus)*. La filtration doit s'effectuer avec un filtre interne ou externe qui créera également du courant. Ces poissons nécessitent une eau douce et acide, avec un pH neutre ou faible.

Les mâles sont plus gros que les femelles, dont le corps est plus court avec un ventre plus carré à l'âge adulte. Si un couple se forme et que les conditions d'eau sont bonnes, il est possible qu'il se reproduise. Un couple qui élève des alevins devient agressif envers ses voisins d'aquarium afin de défendre sa progéniture, si bien qu'il est préférable de l'isoler ou de le placer dans un aquarium à part. En dehors du frai, les Cichlidés

joyaux peuvent être mélangés à d'autres poissons robustes de taille moyenne comme les barbus, les poissons arc-en-ciel ou les Characins.

Severum

grand • paisible • tolérant • herbivore

NOM SCIENTIFIQUE : *Heros efasciatus* • FAMILLE : Cichlidés • ORIGINE : Brésil, Pérou, Colombie • HABITAT NATUREL : Rivières et lacs bordés de végétation • TAILLE MOYENNE ADULTE : 25 cm • COULEURS : Doré et vert avec une barre noire verticale près de la queue • DIMORPHISME SEXUEL : Les mâles portent des marques sur la tête et ont des nageoires plus longues • MODE DE REPRODUCTION : Ovipare ; ponte sur substrat • POTENTIEL DE REPRODUCTION : Faible • ZONE DE VIE : Intermédiaire • ALIMENTATION : Sticks, paillettes et nourriture surgelée VÉGÉTATION : Non • BESOINS SPÉCIFIQUES : Grand aquarium • DIFFICULTÉ : Moyenne

Les Cichlidés

L'aquarium

TAILLE MINIMUM : 1,2 m

TEMPÉRATURE : 24–30°C

PH: 6–7

DURETÉ DE L'EAU : Douce et acide

COMPATIBILITÉ AVEC D'AUTRES POISSONS : Moyenne

Il existe quatre espèces du genre *Heros* : *Heros notatus*, *H. severus*, *Heros appendiculatus* et *H efasciatus* (voir photo). Cette dernière est la plus facile à trouver, tandis que les trois autres espèces sont plus rares et plus onéreuses.

Les severums sont des poissons très appréciés sur le long terme et on peut en trouver des dorés ou des verts. Leur taille augmente fortement mais ils restent paisibles et cohabitent bien avec les autres poissons, sauf les tout petits de type tétras néon. Ils supportent bien les eaux dures mais sont plus à l'aise avec un pH faible pour se reproduire.

Ils aiment grignoter les plantes et il est donc préférable de ne décorer l'aquarium qu'avec des plantes artificielles ou de ne pas en mettre du tout. Vous pouvez élever ces poissons en groupe dans un aquarium assez haut de préférence. Décorez l'aquarium avec des racines de bois et du sable pour reproduire un authentique biotope amazonien.

Comme ils sont herbivores, il est préférable de leur procurer une nourriture à base de végétaux ou d'algues, comme les paillettes ou les sticks de *Spirulina* ou toute autre nourriture adaptée aux Cichlidés.

Julidochromis

petit • timide • à motifs • habitat rocheux

NOM SCIENTIFIQUE : *Julidochromis spp.* • FAMILLE : Cichlidés • ORIGINE : Afrique (lac Tanganyika)
HABITAT NATUREL : Parois rocheuses escarpées • TAILLE MOYENNE ADULTE : 10 cm • COULEURS : Ventre jaune avec
d'épaisses rayures noires sur le dos et la nageoire dorsale • DIMORPHISME SEXUEL : Les femelles deviennent plus
grosses • MODE DE REPRODUCTION : Ovipare ; ponte sur substrat • POTENTIEL DE REPRODUCTION : Moyen • ZONE
DE VIE : Milieu • ALIMENTATION : Paillettes, aliments surgelés et vivants • VÉGÉTATION : Oui • BESOINS SPÉCIFIQUES :
Rochers • DIFFICULTÉ : Moyenne

L'aquarium

TAILLE MINIMUM : 75 cm
TEMPÉRATURE : 24–26°C
PH : 7,5–8,2
DURETÉ DE L'EAU : Dure et alcaline
COMPATIBILITÉ AVEC D'AUTRES POISSONS :
Moyenne

Les julidochromis sont de petits Cichlidés vivant dans les rochers du Lac Tanganyika. On peut en rencontrer cinq espèces différentes en aquariophilie : *Julidochromis transcriptus* (voir photo), *J. dickfeldi*, *J. ornatus*, *J. regani* et *J. marleri*. Ces poissons ont besoin d'une eau dure et alcaline qui soit bien filtrée et bien entretenue. Le décor de l'aquarium peut consister en de simples rochers empilés les uns sur les autres.

Il est difficile de différencier sexuellement les alevins ; il est donc recommandé de les acheter en groupe. Malheureusement, lorsqu'un couple se forme, il tue tous les autres julidochromis de l'aquarium. Ce sont des ovipares timides et discrets qui pondent de très petits alevins. La moindre perturbation dans l'aquarium peut provoquer un « divorce » des parents qui tentent alors de s'entretuer.

Ils peuvent cohabiter avec d'autres Cichlidés du Lac Tanganyika mais il est recommandé de sous-peupler l'aquarium pour une stabilité à long terme. Ils préfèrent les aliments surgelés. Ce sont des mangeurs assez sélectifs et vous pouvez ajouter un petit poisson-chat qui s'occupera de nettoyer les restes.

Les Julidochromis quittent rarement leurs rochers et peuvent nager sur un axe vertical pour se déplacer.

Les Cichlidés

Cichlidé zèbre

actif • coloré • agressif • habitat rocheux

NOM SCIENTIFIQUE : *Metriaclima zebra* • FAMILLE : Cichlidés • ORIGINE : Afrique (lac Malawi) • HABITAT NATUREL : Zones de gros rochers • TAILLE MOYENNE ADULTE : 15 cm • COULEURS : Rayures verticales bleues et blanches ; nombreuses variations de couleur selon l'origine • DIMORPHISME SEXUEL : Les mâles ont des taches jaunes sur la nageoire anale et des nageoires dorsale et anale plus longues • MODE DE REPRODUCTION : Ovipare ; Incubation buccale maternelle • POTENTIEL DE REPRODUCTION : Moyen • ZONE DE VIE : Milieu • ALIMENTATION : Paillettes pour herbivores, certaines nourritures surgelées • VÉGÉTATION : Non • BESOINS SPÉCIFIQUES : Rochers ; d'autres mbunas • DIFFICULTÉ : Moyenne

L'aquarium

TAILLE MINIMUM : 1,2 m

TEMPÉRATURE : 24–26 °C

PH : 7,5–8,2

DURETÉ DE L'EAU : Dure et alcaline

COMPATIBILITÉ AVEC D'AUTRES POISSONS : Moyenne

Les cichlidés zèbres représentent un groupe coloré de cichlidés de rochers appelés aussi mbunas du lac Malawi.

Les couleurs vives des mâles sont destinées à attirer les femelles. Les autres mâles, les poissons d'autres espèces et les femelles peu désireuses de se reproduire sont chassées car le mâle résidant se bat pour son carré d'algues. Cette nature agressive doit être contrôlée dans l'aquarium et certains aquariophiles aguerris ont fini par découvrir que la seule façon de parvenir à élever des mbunas était de les mettre dans un aquarium surpeuplé afin qu'un mâle ne soit jamais capable de maintenir son territoire très longtemps.

Dans un aquarium de 1,2 m, il est conseillé de faire cohabiter 20 mbunas ou plus de même taille mais d'espèces différentes afin de contenir les tendances agressives. Prévoyez de nombreux rochers et deux femelles par mâle.

Les mâles ont, sur la nageoire anale, de gros points jaunes qui servent de leurre pendant la période de frai. La femelle prend les œufs et les alevins en bouche pendant environ 25 jours et ne s'alimente pas pendant cette période. Les parents ne forment pas de couple.

Les Cichlidés

Ramirezi

petit • joli • coloré • sensible

NOM SCIENTIFIQUE : *Microgeophagus ramirezi* • FAMILLE : Cichlidés • ORIGINE : Colombie et Venezuela (Orinoco)
HABITAT NATUREL : Affluents ombragés • TAILLE MOYENNE ADULTE : 7 cm • COULEURS : Corps jaune taché de noir et pailleté de bleu ; nageoires bordées de rouge et épines dorsales noires • DIMORPHISME SEXUEL : Les mâles sont plus gros et possèdent une nageoire dorsale plus longue • MODE DE REPRODUCTION : Ovipare ; ponte sur substrat POTENTIEL DE REPRODUCTION : Moyen • ZONE DE VIE : Fond • ALIMENTATION : Paillettes, aliments surgelés et vivants VÉGÉTATION : Oui • BESOINS SPÉCIFIQUES : Eau douce ; aquarium mature • DIFFICULTÉ : Élevée

L'aquarium

TAILLE MINIMUM : 60 cm
TEMPÉRATURE : 24–28 °C
PH : 6–7
DURETÉ DE L'EAU : Douce et acide
COMPATIBILITÉ AVEC D'AUTRES POISSONS : Moyenne

Les ramirezis sont de magnifiques Cichlidés nains originaires d'Amérique du Sud.

Leur aquarium doit être mature et doit contenir une eau douce et acide, ainsi que de nombreux éléments de décor, comme des plantes et des racines de bois, afin de fournir des cachettes. Leurs compagnons d'aquarium devront être également des amateurs d'eau douce, de préférence de petite taille et peu turbulents (comme les tetras).

Nourrissez-les de petites quantités d'aliments surgelés ou vivants, comme des larves de moustiques. Vous pouvez parfois leur donner des aliments en paillettes.

Les mâles ont une nageoire dorsale plus développée et les femelles, un ventre rose. Il existe aussi une variété dorée.

Élevez les ramirezis en couples (un couple pour 60 cm² de surface au sol d'aquarium). Il est possible qu'ils pondent dans un trou peu profond sur le substrat mais les alevins sont rarement élevés jusqu'à l'âge adulte. Cette espèce est élevée en grande quantité partout dans le monde, mais les spécimens élevés en Europe sont souvent de meilleure qualité.

Les Cichlidés

Princesse du Burundi

prolifique • territorial • sensible • habitat rocheux

NOM SCIENTIFIQUE : *Neolamprologus brichardi* • FAMILLE : Cichlidés • ORIGINE : Afrique (Lac Tanganyika)
HABITAT NATUREL : Zones rocheuses avec cavités • TAILLE MOYENNE ADULTE : 10 cm • COULEURS : Corps gris avec
nageoires bordées de blanc • DIMORPHISME SEXUEL : Les mâles sont légèrement plus gros • MODE DE
REPRODUCTION : Ovipare ; ponte sur substrat • POTENTIEL DE REPRODUCTION : Élevé • ZONE DE VIE : Milieu
ALIMENTATION : Aliments en paillettes, surgelés ou vivants • VÉGÉTATION : Oui • BESOINS SPÉCIFIQUES : Rochers et
cachettes • DIFFICULTÉ : Moyenne

Les Cichlidés

L'aquarium

TAILLE MINIMUM : 90 cm
TEMPÉRATURE : 24–26 °C
PH : 7,5–8,2
DURETÉ DE L'EAU : Dure et alcaline
COMPATIBILITÉ AVEC D'AUTRES POISSONS : Moyenne

Les princesses du Burundi sont de petits Cichlidés qui vivent dans les rochers du Lac Tanganyika en Afrique. Elles appartiennent au groupe des Lamprologines, qui sont la plupart du temps petits et idéals pour les aquariums.

L'eau du Lac Tanganyika est très dure et alcaline et les Cichlidés originaires de ce lac ont besoin d'une eau semblable pour se développer. Ils ne supportent ni ammoniac ni nitrate dans l'eau, si bien que l'aquarium doit être bien filtré et régulièrement entretenu. Le décor doit consister uniquement en rochers empilés les uns sur les autres. Ils formeront des repères dont les poissons ne s'éloigneront guère.

Mâles et femelles sont difficiles à différencier et nous vous conseillons d'acheter un groupe de plusieurs individus. Nourrissez-les souvent en

petite quantité et laissez-les former des paires. Une fois en couples, les princesses du Burundi pondent sous les rochers et protègent âprement leurs alevins. En grandissant les alevins se mettent aussi à protéger les nouveau-nés. Il peut en résulter une colonie de parents qui s'entraident. Il est alors important d'éclaircir la population de temps en temps afin qu'ils n'envahissent pas tout l'aquarium.

Les princesses du Burundi peuvent cohabiter avec d'autres Cichlidés du Lac Tanganyika dans un aquarium biotope.

Ocellatus

petit • intéressant • téméraire • vit dans des coquillages

NOM SCIENTIFIQUE : *Neolamprologus ocellatus* • FAMILLE : Cichlidés • ORIGINE : Afrique (Lac Tanganyika)
HABITAT NATUREL : Coquilles d'escargots vides sur un lit de sable • TAILLE MOYENNE ADULTE : 5 cm • COULEURS :
Marron avec un reflet bleu ou orange • DIMORPHISME SEXUEL : Les mâles sont plus gros de corps et de tête
MODE DE REPRODUCTION : Ovipare ; ponte sur substrat • POTENTIEL DE REPRODUCTION : Moyen • ZONE DE VIE :
Inférieure • ALIMENTATION : Aliments en paillettes, surgelés ou vivants • VÉGÉTATION : Oui • BESOINS
SPÉCIFIQUES : Coquillages • DIFFICULTÉ : Moyenne

L'aquarium

TAILLE MINIMUM : 60 cm
TEMPÉRATURE : 23–26 °C
PH : 7,5–8,2
DURETÉ DE L'EAU : Dure et alcaline
COMPATIBILITÉ AVEC D'AUTRES POISSONS : Moyenne

Ces Cichlidés du Lac Tanganyika vivant dans des coquillages vides compensent largement leur petite taille par un caractère vif. À l'état sauvage, ils résident dans des coquilles d'escargots qui vivent dans le lac. Le lit de coquilles vides se maintient car l'eau dure et alcaline les préserve. Le groupe des Lamprologines habite dans des rochers ou des cavités rocheuses et les ocellatus, ainsi que plusieurs autres espèces, ont adapté cet usage.

Le lit de l'aquarium doit être sablonneux et garni de coquilles d'escargots vides et de rochers afin de marquer des territoires au fond. Assurez-vous que l'eau est dure et alcaline. Elle devra également être bien filtrée.

Lorsque vous ajoutez un groupe de ces poissons dans un aquarium, les mâles les plus gros vont s'établir au-dessus des coquilles et inviter les femelles à venir pondre. Les mâles peuvent être agressifs les uns envers les autres et même envers vous. Il est étonnant de voir avec quelle vivacité ces poissons minuscules attaquent vos mains lorsque vous nettoyez l'aquarium. Ils peuvent cohabiter avec d'autres cichlidés du Tanganyika, mais il vaut alors mieux sous-peupler l'aquarium.

En plus de l'espèce brune (voir photo), il existe une variété bleue ou dorée très appréciée, dotée de gros yeux et aux flancs iridescents.

Haplo Léopard

prédateur • motifs • gros • étonnant

NOM SCIENTIFIQUE : *Nimbochromis venustus* • FAMILLE : Cichlidés • ORIGINE : Afrique (Lac Malawi) • HABITAT NATUREL : Zones rocheuses et eaux ouvertes • TAILLE MOYENNE ADULTE : 25 cm • COULEURS : Larges cercles dorés sur fond noir • DIMORPHISME SEXUEL : Les mâles développent une crête dorée et une tête bleue • MODE DE REPRODUCTION : Ovipare ; incubation buccale maternelle • POTENTIEL DE REPRODUCTION : Moyen • ZONE DE VIE : Milieu • ALIMENTATION : Poissons, crustacés, sticks • VÉGÉTATION : Non • BESOINS SPÉCIFIQUES : Grand aquarium DIFFICULTÉ : Moyenne

Les Cichlidés

L'aquarium

TAILLE MINIMUM : 1,5 m
TEMPÉRATURE : 24–26 °C
PH: 7,5–8,2
DURETÉ DE L'EAU : Dure et alcaline
COMPATIBILITÉ AVEC D'AUTRES POISSONS : Moyenne

Ce Cichlidé est souvent plus facilement identifiable grâce aux motifs sur son corps plutôt qu'à sa couleur, mais un mâle adulte en période de frai présentera également un reflet bleu et une crête dorée.

Ces spécimens robustes peuvent cohabiter avec des cichlidés du lac Malawi (mbunas), mais au détriment de ces derniers, car les haplos sont des prédateurs qui se nourrissent volontiers de petits poissons et d'alevins.

L'aquarium doit être assez grand pour les accueillir, ainsi que quelques rochers, même si un lit ouvert de sable peut aussi convenir. Le système de filtration doit être adéquat pour nettoyer les déchets que produisent ces poissons. L'eau doit être dure et alcaline.

Élevez les haplos en groupe, avec plusieurs femelles par mâle. Les poissons-chats de type *Synodontis* (voir page 171-173) peuvent être ajoutés à l'aquarium pour nettoyer le fond des détritus, ainsi que d'autres gros *Haplochromis* (l'ancien nom de la moitié des Cichlidés du Lac Malawi). Tous ces Cichlidés pratiquent l'incubation buccale maternelle.

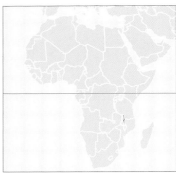

Polleni

coloré • prédateur • intéressant • menacé dans son habitat naturel

NOM SCIENTIFIQUE : *Paratilapia polleni* • FAMILLE : Cichlidés • ORIGINE : Madagascar • HABITAT NATUREL : Rivières et grands lacs d'eau claire • TAILLE MOYENNE ADULTE : 25 cm • COULEURS : Noir avec des taches dorées
DIMORPHISME SEXUEL : Les mâles sont plus grands et possèdent des nageoires plus longues • MODE DE REPRODUCTION : Ovipare ; ponte sur substrat • POTENTIEL DE REPRODUCTION : Faible • ZONE DE VIE : Milieu
ALIMENTATION : Poissons, crustacés, sticks • VÉGÉTATION : Non • BESOINS SPÉCIFIQUES : Grand aquarium avec une eau d'excellente qualité • DIFFICULTÉ : Moyenne

L'aquarium

TAILLE MINIMUM : 1,5 m
TEMPÉRATURE : 24–28 °C
PH : 6–7
DURETÉ DE L'EAU : Douce et acide à moyennement dure
COMPATIBILITÉ AVEC D'AUTRES POISSONS : Moyenne

Les *Paratilapia* ne sont disponibles dans le commerce que depuis quelques années, mais ils ont beaucoup attiré l'attention des aquariophiles, non seulement grâce à leurs écailles noires parsemées de marques iridescentes, mais aussi à cause de leur statut d'espèce menacée.

Les cichlidés de Madagascar sont d'un grand intérêt pour les scientifiques, car ils sont issus d'une branche ancienne et ressemblent fortement à leurs ancêtres. L'avenir des pollenis en captivité est assuré, car de nombreux aquariophiles en élèvent aux quatre coins du monde. Cependant, toutes les tentatives de réintroduction de ce poisson dans son milieu naturel se sont soldées par des échecs, car leur croissance est lente et ils ne se reproduisent pas beaucoup.

Pour en élever chez vous, vous devez leur offrir un aquarium de grande taille avec un mâle et plusieurs femelles ; les mâles sont plus gros et plus colorés. Ces poissons forment des couples peu stables et sont ovipares. Ils pondent leurs œufs en paquet et ne les protègent pas avec une grande vivacité. Ils ne fraieront que dans une eau douce et acide.

Cichlidé pourpre

coloré • cichlidé nain • vit au fond de l'aquarium

NOM SCIENTIFIQUE : *Pelvicachromis pulcher* • FAMILLE : Cichlidés • ORIGINE : Ouest du Cameroun, Nigeria
HABITAT NATUREL : Rivières à substrat sablonneux • TAILLE MOYENNE ADULTE : 10 cm • COULEURS : Corps pâle avec
une ligne horizontale et un dos brun ; les ouïes sont jaunes ; les mâles comme les femelles peuvent avoir des
points sur le bout de la queue • DIMORPHISME SEXUEL : Les mâles sont plus gros et ont une nageoire dorsale
plus longue ; les femelles développent un ventre rose • MODE DE REPRODUCTION : Ovipare ; ponte sur substrat
POTENTIEL DE REPRODUCTION : Moyen • ZONE DE VIE : Fond • ALIMENTATION : Paillettes, aliments surgelés et vivants
VÉGÉTATION : Oui • BESOINS SPÉCIFIQUES : Grottes et cachettes • DIFFICULTÉ : Moyenne

L'aquarium

TAILLE MINIMUM : 75 cm
TEMPÉRATURE : 24–26 °C
PH : 6–7
DURETÉ DE L'EAU : Douce et acide
COMPATIBILITÉ AVEC D'AUTRES POISSONS :
Élevée

Le cichlidé pourpre est une espèce idéale pour démarrer l'élevage (et la reproduction) de Cichlidés. C'est une espèce naine qui ne dépasse jamais 10 cm et qui peut cohabiter avec d'autres spécimens de petite taille, comme les tétras.

L'aquarium doit comprendre des grottes et des cachettes entourées de plantes vivantes et de racines de bois. Dans l'idéal, l'eau devra être douce et acide, bien que ces poissons ne soient pas trop difficiles. Les filtres, en revanche, devront être puissants. Les Cichlidés pourpres vivent essentiellement au fond de l'aquarium, si bien que le décor devra permettre le marquage de territoires.

Nourrissez-les d'aliments surgelés ou vivants : vous devriez alors voir assez vite un couple se former. Le couple formé devient très secret lorsqu'il choisit un emplacement pour la ponte. Les parents deviendront visiblement plus agressifs lorsque les alevins seront en âge de nager librement, car les autres poissons peuvent tenter de les dévorer. À cette étape, il vaut mieux séparer le couple et ses petits du reste de l'aquarium, en plaçant une cloison ou même en les installant dans un aquarium différent.

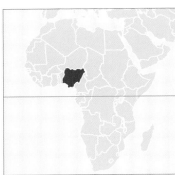

Cichlidé bleu

coloré • agressif • territorial • habitat rocheux

NOM SCIENTIFIQUE : *Pseudotropheus socofoli* • FAMILLE : Cichlidés • ORIGINE : Afrique (Lac Malawi) • HABITAT NATUREL : Saillies rocheuses et gros rochers • TAILLE MOYENNE ADULTE : 15 cm • COULEURS : Corps bleu avec des nageoires bordées de noir • DIMORPHISME SEXUEL : Les mâles ont des points jaunes sur la nageoire anale et des nageoires légèrement plus longues • MODE DE REPRODUCTION : Ovipare ; incubation buccale maternelle POTENTIEL DE REPRODUCTION : Moyen • ZONE DE VIE : Milieu • ALIMENTATION : Paillettes et quelques aliments surgelés • VÉGÉTATION : Non • BESOINS SPÉCIFIQUES : Rochers ; aquarium de mbunas très peuplé DIFFICULTÉ : Moyenne

L'aquarium

TAILLE MINIMUM : 1,2 m
TEMPÉRATURE : 24–26 °C
PH : 7,5–8,2
DURETÉ DE L'EAU : Dure et alcaline
COMPATIBILITÉ AVEC D'AUTRES POISSONS : Moyenne

La couleur bleu vif de cette espèce de Cichlidés du Malawi la rend très populaire. Ces poissons peuvent pourtant se montrer agressifs et doivent être ajoutés à un aquarium déjà bien peuplé. Il est aussi préférable de les acheter jeunes car les adultes sont plus belliqueux.

Élevez deux femelles ou plus pour un mâle et installez-les dans un grand aquarium garni de nombreux rochers qui leur fourniront des cachettes.

La qualité de l'eau doit être la même que pour la plupart des Cichlidés du Malawi : dure et alcaline, bien filtrée et bien entretenue. Les plantes vivantes seront mangées par ces poissons, mais vous pouvez ne pas en planter du tout.

Il est possible de distinguer les mâles grâce aux ocelles jaunes qu'ils portent sur la nageoire anale. La femelle incube les œufs dans sa bouche avant de recracher les alevins parmi les rochers.

Comme pour tous les mbunas, veillez à ne pas donner à ces poissons une alimentation trop riche, mais plutôt une nourriture sèche et pauvre en protéines, ainsi que des algues *Spirulina* et, de temps en temps, quelques daphnies. Une période de jeûne une fois par semaine les incitera à se nourrir des algues des rochers.

Les Cichlidés

Scalaire

élégant • populaire • lent • parfois agressif

NOM SCIENTIFIQUE : *Pterophyllum scalare* • FAMILLE : Cichlidés • ORIGINE : Brésil, Colombie, Équateur, Pérou
HABITAT NATUREL : Bras de rivières lents et profonds et lacs permanents • TAILLE MOYENNE ADULTE : 15 cm
COULEURS : Corps doré avec des traits verticaux noirs • DIMORPHISME SEXUEL : Les femelles ont le ventre plus
carré entre les nageoires pelvienne et anale • MODE DE REPRODUCTION : Ovipare ; ponte sur substrat
POTENTIEL DE REPRODUCTION : Moyen • ZONE DE VIE : Milieu • ALIMENTATION : Paillettes, aliments surgelés ou
vivants • VÉGÉTATION : Oui • BESOINS SPÉCIFIQUES : Hauteur d'aquarium • DIFFICULTÉ : Moyenne

L'aquarium

TAILLE MINIMUM : 90 cm
TEMPÉRATURE : 24–28 °C
PH: 6–7
DURETÉ DE L'EAU : Douce et acide à neutre
COMPATIBILITÉ AVEC D'AUTRES POISSONS :
Moyenne

Les scalaires sont un des piliers de l'aquariophilie tropicale et leurs longues nageoires ainsi que leur corps plat les distinguent.

Des décennies d'élevage ont permis de produire toutes ces variétés différentes mais ont aussi affaibli l'espèce, ce qui a quelque peu affecté les comportements de reproduction des adultes. Il n'est pas rare aujourd'hui de voir des parents scalaires manger de façon systématique leurs œufs après la ponte. Cela est dû à la rupture du lien entre parents et descendance par les éleveurs qui retirent les œufs de l'aquarium pour les élever artificiellement.

Pour renforcer votre groupe captif, ajoutez-y quelques spécimens sauvages. Cela permettra non seulement de varier le patrimoine génétique du groupe, mais encouragera également les parents à s'occuper de leurs petits sans assistance.

Pour favoriser la ponte, élevez les scalaires dans un grand aquarium qui offre de nombreuses surfaces verticales comme des feuilles de plantes ou des rochers, sur lesquels les œufs pourront s'accrocher.

Il est difficile de distinguer les mâles des femelles et nous vous conseillons de laisser des couples se former naturellement dans un groupe de jeunes poissons. Séparez-les ensuite lorsqu'ils deviennent adultes et plus agressifs.

En grandissant, les scalaires développent des véritables comportements de Cichlidés : ils peuvent devenir territoriaux et manger les poissons plus petits. Cependant, il ne faut pas les faire cohabiter avec des espèces qui pourraient endommager leurs nageoires.

Discus

majestueux • élégant • paisible • sensible

NOM SCIENTIFIQUE : *Symphysodon spp.* • FAMILLE : Cichlidés • ORIGINE : Brésil, Colombie, Pérou • HABITAT NATUREL : Fleuves avec des troncs d'arbres pouvant servir d'abri • TAILLE MOYENNE ADULTE : 15 cm • COULEURS : Corps marron avec des stries turquoise autour des nageoires dorsale et anale • DIMORPHISME SEXUEL : Aucun MODE DE REPRODUCTION : Ovipare ; ponte sur substrat • POTENTIEL DE REPRODUCTION : Faible • ZONE DE VIE : Milieu • ALIMENTATION : Nourritures surgelées et vivantes, granules • VÉGÉTATION : Oui • BESOINS SPÉCIFIQUES : Eau chaude, douce et acide • DIFFICULTÉ : Élevée

L'aquarium

TAILLE MINIMUM : 1,2m
TEMPÉRATURE : 27–30 °C
PH : 6–7
DURETÉ DE L'EAU : Douce et acide
COMPATIBILITÉ AVEC D'AUTRES POISSONS : Moyenne

Les discus sont des Cichlidés au corps plat, originaires d'Amérique du Sud. À l'état sauvage, ils vivent dans les eaux chaudes, douces et acides du réseau fluvial de l'Amazone.

De nombreux aquariophiles tentent d'élever et de faire se reproduire des discus, mais ce sont des poissons très exigeants. Il leur faut une eau chaude, acide et douce, exempte d'ammoniac et de nitrate. Il faut les nourrir plusieurs fois par jour pour leur santé.

Les jeunes doivent être élevés par groupe de cinq individus ou plus, afin que des couples puissent se former. La ponte n'a lieu que dans de bonnes conditions, mais les spécimens élevés en aquarium mangent souvent leurs œufs après les avoir pondus.

Les adultes ont besoin d'un aquarium haut et large pour les accueillir et ils ne doivent cohabiter qu'avec des poissons paisibles qui apprécient les mêmes conditions, comme les Characins ou les petits poissons-chats.

156

Cichlidé à gorge rouge

coloré • territorial • creuseur • sensible

NOM SCIENTIFIQUE : *Thorichthys meeki* • FAMILLE : Cichlidés • ORIGINE : Guatemala, Mexique • HABITAT NATUREL : Rivières à substrat sablonneux • TAILLE MOYENNE ADULTE : 15 cm • COULEURS : Corps bleu et gorge rouge
DIMORPHISME SEXUEL : La gorge des mâles est plus rouge et leurs nageoires dorsale et anale sont plus longues
MODE DE REPRODUCTION : Ovipare ; ponte sur substrat • POTENTIEL DE REPRODUCTION : Moyen • ZONE DE VIE : Milieu • ALIMENTATION : Aliments secs, surgelés et vivants • VÉGÉTATION : Oui • BESOINS SPÉCIFIQUES : Cachettes et lieux de ponte • DIFFICULTÉ : Moyenne

Les Cichlidés

L'aquarium

TAILLE MINIMUM : 90 cm
TEMPÉRATURE : 22–26 °C
PH : 7–8
DURETÉ DE L'EAU : Moyennement dure
COMPATIBILITÉ AVEC D'AUTRES POISSONS : Moyenne

Ces Cichlidés colorés peuvent être ajoutés à un aquarium contenant déjà des poissons de taille moyenne et grosse. Ils créent des territoires et peuvent devenir agressifs s'ils forment un couple et pondent dans l'aquarium mais, en dehors de la période de frai, ils sont plus paisibles que la majorité des Cichlidés d'Amérique du Sud.

L'aquarium doit contenir des éléments de décor de bonne taille : des rochers, des racines de bois ou des morceaux d'ardoises et le filtre doit être assez puissant.

Élevez ensemble un groupe de jeunes et laissez les couples se former naturellement, en prenant soin

de retirer de l'aquarium tout jeune non mature. Vous pouvez leur proposer des types de nourritures assez variés, comme des sticks, des larves de moustiques et des morceaux de vers de terre. Une alimentation trop pauvre peut être à l'origine d'une maladie appelée hexamitose.

Les cichlidés à gorge rouge sont élevés par les aquariophiles depuis très longtemps, mais l'espèce n'est plus aussi résistante et robuste qu'elle a pu l'être. Il est important de s'assurer de la qualité de l'eau, notamment en ce qui concerne les produits polluants.

Tropheus à raie blanche

inhabituel • intéressant • sensible • agressif

NOM SCIENTIFIQUE : *Tropheus duboisi* • FAMILLE : Cichlidés • ORIGINE : Afrique (Lac Tanganyika) • HABITAT NATUREL : Eaux ouvertes bordées de rochers sur la rive • TAILLE MOYENNE ADULTE : 13 cm • COULEURS : Corps noir avec une rayure verticale blanche et une tête bleue ; les jeunes sont complètement noirs avec de jolis points blancs • DIMORPHISME SEXUEL : La tête des mâles est concave et celle des femelles plutôt convexe. • MODE DE REPRODUCTION : Ovipare, incubation buccale maternelle • POTENTIEL DE REPRODUCTION : Faible • ZONE DE VIE : Milieu • ALIMENTATION : Algue spiruline, épinards, certains aliments surgelés • VÉGÉTATION : Non • BESOINS SPÉCIFIQUES : Qualité d'eau excellente ; régime très contrôlé ; voisins d'aquariums soigneusement sélectionnés • DIFFICULTÉ : Élevée

L'aquarium

TAILLE MINIMUM : 1,2 m

TEMPÉRATURE : 24–26 °C

PH : 8–8,2

DURETÉ DE L'EAU : Dure et alcaline

COMPATIBILITÉ AVEC D'AUTRES POISSONS : Faible

Les tropheus à raie blanche sont des Cichlidés originaires du Lac Tanganyika qui pratiquent l'incubation buccale maternelle. Ils ont évolué pour se nourrir des algues qui couvrent les gros rochers immergés du lac.

Ces Cichlidés ne supportent pas toujours bien la captivité parce qu'ils ont besoin d'une eau de très bonne qualité. Ils peuvent se montrer agressifs et souffrent de toutes sortes de troubles digestifs s'ils n'ont pas un régime adapté. Les algues qu'ils mangent dans la nature sont très pauvres en nutriments et leur estomac leur permet de digérer un apport continu en nourriture de faible qualité nutritive. En captivité, la plupart des poissons tropicaux sont nourris une à deux fois par jour avec des paillettes hyper-pro-téinées, qui sont bien trop riches pour les duboisi. Donnez-leur plutôt des paillettes de spiruline pauvre en pro-téines qui leur conviendront mieux que la plupart des paillettes habituelles. Vous pouvez également leur donner des épinards, également pauvres en protéines et riches en fibres.

Leur agressivité peut être contenue s'ils sont installés dans un grand aqua-rium à part, par groupe de dix ou plus. Il vous faut plus de femelles que de mâles (deux ou trois pour un environ).

Malgré tous ces problèmes, ce sont des poissons très appréciés et souvent considérés comme moti-

vants par les experts en aquariophi-lie. Les jeunes, avec leurs écailles de jais et leurs points blancs, sont parti-culièrement séduisants.

Les Poissons-chats

Les poissons-chats forment un groupe diversifié qui compte des individus dans toutes les zones tropicales du monde. Leur taille peut varier grandement, depuis le corydoras nain (*Corydoras pygmaeus*, p. 163) ou l'otocinclus nain (*Otocinclus affinis*, p. 170), qui ne mesurent que quelques centimètres, jusqu'au requin-silure (*Pangasius sutchi*, p. 174) ou le phracto (*Phractocephalus hemiolopterus*, p. 175) qui peuvent mesurer jusqu'à un mètre et peser près de 23 kg. Bien que certains poissons-chats ne soient pas très beaux, ils ont des admirateurs partout dans le monde parmi les aquariophiles.

Des poissons nettoyeurs

De nombreux poissons-chats sont réputés pour leur capacité à nettoyer l'aquarium. Il est vrai que la bouche en ventouse des poissons suceurs, membres de la famille des Locariidés, rend ces derniers très utiles dans un bac où ils mangent les algues. Il n'est cependant pas sûr qu'ils soient efficaces pour nettoyer les déchets des autres poissons : les gros poissons-chats suceurs contribuent largement aux déchets d'un aquarium en produisant une grande quantité de déjections lorsqu'ils mangent, ce qui rend nécessaires un filtre mécanique et un bon renouvellement de l'eau.

Certains poissons-chats, comme les corydoras, peuvent contribuer à l'entretien de l'aquarium en mangeant les restes de nourriture tombés au fond. Ce sont également des poissons sociaux qui apprécient un aquarium mature, en cohabitation avec des individus plus petits. Leurs équivalents africains, de taille plus importante, sont les *Synodontis* de la famille des Mochokidés, dont les spécimens larges et robustes, comme le *Synodontus decorus* (p. 171), peuvent être ajoutés à un aquarium habité par de gros poissons turbulents afin d'aider à nettoyer le fond des restes de nourriture.

Des prédateurs

Ce groupe comporte des prédateurs : tout poisson-chat pourvu d'une large bouche et de longues moustaches est adapté pour attraper et manger des poissons, comme le pimoledus ange (*Pomiledus pictus*, p. 176) et le phracto. Il vous faudra choisir leurs compagnons d'aquarium avec soin : ces derniers devront faire deux fois la taille de la bouche des poissons-chats afin de ne pas se faire dévorer.

Certains poissons-chats peuvent même parfois profiter de la nuit pour dévorer des poissons plus petits pendant leur sommeil. Pour cette raison, les *Synodontis* ne doivent pas cohabiter avec des spécimens beaucoup plus petits. À l'autre bout de l'échelle, se trouvent les Loricariidés qui ne

Les corydoras sont d'excellents nettoyeurs pour un aquarium peuplé

Les synodontis sont très efficaces pour nettoyer
les grands aquariums

peuvent pas attraper de poissons car leur bouche est totalement inadaptée. Ils sont incapables de poursuivre une
proie avec l'intention de la dévorer, même s'ils sont souvent
accusés de le faire quand on les retrouve le matin en train
de nettoyer le cadavre d'un poisson mort pendant la nuit.

Besoins spécifiques

Ce groupe est tellement varié qu'il est difficile d'en résumer les besoins, même s'il existe quand même quelques
caractéristiques communes. La première chose est que
tout poisson-chat a besoin d'un endroit où se cacher.

Nombre d'entre eux sont des créatures nocturnes dans
leur habitat naturel et n'apprécient guère un décor nu et
un éclairage puissant. Les poissons-chats comme le silure
aiguille (*Farlowella acus*, p. 166) ou le banjo (*Dysichthys
coracoideus*, p. 160) nous donnent une bonne indication
de leur environnement naturel, car ils ont évolué pour s'y
fondre. De nombreux poissons-chats aiment les racines
de bois ou les grottes formées entre des pierres.

À l'exception du coucou du Tanganyika (*Synodontis
multipunctatus*, p. 172), toutes les espèces décrites dans
les pages suivantes apprécient une eau douce légèrement acide et un aquarium garni d'une mince couche de
sable au fond. Originaire du Lac Tanganyika, le coucou
préfère une eau dure et alcaline avec un pH de 7,5-8,2.
Il peut être élevé dans un aquarium rocheux avec des
cichlidés du Malawi ou du Tanganyika.

Banjo

étrange • camouflage • secret • nocturne

NOM SCIENTIFIQUE : *Dysichthys coracoideus* • FAMILLE : Aspredinidés • ORIGINE : Amérique du Sud (bassin de l'Amazone) • HABITAT NATUREL : Eaux peu profondes, avec un lit de sable fin et de boue couvert d'une couche de bois et de feuilles • TAILLE MOYENNE ADULTE : 15 cm • COULEURS : Beige et marron • DIMORPHISME SEXUEL : Aucun • MODE DE REPRODUCTION : Ovipare, ponte en pleine eau • POTENTIEL DE REPRODUCTION : Faible • ZONE DE VIE : Fond • ALIMENTATION : Nourritures vivantes et surgelées • VÉGÉTATION : Oui • BESOINS SPÉCIFIQUES : Cachettes ; alimentation précise • DIFFICULTÉ : Moyenne

L'aquarium

TAILLE MINIMUM : 75 cm

TEMPÉRATURE : 22–28 °C

PH: 6–7

DURETÉ DE L'EAU : Douce et acide

COMPATIBILITÉ AVEC D'AUTRES POISSONS : Moyenne

Le banjo illustre bien la grande variété des poissons-chats. Son camouflage s'est développé pour qu'il puisse se fondre dans le fond des rivières de l'Amazone, tapissées de feuilles et de morceaux de bois.

Afin de bien vous en occuper, un aquarium biotope amazonien, avec du sable, des racines de bois et une couche de feuilles sera l'idéal et vous donnera les meilleures chances de réussite. Des feuilles de bouleau ou de chêne feront très bien l'affaire ; pensez à les faire bouillir afin de les stériliser et de leur permettre de couler.

Les banjos préfèrent un éclairage tamisé, ce qui incitera également à une plus grande activité pendant la journée. Des compagnons d'aquarium plutôt petits et paisibles sont recommandés. Cependant, le banjo étant un carnivore, il peut manger un

poisson de la taille d'un tétra néon, si bien qu'il ne doit pas non plus cohabiter avec des spécimens trop petits.

L'eau doit être douce, acide et mature car les banjos sont attrapés dans leur habitat naturel : cette condition leur permettra de s'acclimater plus vite. Assurez-vous qu'ils subissent une période de quarantaine avant de les intégrer.

Placez de la nourriture vivante devant eux afin de les encourager à se nourrir. Lorsqu'ils sont habitués à être nourris ainsi, ils deviennent très simples à élever et peuvent même être nourris à la main.

Poisson-chat émeraude

paisible • nettoyeur • habitant du fond • vit en banc

NOM SCIENTIFIQUE : *Brochis splendens* • FAMILLE : Callichthyidés • ORIGINE : Brésil, Équateur et Pérou (bassin de l'Amazone) • HABITAT NATUREL : Zone avec végétation dense et lit de rivière boueux • TAILLE MOYENNE ADULTE : 8 cm • COULEURS : Vert métallique • DIMORPHISME SEXUEL : Les femelles sont plus grandes avec un corps plus plein • MODE DE REPRODUCTION : Ovipare, ponte sur substrat • POTENTIEL DE REPRODUCTION : Moyen • ZONE DE VIE : Fond • ALIMENTATION : Comprimés, nourritures qui coulent • VÉGÉTATION : Oui • BESOINS SPÉCIFIQUES : Substrat propre • DIFFICULTÉ : Moyenne

L'aquarium

TAILLE MINIMUM : 90 cm

TEMPÉRATURE : 22–28 °C

PH : 6–7

DURETÉ DE L'EAU : Doux et acide à neutre

COMPATIBILITÉ AVEC D'AUTRES POISSONS : Élevée

Les brochis ressemblent à leurs cousins les corydoras, mais leur corps est légèrement plus gros. Ce sont des poissons très sociables qui peuvent cohabiter avec des groupes de spécimens de taille petite et moyenne.

Ce sont des poissons de fond qui nettoient le lit des restes de nourriture ; les aquariums contenant des brochis ou des corydoras sont souvent plus propres, ce qui n'est cependant pas une excuse pour moins entretenir votre aquarium, car un gravier sale ou tranchant peut abîmer leurs barbillons. Le substrat doit être composé de sable gris et fin, agrémenté de quelques pierres rondes et de racines de bois afin d'imiter au mieux leur environnement naturel.

L'eau doit idéalement être douce et acide avec un peu de courant causé par un filtre mécanique. Des plantes vivantes peuvent être ajoutées.

Les poissons se nourrissent de tout aliment qui atteint le fond et sauront également apprécier des nourritures surgelées comme les larves. Les *Brochis* vivent longtemps et peuvent se reproduire en captivité ; ils pondent alors leurs œufs sur la paroi de l'aquarium.

Des espèces similaires existent, parmi lesquelles le *Brochis britskii* et le *B. multiradiatus*.

Corydoras panda

habitant du fond • nettoyeur du substrat • paisible • poisson de banc

NOM SCIENTIFIQUE : *Corydoras panda* • FAMILLE : Callichthyidés • ORIGINE : Pérou (amont de l'Amazone)
HABITAT NATUREL : Bras de rivières calmes et peu profonds • TAILLE MOYENNE ADULTE : **5 cm** • COULEURS : Beige
avec une rayure noire sur l'œil, une sur la nageoire dorsale et une tache à la base de la queue
DIMORPHISME SEXUEL : Les femelles sont plus grosses avec un corps plus plein • MODE DE REPRODUCTION :
Ovipare, ponte sur substrat • POTENTIEL DE REPRODUCTION : Moyen • ZONE DE VIE : Fond • ALIMENTATION :
Comprimés et aliments surgelés • VÉGÉTATION : Oui • BESOINS SPÉCIFIQUES : Groupe • DIFFICULTÉ : Moyenne

L'aquarium

TAILLE MINIMUM : 60 cm
TEMPÉRATURE : 20–26 °C
PH : 6–7
DURETÉ DE L'EAU : Douce et acide à neutre
COMPATIBILITÉ AVEC D'AUTRES POISSONS :
Élevée

Le corydoras panda est un poisson étonnant qui apporte beaucoup à un aquarium. Il ne représente aucun danger pour les poissons plus petits. Son nom lui vient des taches noires qui rappellent celles du panda géant.

Ce poisson nécessite un aquarium comportant une étendue ouverte de sable fin, garnie de pierres lisses et de racines de bois sur les bords pour lui fournir des cachettes. Des plantes vivantes peuvent également y être ajoutées, notamment des fougères. L'eau doit être douce et acide mais pas trop chaude, avec un système de filtration mécanique.

Élevez les corydoras pandas en groupe de quatre ou cinq individus, afin qu'ils se sentent en sécurité. D'autres espèces de corydoras peu-

vent être ajoutées dans un aquarium plus grand où ils formeront un gros banc. Des compagnons de taille petite et moyenne conviennent, mais les espèces qui requièrent les mêmes conditions d'eau et qui ne s'alimentent pas au fond de l'aquarium (comme les tétras) sont préférables.

Les jeunes corydoras pandas sont vraiment étonnants à voir. En grandissant, ils perdront leur coloration blanche pour se teinter de beige, ce qui ne les rend pas moins attractifs. Ces poissons peuvent frayer dans l'aquarium : ils déposeront alors leurs œufs sur la vitre.

Corydoras nain

petit • poisson de banc • paisible • nage entre deux eaux

NOM SCIENTIFIQUE : *Corydoras pygmaeus* • FAMILLE : Callichthyidés • ORIGINE : Brésil (bassin de la Madeira)
HABITAT NATUREL : Bras de rivières et estuaires • TAILLE MOYENNE ADULTE : 2,5 cm • COULEURS : Ventre opaque
avec un dos gris et une ligne noire horizontale sur les flancs • DIMORPHISME SEXUEL : Les femelles sont plus
grosses avec un corps plus plein • MODE DE REPRODUCTION : Ovipare, ponte sur substrat • POTENTIEL DE
REPRODUCTION : Faible • ZONE DE VIE : Milieu • ALIMENTATION : Paillettes et aliments surgelés • VÉGÉTATION : Oui
BESOINS SPÉCIFIQUES : Groupe ; bonne qualité d'eau • DIFFICULTÉ : Moyenne

L'aquarium

TAILLE MINIMUM : **45 cm**
TEMPÉRATURE : **22–26 °C**
PH : **6–7**
DURETÉ DE L'EAU : **Douce et acide**
COMPATIBILITÉ AVEC D'AUTRES POISSONS :
Moyenne

Le corydoras nain n'est pas simplement le plus petit représentant de son espèce, mais il est également un des plus petits poissons tropicaux connus.

Un groupe d'une douzaine d'individus sera nécessaire dans un aquarium. Ils sont peu onéreux à l'achat et les offres spéciales sont fréquentes si vous les achetez en grand nombre. Ils sont plus à l'aise en groupe et il est préférable de les faire cohabiter avec d'autres poissons de petite taille, comme les tétras.

L'agencement de l'aquarium doit consister en un lit de sable fin orné de quelques décorations, comme des racines de bois et des plantes vivantes. Vous serez sans doute surpris, si vous élevez des corydoras nains pour la première fois, de les voir quitter le sable du fond pour nager en banc au milieu de l'aquarium sur de longues périodes. Parfois, ils se joignent à des tétras ou d'autres petits Characins. Cette attitude les rend d'autant plus attachants, même si l'individu en soi est déjà très attractif.

Ils ont besoin d'une eau douce et acide, mais pas trop chaude. Ne les faites pas cohabiter avec des spécimens trop turbulents et prenez garde à ne pas installer un système de filtration trop puissant, car ils se fatigueront vite.

La majorité de ces poissons est attrapée à l'état sauvage et nous vous conseillons de garder vos nouveaux venus en quarantaine pendant plusieurs semaines avant de les ajouter à l'aquarium principal.

Temmincki ou silure bleu

étonnant • paisible • alguivore • parfois prolifique

NOM SCIENTIFIQUE : *Ancistrus temminckii* • FAMILLE : Loricariidés • ORIGINE : Surinam • HABITAT NATUREL : Rivières à fond boueux • TAILLE MOYENNE ADULTE : 15 cm • COULEURS : Tacheté de marron à noir, selon l'humeur

DIMORPHISME SEXUEL : Les mâles adultes ont des piques sur le nez • MODE DE REPRODUCTION : Ovipare, ponte sur substrat • POTENTIEL DE REPRODUCTION : Moyen • ZONE DE VIE : Fond • ALIMENTATION : Petits pois, concombre, comprimés, algues • VÉGÉTATION : Non • BESOINS SPÉCIFIQUES : Algues • DIFFICULTÉ : Moyenne

L'aquarium

TAILLE MINIMUM : 90 cm

TEMPÉRATURE : 24–28 °C

PH : 6–7

DURETÉ DE L'EAU : Douce et acide à dure et alcaline

COMPATIBILITÉ AVEC D'AUTRES POISSONS : Élevée

Les temminckis sont des poissons très sociaux et plus adaptés à un aquarium, en terme de taille, que le gibbiceps (*Glyptoperichthys gibbiceps*, p. 167) et le *Liposarcus multiradiatus* (p. 169).

Ils sont élevés pour le commerce en Europe de l'Est et peuvent s'acheter quand ils sont encore très petits. Dans de bonnes conditions, ils peuvent se reproduire en aquarium. Pour encourager la ponte, offrez-leur de nombreux abris et cachettes.

Le pH et la dureté de l'eau ne sont généralement pas des points cruciaux : ces poissons peuvent être des alguivores redoutables dans un aquarium de Cichlidés des grands lacs, qui préfèrent une eau dure et alcaline. En revanche, si vous voulez qu'ils se reproduisent, le pH devra être aussi bas que possible, comme dans leur environnement naturel. Un

couple qui a pondu en aquarium peut se révéler très prolifique et certains magasins spécialisés acceptent d'acheter des petits ou de les échanger contre de la nourriture ou d'autres articles d'aquariophilie.

Il leur faut des plantes robustes, comme la fougère de Java (*Microsorium pteropus*), car ils sont capables de manger les plantes plus fragiles comme la cabomba de Caroline (*Cabomba caroliniana*).

Il n'est pas possible de distinguer le sexe des jeunes, mais, lorsqu'ils atteignent 8 cm, les mâles développent des piques autour de la tête.

Les Poissons-chats

Golden nugget

coloré • étonnant • alguivore • timide

NOM SCIENTIFIQUE : *Baryancistrus sp.* L018 • FAMILLE : Loricariidés • ORIGINE : Brésil (Rio Xingu) • HABITAT NATUREL : Zones rocheuses des fleuves • TAILLE MOYENNE ADULTE : 10 cm • COULEURS : Noir avec des points blancs et des nageoires dorsale et caudale bordées de jaune • DIMORPHISME SEXUEL : Inconnu • MODE DE REPRODUCTION : Ovipare, ponte sur substrat • POTENTIEL DE REPRODUCTION : Faible • ZONE DE VIE : Fond ALIMENTATION : Algues, comprimés ou autres aliments de fond • VÉGÉTATION : Non • BESOINS SPÉCIFIQUES : Retraites • DIFFICULTÉ : Moyenne

L'aquarium

TAILLE MINIMUM : 90 cm
TEMPÉRATURE : 22–26 °C
PH : 6–7
DURETÉ DE L'EAU : Douce et acide à neutre
COMPATIBILITÉ AVEC D'AUTRES POISSONS : Moyenne

Les golden nuggets sont une des plus récentes découvertes de la classification numérotée L. Cette lettre signifie « Loricariidés » et cette classification fut créée à la fin du XXᵉ siècle pour cataloguer la multitude de poissons-chats nettoyeurs récemment découverte dans le bassin de l'Amazone.

En plus de nombreux spécimens bruns et gris, de multiples espèces aux couleurs particulièrement éclatantes furent répertoriées et devinrent immédiatement populaires.

Les golden nuggets peuvent être élevés dans un aquarium mature doté d'un système de filtration mécanique offrant à la fois une bonne oxygénation et un léger courant. Le décor peut se limiter à de simples racines de bois, des rochers et du sable, car l'habitat naturel de ces poissons ne contient pas de plantes et ils risqueraient de manger les tiges souples.

Ils sont très timides et peuvent être mélangés sans crainte à d'autres poissons.

Silure aiguille

original • camouflage • paisible • intéressant

NOM SCIENTIFIQUE : *Farlowella acus* • FAMILLE : Loricariidés • ORIGINE : Brésil (bassin de l'Amazone) • HABITAT NATUREL : Cours d'eau rapides avec rochers et bois flotté • TAILLE MOYENNE ADULTE : 15 cm • COULEURS : Marron et beige • DIMORPHISME SEXUEL : Les mâles adultes ont des piques sur le nez • MODE DE REPRODUCTION : Ovipare, ponte sur substrat • POTENTIEL DE REPRODUCTION : Faible • ZONE DE VIE : Fond • ALIMENTATION : Algues, comprimés VÉGÉTATION : Oui • BESOINS SPÉCIFIQUES : Racines de bois ; eau douce • DIFFICULTÉ : Moyenne

L'aquarium

TAILLE MINIMUM : 90 cm

TEMPÉRATURE : 24–26 °C

PH : 6–7

DURETÉ DE L'EAU : Douce et acide à neutre

COMPATIBILITÉ AVEC D'AUTRES POISSONS : Élevée

Les silures aiguille sont un bel exemple de la diversité chez les poissons car ils sont très éloignés du stéréotype du poisson d'aquarium. Originaires de l'Amazone, ils ont évolué pour ressembler au bois flotté que l'on trouve en abondance dans les rivières et les fleuves de cette région.

En dépit de leur apparence fragile, ils sont habitués à des courants puissants qui peuvent facilement être reproduits en aquarium grâce aux systèmes de filtration mécanique. Contrairement à beaucoup de poissons-chats de la famille des Loricariidés, ils se cachent rarement et peuvent être observés pendant la journée sur les racines de bois ou accrochés aux tiges des plantes de l'aquarium.

Ce sont des poissons très sociaux qui ne représentent aucune menace pour les spécimens plus petits ; leur apparence et leur longueur les rendent bien adaptés à la cohabitation avec des poissons plus gros sans craindre d'être attaqués.

L'aquarium idéal doit être décoré de rochers ronds et de racines de bois sur un lit de sable fin. Des plantes vivantes peuvent être ajoutées, notamment des *Vallisneria spp.*, dont les larges feuilles procureront des abris supplémentaires. L'eau doit être douce et acide et leur alimentation se composer de comprimés et d'algues.

Pleco gibbiceps

gros • impressionnant • motif • alguivore

NOM SCIENTIFIQUE : *Glyptoperichthys gibbiceps* • FAMILLE : Loricariidés • ORIGINE : Pérou (haut du bassin de l'Amazone) • HABITAT NATUREL : Rivières à lit boueux et bois flotté • TAILLE MOYENNE ADULTE : 50 cm • COULEURS : Corps orange avec de grosses taches brunes sur le corps et les nageoires • DIMORPHISME SEXUEL : Les femelles ont un corps plus plein lorsqu'elles portent des œufs • MODE DE REPRODUCTION : Ovipare, ponte sur substrat POTENTIEL DE REPRODUCTION : Faible • ZONE DE VIE : Fond • ALIMENTATION : Algues, matière végétale, comprimés et paillettes • VÉGÉTATION : Non • BESOINS SPÉCIFIQUES : Un grand aquarium • DIFFICULTÉ : Faible

L'aquarium

TAILLE MINIMUM : 1,5 m
TEMPÉRATURE : 23–28 °C
PH : 6–7,5
DURETÉ DE L'EAU : : Douce et acide à dure et alcaline
COMPATIBILITÉ AVEC D'AUTRES POISSONS : Élevée

Les gibbiceps sont des poissons assez impressionnants avec leurs motifs tachetés. C'est une espèce similaire au *Liposarcus multiradiatus* (p. 169) et ils peuvent cohabiter dans le même aquarium. Cependant, le gibbiceps grandit encore plus que le *Liposarcus*.

Le décor doit être robuste et ne pas comprendre de plantes vivantes, car elles seront mangées. Pour atteindre les meilleures conditions, proposez-leur une nourriture variée (des comprimés, des paillettes, du concombre et des petits pois écrasés).

Les gibbiceps peuvent cohabiter avec des espèces plus petites, comme les tétras néons, ainsi qu'avec des spécimens plus gros et plus agressifs. Ils n'attaquent pas les petits poissons, bien qu'ils en soient souvent accusés à tort, lorsqu'on les retrouve le matin en train de nettoyer le cadavre d'un poisson mort pendant la nuit. Cependant, l'aquarium ne doit contenir qu'une seule variété de plecos car les individus adultes ont tendance à se battre pour leur territoire et les cachettes.

Les gibbiceps ne se reproduisent pas en captivité ; ils sont élevés pour la vente en Extrême-Orient. Les jeunes sont peu onéreux et on les trouve facilement, ce qui les rend très appréciés.

Attention !

Cette espèce grandit beaucoup.

Les Poissons-chats

Pleco zèbre

coloré • étonnant • timide • onéreux

NOM SCIENTIFIQUE : *Hypancistrus zebra* L046 • FAMILLE : Loricariidés • ORIGINE : Brésil (Xingu) • HABITAT NATUREL : Rochers et bois flotté tombé au fond • TAILLE MOYENNE ADULTE : 6 cm • COULEURS : Noir et blanc • DIMORPHISME SEXUEL : Les mâles ont des épines plus grosses des deux côtés de la tête • MODE DE REPRODUCTION : Ovipare, ponte sur substrat • POTENTIEL DE REPRODUCTION : Faible • ZONE DE VIE : Fond • ALIMENTATION : Algues, vers, comprimés • VÉGÉTATION : Non • BESOINS SPÉCIFIQUES : Eau douce ; régime adapté • DIFFICULTÉ : Moyenne

L'aquarium

TAILLE MINIMUM : 90 cm
TEMPÉRATURE : 23–26 °C
PH : 6–7
DURETÉ DE L'EAU : Douce et acide à neutre
COMPATIBILITÉ AVEC D'AUTRES POISSONS : Élevée

Les plécos zèbre sont très appréciés des aquariophiles à cause de leurs motifs vifs, mais cette popularité a conduit à une pêche excessive de l'espèce dans son habitat naturel et il est maintenant plus difficile de s'en procurer. Ils sont aujourd'hui élevés en captivité, mais en nombre insuffisant pour faire face à la demande, ce qui les rend très onéreux.

Si vous parvenez à vous en procurer un, vous serez peut-être déçu de constater qu'il passe son temps à se cacher sous une racine de bois. Une bonne façon de l'encourager à sortir est de placer de la nourriture près de sa cachette et de le nourrir tous les jours à la même heure.

L'aquarium doit être décoré de rochers et de racines de bois afin de lui procurer des abris. Il est possible de n'inclure aucune plante, car il n'y en a pas dans l'habitat naturel du pleco zèbre. Si vous en ajoutez une, le pleco viendra la grignoter la nuit. L'eau doit être douce et acide et la filtration active en permanence afin d'assurer une bonne qualité d'eau.

Ces poissons peuvent être mêlés à une grande variété d'autres poissons, mais ne doivent pas cohabiter avec une trop grande quantité de plecos, car ils auront tendance à se battre pour le territoire et la nourriture.

Liposarcus multiradiatus

gros • robuste • alguivore • facile à élever

NOM SCIENTIFIQUE : *Liposarcus multiradiatus* • FAMILLE : Loricariidés • ORIGINE : Bolivie, Paraguay, Pérou
HABITAT NATUREL : Rivières calmes contenant des algues et des détritus • TAILLE MOYENNE ADULTE : 45 cm
COULEURS : Brun avec des points bruns ou noirs sur tout le corps • DIMORPHISME SEXUEL : Les femelles deviennent
plus grosses quand elles portent des œufs • MODE DE REPRODUCTION : Ovipare, ponte sur substrat • POTENTIEL DE
REPRODUCTION : Faible • ZONE DE VIE : Fond • ALIMENTATION : Algues, comprimés • VÉGÉTATION : Non • BESOINS
SPÉCIFIQUES : Grand aquarium ; un système de filtration efficace • DIFFICULTÉ : Faible

L'aquarium

TAILLE MINIMUM : 1,5 m
TEMPÉRATURE : 20–28 °C
PH : 6–8
DURETÉ DE L'EAU : Douce et acide à dure
et alcaline
COMPATIBILITÉ AVEC D'AUTRES POISSONS :
Élevée

Ce poisson est connu des aquariophiles depuis toujours pour sa résistance générale et sa grande capacité d'adaptation. Il supporte des pH et des températures très variés et peut vivre dans des conditions parfois très dures. Sa taille adulte est cependant son seul désavantage et de nombreux magasins sont débordés de spécimens de 30 cm impossibles à loger.

Ce sont des alguivores très efficaces (ils mangent aussi les tiges des plantes) qui se nourrissent sur toutes les surfaces. On peut souvent les observer de dessous lorsqu'ils sont collés à la vitre.

Les liposarcus sont des poissons assez salissants qui produisent beaucoup de matière fécale, tandis qu'ils « nettoient » l'aquarium. De plus, leur corps cuirassé peut également être un désastre dans un aquarium si certaines précautions ne sont pas prises. Les éléments de décor doivent être assez larges et bien ancrés afin de ne pas être arrachés. Ces poissons nécessitent un bac spacieux qui leur permet de manœuvrer leur corps peu flexible.

En l'absence d'algues, nourrissezles de comprimés et de granules car les liposarcus perdent du poids dans un aquarium trop propre. Il est aussi possible que les poissons de surface n'aient pas assez à manger en leur présence.

Attention !
Cette espèce grandit beaucoup.

Otocinclus nain

petit • vit en banc • alguivore • actif

NOM SCIENTIFIQUE : *Otocinclus affinis* • FAMILLE : Loricariidés • ORIGINE : Brésil (Rio de Janeiro), Pérou, Bolivie HABITAT NATUREL : Cours d'eau avec bois flotté et feuilles • TAILLE MOYENNE ADULTE : 4 cm • COULEURS : Beige et brun • DIMORPHISME SEXUEL : Les femelles sont plus larges • MODE DE REPRODUCTION : Ovipare, ponte sur substrat • POTENTIEL DE REPRODUCTION : Faible • ZONE DE VIE : Partout • ALIMENTATION : Algues, comprimés VÉGÉTATION : Non • BESOINS SPÉCIFIQUES : Régime adapté • DIFFICULTÉ : Moyenne

L'aquarium

TAILLE MINIMUM : 60 cm

TEMPÉRATURE : 24-28 °C

PH : 6-7

DURETÉ DE L'EAU : Douce et acide à neutre

COMPATIBILITÉ AVEC D'AUTRES POISSONS : Moyenne

L'otocinclus est très apprécié des aquariophiles en raison de son goût pour les algues. Ce poisson nettoiera tous les types de surface à la recherche d'algues, y compris le gravier, les rochers, les racines de bois et la vitre de l'aquarium. Il ira également chercher les algues sur les plantes, jusqu'à endommager parfois les larges feuilles des echinodorus (*Echinodorus spp.*), que ces poissons herbivores trouvent également très à leur goût.

Les otocinclus peuvent être mélangés à d'autres espèces de petits poissons et il est préférable de les élever par banc de cinq ou six individus.

Ils nécessitent une eau douce et acide dans un aquarium mature sans compagnons turbulents. Ils peuvent développer une coloration dorée lorsqu'ils se sont acclimatés et sont actifs le jour, sans chercher à se cacher comme la plupart des plecos de la classification en L (voir p. 165). En l'absence d'algues dans l'aquarium, nourrissez-les d'aliments en comprimés à base d'algues.

Ces poissons sont toujours capturés à l'état sauvage et exportés depuis l'Amérique du Sud, si bien qu'il est préférable de garder les nouveaux arrivants en quarantaine.

Synodontis decorus

gros • étonnant • robuste • à motifs

NOM SCIENTIFIQUE : *Synondontis decorus* • FAMILLE : Mochokidés • ORIGINE : Cameroun • HABITAT NATUREL : Fleuves avec rochers et bois flotté • TAILLE MOYENNE ADULTE : 30 cm • COULEURS : Noir et blanc avec une queue rayée • DIMORPHISME SEXUEL : Les mâles ont une nageoire dorsale plus allongée • MODE DE REPRODUCTION : Ovipare, ponte sur substrat • POTENTIEL DE REPRODUCTION : Faible • ZONE DE VIE : Fond • ALIMENTATION : Comprimés et aliments surgelés • VÉGÉTATION : Oui • BESOINS SPÉCIFIQUES : Grand aquarium • DIFFICULTÉ : Moyenne

L'aquarium

TAILLE MINIMUM : 1,5 m

TEMPÉRATURE : 24-28 °C

PH : 6-7

DURETÉ DE L'EAU : Douce et acide à neutre

COMPATIBILITÉ AVEC D'AUTRES POISSONS : Moyenne

Le synodontis decorus est une espèce de plus en plus appréciée, que l'on trouve facilement, car il existe des élevages en Europe de l'Est.

Les marques sur son corps sont vraiment étonnantes et certains spécimens (probablement les mâles) ont des nageoires dorsales plus longues. Ces poissons deviennent gros et ne sont pas, à long terme, adaptés à des aquariums de moins de 1,5 m.

Ils chassent les poissons plus petits, si bien qu'il vaut mieux les faire cohabiter avec des spécimens de taille similaire ou supérieure. Ils acceptent bien les compagnons turbulents et se nourrissent de ce qui se présente à eux. Ils ont tendance à se chamailler avec d'autres espèces de Synodontis si bien qu'il est préférable de n'en conserver qu'un par aquarium.

Le décor peut se limiter à de simples rochers et racines de bois pour leur offrir des cachettes. Les plantes vivantes ne sont pas nécessaires, mais si vous décidez d'en planter, choisissez des fougères robustes et des plantes en pot. Bien qu'ils soient élevés en captivité, ils se reproduisent rarement en aquarium.

Attention !

Cette espèce grossit beaucoup.

Les Poissons-chats

Coucou du Tanganyika

amateur d'ombre • intéressant • attractif • onéreux

NOM SCIENTIFIQUE : *Synodontis multipunctatus* • FAMILLE : Mochokidés • ORIGINE : Afrique (lac Tanganyika) HABITAT NATUREL : Berges avec végétation et zones rocheuses • TAILLE MOYENNE ADULTE : 13 cm • COULEURS : Argenté avec des taches noires • DIMORPHISME SEXUEL : Les organes génitaux des mâles sont visibles • MODE DE REPRODUCTION : Ovipare, incubation buccale chez une femelle cichlidée • POTENTIEL DE REPRODUCTION : Moyen ZONE DE VIE : Fond • ALIMENTATION : Nourriture en paillettes ou surgelée • VÉGÉTATION : Oui • BESOINS SPÉCIFIQUES : Eau alcaline, abri • DIFFICULTÉ : Moyenne

L'aquarium

TAILLE MINIMUM : 90 cm

TEMPÉRATURE : 22-26 °C

PH : 7,5-8,2

DURETÉ DE L'EAU : Dure et alcaline

COMPATIBILITÉ AVEC D'AUTRES POISSONS : Moyenne

Le coucou du Tanganyika est ainsi nommé à cause de son étrange mode de reproduction. Les couples se regroupent autour de Cichlidés qui pratiquent l'incubation buccale maternelle et laissent tomber leurs œufs devant une femelle cichlidée qui est en train de prendre ses propres œufs en bouche. Une fois dans la bouche de la Cichlidée, les alevins prédateurs se nourrissent des alevins cichlidés et grandissent jusqu'à ce qu'ils soient relâchés par la mère adoptive. Il en résulte donc un petit nombre de poissons-chats déjà bien développés et élevés par une autre espèce.

Le décor de l'aquarium doit consister en de nombreuses grottes formées par des empilements de rochers. L'eau doit être dure et alcaline et un groupe de Cichlidés doit être ajouté pour permettre l'incubation des œufs si vous voulez que vos coucous se reproduisent. Vous pouvez par exemple choisir un cichlidé zèbre (*Metriaclima zebra*, p. 146), que l'on a déjà vu remplir cette fonction par le passé, ou bien des *Ctenochromis horei* du Tanganyika, même s'ils sont rares et peuvent se montrer agressifs et difficiles à élever.

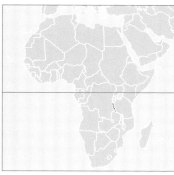

Les Poissons-chats

Silure du Congo

inhabituel • camouflage • amateur d'ombre • intéressant

NOM SCIENTIFIQUE : *Synodontis nigriventris* • FAMILLE : Mochokidés • ORIGINE : Rwanda, République démocratique du Congo (bassin du fleuve Congo) • HABITAT NATUREL : Fleuves ombragés et abrités par la végétation • TAILLE MOYENNE ADULTE : 8 cm • COULEURS : Brun avec des points blancs et des nageoires dentelées DIMORPHISME SEXUEL : Les femelles ont un corps plus plein • MODE DE REPRODUCTION : Ovipare, ponte sur substrat • POTENTIEL DE REPRODUCTION : Faible • ZONE DE VIE : Fond • ALIMENTATION : Paillettes et aliments surgelés • VÉGÉTATION : Oui • BESOINS SPÉCIFIQUES : Cachettes et zones ombragées • DIFFICULTÉ : Moyenne

L'aquarium

TAILLE MINIMUM : 60 cm
TEMPÉRATURE : 22-28 °C
PH : 6-7,5
DURETÉ DE L'EAU : Douce et acide à neutre
COMPATIBILITÉ AVEC D'AUTRES POISSONS : Élevée

Ce poisson doit son nom à son habitude de nager la tête à l'envers la plupart du temps, ce qui lui permet d'atteindre des nourritures qui lui seraient inaccessibles autrement. Le ventre de ce poisson, souvent blanc chez de nombreuses espèces similaires, a le même camouflage que le dos afin de ne pas être visible des prédateurs qui viennent du haut. De nombreux synodontis aiment nager la tête en bas, mais aucun ne pratique cette sorte de nage avec autant d'assiduité que le silure du Congo.

À l'achat, soyez vigilant car de nombreuses espèces de Synodontis, d'apparence similaire, sont vendues en tant que silures du Congo. Elles deviendront cependant plus grosses et ne s'avéreront pas aussi sociables.

Les différences sont minces, mais l'armure autour de la tête du véritable silure du Congo est plus proéminente et les points sur son corps ont un contour assez irrégulier. Cette espèce atteint rarement sa taille maximale (10 cm).

L'aquarium doit être décoré de gros morceaux de racines de bois afin de fournir des abris, mais il n'est pas nécessaire de planter des végétaux. Tout compagnon de taille moyenne sera en sécurité, tandis que le fretin de toute petite taille sera dévoré.

Cette espèce est principalement nocturne, mais avec une lumière tamisée ainsi que de nombreux abris et en les nourrissant tous les jours à la même heure, vous pourrez les encourager à être plus actifs le jour.

Requin-silure

Gros • nerveux • semblable à un requin • métallique

NOM SCIENTIFIQUE : *Pangasius sutchi* • FAMILLE : Pangasiidés • ORIGINE : Thaïlande (Bassin du Mékong) • HABITAT NATUREL : Fleuves (migrations) • TAILLE MOYENNE ADULTE : 60 cm • COULEURS : Gris avec une coloration métallique • DIMORPHISME SEXUEL : Inconnu • MODE DE REPRODUCTION : Ovipare, ponte de pleine eau • POTENTIEL DE REPRODUCTION : Faible • ZONE DE VIE : Milieu • ALIMENTATION : Toutes nourritures sèches ou surgelées, poissons • VÉGÉTATION : Oui • BESOINS SPÉCIFIQUES : Grand aquarium ; un groupe • DIFFICULTÉ : Moyenne

L'aquarium

TAILLE MINIMUM : 1,8 m

TEMPÉRATURE : 23-26 °C

PH : 7-7,5

DURETÉ DE L'EAU : Douce et acide à dure et alcaline

COMPATIBILITÉ AVEC D'AUTRES POISSONS : Moyenne

Il est important d'avertir les acheteurs potentiels que les requins-silures peuvent non seulement atteindre 90 cm, mais aussi qu'ils ne sont pas forcément adaptés à la vie en aquarium domestique.

Il est donc important de vous occuper convenablement des spécimens déjà en aquarium. Premièrement, ces poissons doivent disposer d'un grand espace. L'eau doit être bien filtrée et bien entretenue, avec un peu de courant car ce poisson a besoin d'exercice. Deuxièmement, ils doivent être élevés en groupe car ce sont des nageurs de banc et le nombre de congénères peut leur apporter un sentiment de sécurité plus grand. Enfin, il est nécessaire de rendre les limites de l'aquarium visibles afin d'éviter les collisions. Vous pouvez,

par exemple, coller des feuilles de décor sur le fond et les côtés ou planter de la végétation près des bords.

Aussi étonnant que cela puisse paraître, le *Pangasius sutchi* est l'un des plus petits représentants de son genre. *P. gigas* est l'un des plus gros poissons d'eau douce du monde, pouvant atteindre jusqu'à 2 mètres de long. C'est une espèce sérieusement menacée dans son environnement naturel à cause d'une pêche trop intensive et de la pollution industrielle.

Attention !

Cette espèce grandit beaucoup.

Phracto

énorme • imposant • prédateur • exigeant

NOM SCIENTIFIQUE : *Phractocephalus hemioliopterus* • FAMILLE : Pimelodidés • ORIGINE : Brésil, Guyane et Venezuela (bassin de l'Amazone) • HABITAT NATUREL : Zones inondées ; très répandu dans les eaux turbides du fleuve Amazone
TAILLE MOYENNE ADULTE : 1,2 m • COULEURS : Gris foncé avec une bande blanche horizontale et une queue rouge
DIMORPHISME SEXUEL : Inconnu • MODE DE REPRODUCTION : Ovipare, ponte de pleine eau • POTENTIEL DE REPRODUCTION : Faible • ZONE DE VIE : Fond • ALIMENTATION : poissons, crustacés • VÉGÉTATION : Oui • BESOINS SPÉCIFIQUES : Aquarium très vaste ; une filtration mécanique ; une attention constante sur du long terme • DIFFICULTÉ : Moyenne

L'aquarium

TAILLE MINIMUM : 3,6 m
TEMPÉRATURE : 24-28 °C
PH : 6-7
DURETÉ DE L'EAU : Douce et acide
COMPATIBILITÉ AVEC D'AUTRES POISSONS : Faible

Le phracto est un poisson-chat énorme très connu et pourtant toujours apprécié des aquariophiles. Il intéresse sans cesse de nouvelles personnes qui n'ont pas toujours conscience des besoins à long terme de ce poisson.

Cette espèce sud-américaine est prédatrice. Il a un féroce appétit et une croissance extrêmement rapide : un jeune de 5 cm peut très vite mesurer 1,2 m à l'âge adulte. Il est important que vous gardiez à l'esprit ces chiffres si vous avez l'intention d'en acheter un, car un poisson-chat de 1,2 m de long aura besoin d'un aquarium qui fera plusieurs fois sa taille en longueur et au moins une fois sa taille en largeur. Un aquarium de 3,6 x 1,2 x 1,2 contient plus de 5 000 litres d'eau et pèse près de 5 tonnes. Ce poisson n'est donc pas à la portée de toutes les bourses.

Les grands aquariums nécessitent un système de filtration mécanique puissant qui assure un renouvellement de l'eau régulier et efficace, ce qui implique également un coût élevé. Si vous désirez toujours en acheter un, commencez à faire des économies et faites une bonne action en accueillant un jeune adulte de déjà 60 cm qui aura surpris un aquariophile peu averti, car des milliers de phractos se retrouvent ainsi abandonnés.

Attention !
Cette espèce grandit beaucoup.

Pimelodus

métallique • semblable à un requin • vit en banc • actif

NOM SCIENTIFIQUE : *Pimelodus pictus* • FAMILLE : Pimelodidés • ORIGINE : Colombie (haut bassin de l'Amazone)

HABITAT NATUREL : Fleuves à fort courant de fond • TAILLE MOYENNE ADULTE : 13 cm • COULEURS : Argenté avec des points noirs • DIMORPHISME SEXUEL : Aucun • MODE DE REPRODUCTION : Ovipare, ponte en pleine eau

POTENTIEL DE REPRODUCTION : Faible • ZONE DE VIE : Fond • ALIMENTATION : Paillettes, aliments surgelés, poisson

VÉGÉTATION : Oui • BESOINS SPÉCIFIQUES : Groupe ; un grand aquarium • DIFFICULTÉ : Moyenne

L'aquarium

TAILLE MINIMUM : 1,2 m

TEMPÉRATURE : 22-26 °C

PH : 6-7

DURETÉ DE L'EAU : Douce et acide

COMPATIBILITÉ AVEC D'AUTRES POISSONS : Moyenne

Les pimelodus sont appréciés des aquariophiles qui aiment les reflets métalliques et leur forme de requin. L'avantage est que cette espèce reste de taille raisonnable et que des groupes peuvent très bien s'acclimater dans de grands aquariums. L'inconvénient est que ce sont des prédateurs qui attaquent les poissons plus petits, si bien qu'il est conseillé de ne les faire cohabiter qu'avec des compagnons de 5 cm minimum.

Le fond de l'aquarium doit être garni de sable fin, de quelques pierres rondes et de racines de bois. Quelques plantes peuvent également être ajoutées, mais il est important qu'il reste de la place pour nager.

Ces poissons préfèrent les eaux douces et acides avec un peu de courant, afin de pouvoir faire un peu d'exercice, car ce sont des poissons très actifs qui nagent en permanence à travers l'aquarium. Ils mangent de tout avec appétit et vous pouvez également leur donner des morceaux de poissons surgelés comme friandise.

Lorsque vous devez attraper ce poisson, prenez garde aux nageoires pectorales qui sont assez tranchantes pour entailler la peau et qui s'accrochent toujours dans les mailles du filet, ce qui est une source de stress pour le poisson.

Silure de verre

brillant • original • paisible • fragile

NOM SCIENTIFIQUE : *Kryptopterus minor* • FAMILLE : Siluridés • ORIGINE : Malaisie, Thaïlande • HABITAT NATUREL : Cours d'eau limpide avec végétation aquatique • TAILLE MOYENNE ADULTE : 8 cm • COULEURS : Translucide • DIMORPHISME SEXUEL : Aucun • MODE DE REPRODUCTION : Ovipare, ponte de pleine eau • POTENTIEL DE REPRODUCTION : Faible • ZONE DE VIE : Milieu • ALIMENTATION : Nourritures surgelées et vivantes • VÉGÉTATION : Oui • BESOINS SPÉCIFIQUES : Bonne qualité d'eau ; compagnons paisibles • DIFFICULTÉ : Moyenne

L'aquarium

TAILLE MINIMUM : 75 cm

TEMPÉRATURE : 22-26 °C

PH : 7-7,5

DURETÉ DE L'EAU : Douce et acide à moyennement dure

COMPATIBILITÉ AVEC D'AUTRES POISSONS : Moyenne

Le silure de verre est un poisson d'apparence étrange. Son corps translucide vous permet de voir ses organes internes ainsi que la structure de son squelette. De près, il n'est pas particulièrement joli, mais un groupe peut être du plus bel effet.

Les silures de verre ne ressemblent pas aux autres poissons-chats et leur attitude est très différente car ce ne sont pas des poissons robustes ni cuirassés et ils sont assez mal adaptés à la vie au fond de l'eau.

Pour les élever dans de bonnes conditions, l'aquarium doit être mature et ne doit pas contenir de poissons turbulents ou de trop grosse taille. La lumière doit être faible et ils doivent pouvoir nager contre un faible courant. L'eau doit être bien entretenue et il faut d'éviter les températures et les pH extrêmes. Élevez-les en groupe et nourrissez-les peu, mais régulièrement, d'aliments de petite taille, surgelés ou vivants.

Ces poissons ne sont pas seulement fragiles d'apparence et nous les conseillons aux aquariophiles aguerris. Ils ne doivent surtout pas être achetés uniquement dans le but de donner du cachet à un nouvel aquarium.

Les Poissons-chats

Les Killies

Les Killies sont de petits poissons très colorés qui vivent dans la plupart des eaux douces tropicales du monde. Ils sont célèbres grâce à des espèces telles que le notobranche de Rachow (*Notho-branchius rachovii*, p. 183), vivant dans des étangs asséchés pendant la saison chaude, ce qui tue ainsi tous les poissons qui y vivent. La stratégie de survie des Killies consiste donc à pondre des œufs dans la boue au fond de l'étang, où ils restent protégés jusqu'à la saison des pluies. Lorsque l'étang se remplit de nouveau et redevient habitable, les œufs éclosent et le processus recommence.

Les espèces annuelles

Il est possible d'élever des poissons annuels en captivité tant que les œufs peuvent bénéficier d'une période de repos. Installez un petit aquarium avec un système de chauffage et un filtre et garnissez le fond de tourbe. Lorsque les œufs ont été pondus, ils peuvent être enlevés avec la tourbe et conservés dans un environnement noir et humide, dans un sac plastique, par exemple. Le temps de repos varie selon les espèces. L'aspect unique de ce phénomène est que les œufs peuvent être envoyés par la poste à d'autres aquariophiles qui souhaitent démarrer une colonie.

Les adultes

Il existe quelques inconvénients à l'élevage des poissons annuels et il est important de les prendre en considération avant de vous lancer dans cet élevage. Premièrement, les mâles, qui sont colorés, sont très agressifs envers les autres mâles de leur espèce. Deuxièmement, ces poissons ne sont pas faciles à nourrir : ils nécessitent des nourritures vivantes et n'apprécient guère les paillettes. Troisièmement, ce système de reproduction et d'élevage, qui peut paraître idéal, demande en réalité une attention toute particulière de la part du propriétaire et il est fort probable qu'un débutant échoue la première fois.

Le notobranche de Rachow est l'un des plus beaux poissons tropicaux.

CONSEIL

Rejoignez un groupe d'amateurs de Killies si ces poissons vous intéressent. Vous serez ainsi suivi dans vos premiers pas et vous recevrez des conseils pour l'élevage et la reproduction.

Notobranche de Rachow

étonnant • coloré • petit • antisocial

NOM SCIENTIFIQUE : *Nothobranchius rachovii* • FAMILLE : Aplocheilidés • ORIGINE : Mozambique • HABITAT NATUREL : Marais • TAILLE MOYENNE ADULTE : 5 cm • COULEURS : Corps rouge vif avec un motif bleu • DIMORPHISME SEXUEL : Les mâles sont plus colorés et plus gros • MODE DE REPRODUCTION : Ovipare, ponte sur tourbe • POTENTIEL DE REPRODUCTION : Moyen • ZONE DE VIE : Milieu • ALIMENTATION : Nourritures surgelées ou vivantes • VÉGÉTATION : Oui • BESOINS SPÉCIFIQUES : Régime carné • DIFFICULTÉ : Élevée

L'aquarium

TAILLE MINIMUM : 60 cm

TEMPÉRATURE : 20-24 °C

PH : 6-7

DURETÉ DE L'EAU : Douce et acide

COMPATIBILITÉ AVEC D'AUTRES POISSONS : Faible

Cette espèce qui présente une coloration frappante est peut-être l'une des plus jolies des espèces tropicales. Cependant, ce n'est pas une des plus faciles à élever et elle ne convient pas à des aquariums peuplés. Les notobranches sont des poissons annuels, ce qui signifie que les adultes meurent tous les ans après avoir pondu.

Les mâles se battent entre eux s'ils sont élevés dans le même aquarium. Nous vous conseillons de regrouper un seul mâle avec plusieurs femelles dans un bac séparé.

Le décor peut être très simple : si vous désirez faire de la reproduction, l'aquarium peut n'être que fonctionnel. Les notobranches sont des pondeurs sur substrat de tourbe et vous devrez recouvrir le fond de l'aquarium de tourbe afin que les Killies puissent pondre.

Certains ouvrages de référence indiquent que ce Killy n'a pas besoin de système de filtration, ce qui est inexact car un aquarium sans filtre devient vite sale. Un filtre mécanique à éponge suffit. Réglez le thermostat assez bas et ajoutez des plantes pour lui procurer des refuges.

Jordanelle de Floride

original • paisible • nageur lent • herbivore

NOM SCIENTIFIQUE : *Jordanella floridae* • FAMILLE : Cyprinodontidés • ORIGINE : États-Unis (Floride) • HABITAT
NATUREL : Mares herbeuses et fossés • TAILLE MOYENNE ADULTE : 5 cm • COULEURS : Vert olive avec des rangées
de points iridescents • DIMORPHISME SEXUEL : Les mâles sont plus gros et plus rouges ; les femelles ont des
points noirs sur la nageoire dorsale • MODE DE REPRODUCTION : Ovipare, ponte sur substrat • POTENTIEL DE
REPRODUCTION : Moyen • ZONE DE VIE : Milieu • ALIMENTATION : Paillettes, aliments surgelés et vivants
VÉGÉTATION : Non • BESOINS SPÉCIFIQUES : Eau tiède ; régime herbivore • DIFFICULTÉ : Moyenne

L'aquarium

TAILLE MINIMUM : 60 cm

TEMPÉRATURE : 20 °C

PH : 7-7,5

DURETÉ DE L'EAU : Neutre à dure et alcaline

COMPATIBILITÉ AVEC D'AUTRES POISSONS : Moyenne

Les jordanelles de Floride sont difficiles à identifier comme Killies car elles ressemblent à un mélange entre plusieurs familles de poissons.

Leur corps est épais, surtout au niveau de la nageoire caudale, et les mâles sont plus subtilement colorés. Les femelles, plus ternes et plus petites, peuvent être reconnues grâce à leur tache noire sur la nageoire dorsale.

Ce sont des nageurs assez lents et paisibles qui s'épanouiront mieux

dans un aquarium à filtration douce. Ils se contentent difficilement d'aliments tropicaux et, comme ce sont des herbivores, vous pouvez garnir l'aquarium de lentilles d'eau. Si la température extérieure est suffisante, l'aquarium peut se passer de chauffage. Décorez-le de racines de bois sur un lit de sable fin. Des plantes robustes, comme la fougère de Java *(Microsorium pteropus)*, peuvent être ajoutées pour créer un environnement proche de leur milieu naturel.

Ces poissons vivent mieux entre eux dans un bac à part, avec deux femelles pour un mâle.

Killy perlé du Tanganyika

coloré • fin • grand • recherché

NOM SCIENTIFIQUE : *Lamprichthys tanganicanus* • FAMILLE : Poeciliidés • ORIGINE : Afrique (Lac Tanganyika)
HABITAT NATUREL : Surfaces rocheuses et cavernes • TAILLE MOYENNE ADULTE : 15 cm • COULEURS : Points bleus iridescents sur un corps opaque et réfléchissant • DIMORPHISME SEXUEL : Les mâles sont plus gros et plus colorés MODE DE REPRODUCTION : Ovipare, ponte sur substrat • POTENTIEL DE REPRODUCTION : Moyen • ZONE DE VIE : Haut ALIMENTATION : Paillettes, aliments surgelés et vivants • VÉGÉTATION : Oui • BESOINS SPÉCIFIQUES : Alimentation régulière ; excellente qualité d'eau • DIFFICULTÉ : Moyenne

L'aquarium

TAILLE MINIMUM : 1,2 m
TEMPÉRATURE : 23-25 °C
PH : 8-8,2
DURETÉ DE L'EAU : Dure et alcaline
COMPATIBILITÉ AVEC D'AUTRES POISSONS : Moyenne

Le killy perlé du Tanganyika ne vient pas d'une mare acide mais d'un des plus grands lacs, aux eaux douces permanentes et très alcalines.

Cette espèce grandit beaucoup plus que la plupart des Killies et les mâles peuvent atteindre 15 cm de long à l'âge adulte. Les spécimens matures sont très difficiles à trouver et très onéreux.

L'aquarium doit être mature avec une filtration mécanique pour avoir une excellente qualité d'eau. Le pH et la dureté de l'eau doivent être similaires aux conditions de l'habitat naturel et le décor doit se composer principalement de rochers sur un lit de sable.

Vous pouvez intégrer un groupe de ces poissons à un aquarium, avec un mâle pour plusieurs femelles. Ces dernières sont plus petites et moins colorées. Vous pouvez faire cohabiter ces Killies avec des Cichlidés du Tanganyika, mais l'aquarium doit alors être assez grand pour que chaque espèce n'empiète pas sur le territoire de l'autre.

Nourrissez les Killies souvent mais en petites quantités afin de maintenir leur poids idéal. Ils peuvent être sujets à des infections bactériennes lorsqu'ils sont importés. Ces poissons peuvent se reproduire en aquarium : les parents pondent alors leurs œufs dans les failles des rochers.

Poissons divers

Ce chapitre présente un certain nombre de poissons d'eau douce et de mer qui sont parfois considérés comme des espèces à part. Vous y trouverez des spécimens d'apparence inhabituelle, des espèces rares ou peu adaptées à la vie en communauté. Parmi ces dernières, vous découvrirez des poissons au caractère territorial ou prédateur, des poissons qui grandissent beaucoup ou ont un comportement agressif. Certains présentent même toutes ces caractéristiques à la fois. Vous découvrirez également des spécimens fragiles qui nécessitent les soins d'un aquariophile chevronné.

Un travail de spécialiste

Les espèces décrites dans ce chapitre proviennent des principaux systèmes fluviaux tropicaux du monde et couvrent trois continents : l'Afrique, l'Amérique du Sud et l'Asie. Même le plus petit spécimen, le poisson-éléphant, (*Gnathonemus petersii*, p. 191) nécessite un grand aquarium, afin d'être élevé en groupe, dans un milieu mature doté d'une filtration mécanique pour être gardé en bonne santé. La tête-de-serpent (*Channa micropeltes*, p. 188) et l'arawana (*Osteoglossum bicirrhosum*, p. 192) atteignent 1 m de long à l'âge adulte et requièrent donc des bacs importants ou même des mares tropicales d'intérieur si vous voulez les garder longtemps. Ces deux spécimens peuvent occasionner des morsures douloureuses et ne sont pas recommandés si vous avez des enfants en bas âge. La raie à aiguillon (*Potamotrygon motoro*, p. 189) est une espèce qui grandit beaucoup et ne supporte que des conditions d'eau très strictes. De plus, la piqûre de son dard est potentiellement dangereuse.

Le défi

Quel est donc alors l'intérêt de consacrer du temps et de l'argent à de telles espèces ? La réponse est la possibilité d'élever des poissons d'un genre unique. Ces espèces sont particulièrement adaptées à leur environnement et les prédateurs se doivent d'être plus rusés que

leurs proies afin de pouvoir les attraper. Un poisson solitaire créera un lien particulier avec son propriétaire et deviendra un véritable animal de compagnie, un membre de la famille à part entière.

Un poisson comme la raie à aiguillon illustre bien la diversité de l'aquariophilie d'eau douce ; domestiquer et

Avec son apparence étrange, le poisson-éléphant est déconseillé aux débutants.

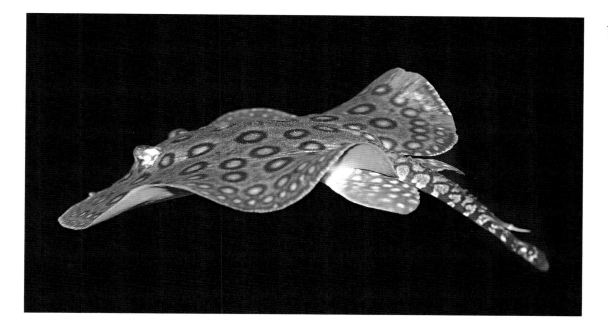

La raie à aiguillon glisse dans l'eau avant de
s'enfouir dans le sable.

élever un poisson originaire d'un endroit situé à des milliers de kilomètres de chez vous est presque aussi excitant
que de partir en safari-photo. Les aquariophiles peuvent,
eux, profiter de la beauté de ces espèces depuis leur salon.
Certains de ces poissons sont à présent élevés en captivité.

Des poissons préhistoriques

La raie à aiguillon est un descendant des raies d'eau de
mer qui s'est adapté aux eaux douces voilà des millions
d'années. C'est un véritable concentré d'évolution : une
vie commençant dans la mer, qui évolue pour conquérir
un nouvel habitat très avancé dans les terres. Le bassin de
l'Amazone, avec ses milliers de kilomètres de réseau fluvial, s'est révélé un foyer permanent agréable pour la raie
à aiguillon qui a, depuis, stoppé son évolution.
Le polypterus ornatipinnis (p. 193) est un autre exemple
de lien avec le passé. Ses nageoires ventrale et pectorale
rigides lui permettent de « marcher » au fond et même de
quitter l'eau pour parcourir de courtes distances sur la
terre. Il a également développé une vessie natatoire qui lui
permet de respirer de l'air qui a permis à des organismes
aquatiques de gagner la terre ferme.
Le polypterus ornatipinnis est un poisson robuste qui tolère
une grande variété de conditions. À cause de sa mobilité, il
est impératif de prévoir un couvercle à votre aquarium.

CONSEIL

**Il est important de bien réfléchir avant de vous
lancer dans l'élevage de ces espèces un peu
particulières, car elles peuvent se révéler chères à
l'achat et sur le long terme.**

Tête-de-serpent

gros • agressif • prédateur • croissance rapide

NOM SCIENTIFIQUE : *Channa micropeltes* • FAMILLE : Channidés • ORIGINE : Inde • HABITAT NATUREL : Rivières, canaux et lacs • TAILLE MOYENNE ADULTE : 1 m • COULEURS : Les jeunes ont des rayures noires et blanches ; les adultes sont plus ternes • DIMORPHISME SEXUEL : Les femelles ont un corps plus plein • MODE DE REPRODUCTION : Ovipare ; ponte sur substrat • POTENTIEL DE REPRODUCTION : Faible • ZONE DE VIE : Milieu • ALIMENTATION : poissons, crustacés • VÉGÉTATION : Oui • BESOINS SPÉCIFIQUES : Grand aquarium • DIFFICULTÉ : Moyenne

L'aquarium

TAILLE MINIMUM : 2,4 m

TEMPÉRATURE : 24-28 °C

PH : 6-7,5

DURETÉ DE L'EAU : Douce et acide à dure et alcaline

COMPATIBILITÉ AVEC D'AUTRES POISSONS : Faible

Le tête-de-serpent est un prédateur redoutable qui n'hésite pas à faire état de ses talents en aquarium.

Les alevins sont particulièrement friands de petits poissons et peuvent aller jusqu'à se manger entre eux. Il est impératif de les élever seuls ou en compagnie de poissons-chats cuirassés qui ne peuvent être dévorés. Les adultes peuvent provoquer des morsures douloureuses aux mains et nous vous conseillons de les nourrir à l'aide de pinces. Les têtes-de-serpent sont des surdoués de l'évasion et il est impératif de placer un couvercle adapté sur l'aquarium.

On peut questionner la pertinence de l'élevage de cette espèce en aquarium. Les têtes-de-serpent nécessitent des aquariums important et une filtration très efficace. Ils vivent également très longtemps et leur alimentation revient cher

quand ils grandissent. De plus, ils deviennent plus agressifs et moins attrayants avec l'âge, ce qui les rend difficile à replacer.

Il existe de nombreuses autres espèces de channa qui sont plus adaptées à la vie en aquarium, comme le channa bleheri ; les têtes-de-serpent ne doivent être confiés qu'à des aquariophiles aguerris qui peuvent leur offrir un large espace de vie et une attention de tous les jours sur du long terme.

Attention !

Cette espèce grandit beaucoup.

Raie à aiguillon commune

gros • étrange • préhistorique • sensible

NOM SCIENTIFIQUE : *Potamotrygon motoro* • FAMILLE : Dasyatidés • ORIGINE : Amérique du Sud (bassin de l'Amazone) • HABITAT NATUREL : Eaux douces et acides sur lit de boue et de sable fin • TAILLE MOYENNE ADULTE : 30 cm • COULEURS : Brun avec des larges motifs circulaires sur tout le corps • DIMORPHISME SEXUEL : Les mâles ont une paire d'organes copulateurs • MODE DE REPRODUCTION : Ovovivipare • POTENTIEL DE REPRODUCTION : Faible • ZONE DE VIE : Fond • ALIMENTATION : Poissons, crustacés, vers de terre • VÉGÉTATION : Oui • BESOINS SPÉCIFIQUES : Eau d'excellente qualité ; régime alimentaire adapté • DIFFICULTÉ : Élevée

L'aquarium

TAILLE MINIMUM : 1,8 m
TEMPÉRATURE : 24-26 °C
PH : 6-7
DURETÉ DE L'EAU : Douce et acide
COMPATIBILITÉ AVEC D'AUTRES POISSONS : Moyenne

Un des grands attraits de la raie à aiguillon est sa beauté inhabituelle. Elle a besoin de beaucoup d'espace pour nager, ainsi que d'un substrat de sable fin. La qualité de l'eau doit être absolument parfaite, si vous voulez la garder en bonne santé. Elle est très sensible à la présence de médicaments dans l'eau, comme le vert de malachite.

Elle rechigne souvent à se nourrir après avoir été importée et nous vous conseillons de vérifier si celle que vous voulez acquérir se nourrit déjà correctement dans le magasin. Plus elle est large, plus elle sera robuste ; si elle vit déjà en captivité depuis quelque temps, elle devra impérativement être vive et de belle taille. Lorsqu'une raie est en mauvaise santé, on peut voir les cartilages à la base de sa queue.

Soyez prudent lorsque vous manipulez une raie à aiguillon car elle possède, au bout de la queue, un aiguillon venimeux dont la piqûre peut être très douloureuse. Ce poisson est, de toute évidence, réservé aux experts.

Attention

Ne convient pas aux débutants.

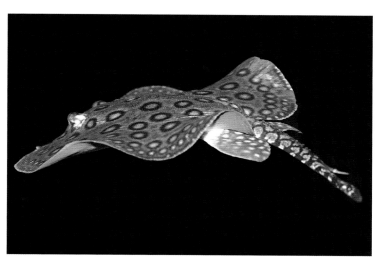

Anguille de feu

gros • coloré • attractif • timide

NOM SCIENTIFIQUE : *Mastacembelus erythrotaenia* • FAMILLE : Mastacembelidés • ORIGINE : Bornéo, Birmanie (Myanmar), Sumatra, Thaïlande • HABITAT NATUREL : Marais et rizières • TAILLE MOYENNE ADULTE : 1 m
COULEURS : Brun et noir avec des rayures horizontales rouges • DIMORPHISME SEXUEL : Les femelles adultes ont un corps plus plein • MODE DE REPRODUCTION : Ovipare ; ponte de pleine eau • POTENTIEL DE REPRODUCTION : Faible • ZONE DE VIE : Fond • ALIMENTATION : Paillettes, nourritures surgelées et vivantes • VÉGÉTATION : Oui
BESOINS SPÉCIFIQUES : Cachettes ; couvercle hermétique • DIFFICULTÉ : Moyenne

L'aquarium

TAILLE MINIMUM : 1,2 m
TEMPÉRATURE : 24-28 °C
PH : 7-7,5
DURETÉ DE L'EAU : Douce et acide à moyennement dure
COMPATIBILITÉ AVEC D'AUTRES POISSONS : Moyenne

L'anguille de feu présente des motifs remarquables et les gros spécimens sont véritablement impressionnants. Sa nageoire dorsale dentelée et irrégulière est très tranchante. Il s'agit du spécimen le plus gros et le plus coloré de cette famille, mais il est néanmoins tout à fait possible de l'élever dans un aquarium de 1,2 m et plus de long.

Ce poisson est adapté pour se glisser entre la végétation et les rochers et il adore se terrer dans des trous. L'aquarium doit comporter beaucoup d'éléments de décor, comme des rochers, des racines de bois et des plantes vivantes afin de lui fournir le plus de cachettes et de recoins possibles. Ce poisson apprécie également un substrat de sable fin. Il peut

aussi s'accommoder d'un morceau de tuyau en plastique suffisamment grand pour l'accueillir en entier.

Il peut être délicat de le nourrir juste après l'avoir acheté et certains spécimens refuseront toute nourriture, sauf parfois des vers rouges. En temps normal, l'anguille de feu accepte toutes sortes d'aliments. Avec le temps, vous pourrez la nourrir à la main de paillettes trempées d'eau. Elle dévore les poissons plus petits et ne doit donc cohabiter qu'avec des spécimens plus gros et paisibles. Un couvercle est nécessaire afin d'empêcher toute tentative d'évasion.

Poisson-éléphant

étrange • original • sensible • gros

NOM SCIENTIFIQUE : *Gnathonemus petersii* • FAMILLE : Mormyridés • ORIGINE : Togo, Nigeria, Cameroun, Congo
HABITAT NATUREL : Lits de rivière boueux • TAILLE MOYENNE ADULTE : 20 cm • COULEURS : Noir avec des marques
blanches sur les nageoires dorsale et anale • DIMORPHISME SEXUEL : Les mâles ont des nageoires anales
concaves • MODE DE REPRODUCTION : Ovipare ; ponte de pleine eau • POTENTIEL DE REPRODUCTION : Faible
ZONE DE VIE : Fond • ALIMENTATION : Nourritures surgelées et vivantes • VÉGÉTATION : Oui • BESOINS SPÉCIFIQUES :
Excellente qualité d'eau ; alimentation adaptée • DIFFICULTÉ : Élevée

L'aquarium

TAILLE MINIMUM : 1,2 m
TEMPÉRATURE : 22-28 °C
PH : 6-7
DURETÉ DE L'EAU : Douce et acide à neutre
COMPATIBILITÉ AVEC D'AUTRES POISSONS :
Moyenne

Les poissons-éléphants connaissent un grand succès grâce à leur « trompe » qui est en réalité une adaptation leur permettant de chercher de petits invertébrés dans la boue et la vase des rivières. En aquarium, ils apprécient un épais lit de sable fin qui leur permettra de conserver ce comportement naturel.

Le décor peut se composer de racines de bois et de plantes robustes, comme les fougères. La lumière doit être tamisée et la qualité de l'eau excellente et constante.

Ces poissons doivent être élevés en groupe, même s'ils ont tendance à se chamailler. Cette caractéristique, combinée avec leur taille adulte parfois très élevée, implique un grand aquarium d'au moins 1,2 m. Les compagnons doivent être paisibles et de taille moyenne.

Ces poissons ne sont pas élevés en captivité mais sont donc attrapés dans leur environnement. Nous vous conseillons d'observer une quarantaine.

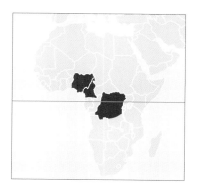

Arawana

énorme • original • nageur de surface • prédateur

NOM SCIENTIFIQUE : *Osteoglossum bicirrhosum* • FAMILLE : Osteoglossidés • ORIGINE : Amérique du Sud (bassin de l'Amazone) • HABITAT NATUREL : Rivières à crue annuelle bordées de forêts • TAILLE MOYENNE ADULTE : 105 cm COULEURS : Argenté avec des reflets rouges sur les nageoires • DIMORPHISME SEXUEL : Les mâles adultes ont une nageoire anale plus longue • MODE DE REPRODUCTION : Ovipare ; incubation buccale • POTENTIEL DE REPRODUCTION : Faible • ZONE DE VIE : Haut • ALIMENTATION : Poissons, crustacés, insectes, sticks • VÉGÉTATION : Oui • BESOINS SPÉCIFIQUES : Grand aquarium • DIFFICULTÉ : Élevée

L'aquarium

TAILLE MINIMUM : 2,4 m

TEMPÉRATURE : 24-28 °C

PH : 6-7

DURETÉ DE L'EAU : Douce et acide

COMPATIBILITÉ AVEC D'AUTRES POISSONS : Moyenne

Les arawanas sont d'énormes prédateurs. Lorsque les rivières inondent la forêt, les arawanas s'y précipitent et sautent hors de l'eau pour attraper insectes et oiseaux perchés sur les branches.

Ces poissons ne conviennent pas à la plupart des aquariums en raison de leur taille adulte, mais si vous décidez d'en élever un, prévoyez un bac de très grande taille, rempli à moitié d'eau, avec des branches et des plantes terrestres qui pendent au-dessus de la surface. Les poissons qui cherchent leur nourriture vers le sol peuvent contracter une maladie où l'œil se tourne vers le bas. Des éléments de décor en hauteur permettront généra-lement de prévenir de tels cas.

L'eau doit être de qualité constante. Ces poissons sont des nageurs actifs : prévoyez la plus grande surface possible. Deux arawanas risquent de se battre s'ils partagent le même aquarium, mais vous pouvez inclure d'autres poissons de grande taille. Un aquarium amazonien est l'idéal. Peu d'aquariophiles peuvent offrir à ce poisson une qualité de vie propice tout au long de sa vie.

Attention !

Cette espèce grandit beaucoup.

Polypterus ornatipinnis

à motifs • apparence de serpent • prédateur • robuste

NOM SCIENTIFIQUE : *Polypterus ornatipinnis* • FAMILLE : Polypteridés • ORIGINE : République démocratique du Congo
HABITAT NATUREL : Fleuves, rivières et affluents • TAILLE MOYENNE ADULTE : 60 cm • COULEURS : Motif noir et or
DIMORPHISME SEXUEL : La nageoire anale est plus longue chez le mâle • MODE DE REPRODUCTION : Ovipare ; ponte
sur substrat • POTENTIEL DE REPRODUCTION : Faible • ZONE DE VIE : Fond • ALIMENTATION : Poissons, crustacés, vers
VÉGÉTATION : Oui • BESOINS SPÉCIFIQUES : Bande d'air à la surface • DIFFICULTÉ : Faible

L'aquarium

TAILLE MINIMUM : 1,2 m
TEMPÉRATURE : 26-28 °C
PH : 6-7
DURETÉ DE L'EAU : Douce et acide à dure et alcaline
COMPATIBILITÉ AVEC D'AUTRES POISSONS : Moyenne

Les polypterus sont des prédateurs d'apparence reptilienne, originaires d'Afrique. Ils ont évolué pour pouvoir respirer l'air atmosphérique et semblent presque marcher lorsqu'ils se déplacent à l'aide de leurs nageoires ventrales. Ce sont des poissons inhabituels. Le *P. ornatipinnis* est l'une des espèces les plus grandes et des plus colorées du genre. Il caractérise très bien les particularités qui rendent ce groupe de poissons très intéressant.

Afin de reproduire un environnement propice au *P. ornatipinnis*, décorez l'aquarium avec des matériaux différents afin de créer des cachettes. Vous pouvez inclure quelques plantes et, comme la lumière devra être tamisée, nous vous conseillons de planter des fougères et des plantes flottantes. La qualité de l'eau doit être bonne. Ces poissons sont assez tolérants en matière de pH et de température, mais la filtration doit impérativement être efficace pour évacuer la grande quantité de déchets qu'ils produisent.

Ils peuvent cohabiter avec des espèces assez grandes pour ne pas être mangées mais pas assez rapides au moment des repas, comme l'oscar qui est toujours le premier à se servir.

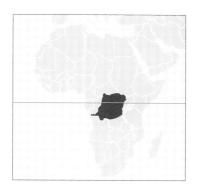

Les poissons d'eau saumâtre

Les poissons de ce groupe se sont adaptés pour vivre dans les estuaires où l'eau douce se mêle à l'eau de l'océan. C'est un environnement extrême et ces poissons doivent subir de grands changements de niveau d'eau, de température et de salinité. Le sel des océans est une barrière majeure pour la plupart des poissons d'eau douce, mais l'inverse est aussi vrai pour les poissons de mer. Les poissons d'eau saumâtre, eux, peuvent vivre dans les deux environnements et se nourrissent des riches dépôts à l'embouchure des fleuves. On y trouve beaucoup de palétuviers dont les larges racines aériennes plongent dans la vase des mangroves, offrant aux poissons des abris et des lieux de pontes.

L'eau saumâtre

Afin d'élever des poissons d'eau saumâtre, il va vous falloir recréer leur environnement naturel en captivité. Les aquariums d'eau saumâtre peuvent être étonnants s'ils sont conçus avec un mélange de décoration marine et terrestre. Des éclats de corail et de coquillage peuvent côtoyer des plantes et des racines de bois afin de créer un décor d'estuaire. Pour plus d'authenticité, placez des plantes de mangrove sous une forte lumière ou bien plantez des racines de palétuviers morts dans du sable fin. Pour le poisson-archer (*Toxotes jaculatrix*, p. 201) et le périophtalme (*Periophtalmus vulgaris*, p. 197), abaissez le niveau de l'eau afin de créer une zone terrestre qui apportera une nouvelle dimension à votre aquarium.

Sélection des espèces

Les espèces que vous choisirez pour votre aquarium dépendront essentiellement de leur compatibilité, car il est possible d'élever une communauté de gros poissons d'eau saumâtre. Des scatophages, des poissons-lunes et des poissons-archers peuvent cohabiter dans un grand aquarium, mais des poissons-bourdons (*Hypogymnogobius xanthozona*) seraient perdus dans un bac de plus de 60 cm de long.

Les espèces plus petites peuvent être intéressantes et bien supporter la vie en aquarium. Le poisson-bourdon peut cohabiter avec deux espèces ovovivipares d'estuaires, le demi-bec des Célèbes (*Nomorhamphus liemi liemi*, p. 51) et le molly noir (*Poecilia sphenops*, p. 56), si vous n'ajoutez qu'un tout petit peu de sel pour que les trois espèces soient contentes. Des plantes vivantes robustes, comme la fougère de Java (*Microsorium pteropus*) pourront être ajoutées afin de créer un décor unique.

Les sauteur de boue sont des poissons étranges qui sautillent en projetant du sable.

Les poissons-archer crachent de l'eau pour
atteindre leurs proies.

Les aquariums monospécifiques

Les poissons d'eau saumâtre ont un caractère et une présence bien marqués et un poisson tel que le periophtalme sera plus à l'aise seul dans un aquarium conçu pour répondre à ses besoins spécifiques : une large langue de sable humide plutôt qu'une grande surface d'eau pour nager.

Le tetraodon (*Tetraodon nigroviridis*, p. 200) est également un pensionnaire qui appréciera un aquarium spécifique. C'est une espèce trapue assez active à tous les niveaux de l'aquarium et suffisamment intéressante pour mériter son propre aquarium. De plus, ce poisson ne pourra pas blesser d'éventuels compagnons moins robustes avec son bec aiguisé.

Enfin, le comportement et le régime alimentaire spécifique du poisson-archer sont si ancrés qu'il sera facile de lui faire cracher de l'eau pour capturer des insectes et des morceaux de nourriture si ce poisson est élevé dans un environnement propice. La reconstitution d'une mangrove se fera idéalement dans le coin d'une pièce : faites pendre, au-dessus d'une eau peu profonde, de grandes quantités de branches et de feuilles. Il est ainsi possible d'amener des poissons-archer à cracher pour chasser leurs proies dans votre salon. C'est un spectacle assez saisissant.

Poisson-bourdon

petit • étonnant • coloré • timide

NOM SCIENTIFIQUE : *Hypogymnogobius xanthozona* • FAMILLE : Gobiidés • ORIGINE : Indonésie
HABITAT NATUREL : Cours d'eau sablonneux à eau douce et saumâtre • TAILLE MOYENNE ADULTE : 4 cm
COULEURS : Corps jaune strié de quatre larges bandes noires • DIMORPHISME SEXUEL : Les mâles sont plus
colorés • MODE DE REPRODUCTION : Ovipare ; ponte sur substrat • POTENTIEL DE REPRODUCTION : Moyen
ZONE DE VIE : Fond • ALIMENTATION : Petits aliments vivants ou surgelés • VÉGÉTATION : Oui
BESOINS SPÉCIFIQUES : Cachettes • DIFFICULTÉ : Moyenne

L'aquarium

TAILLE MINIMUM : 30 cm
TEMPÉRATURE : 24-28 °C
PH : 7,5-8,2
DURETÉ DE L'EAU : Dure et alcaline
COMPATIBILITÉ AVEC D'AUTRES POISSONS :
Moyenne

Les poissons-bourdons sont des petits spécimens très appréciés mais pas par tous les aquariophiles. Premièrement, ce sont des poissons d'eau saumâtre, ce qui veut dire qu'ils apprécient une eau légèrement salée. Deuxièmement, leur très petite taille les rend peu adaptés à un grand aquarium rempli de compagnons turbulents.

Ces poissons seront plus à l'aise dans un petit bac avec une filtration biologique. Le décor doit consister en un lit de sable garni de racines de bois et de galets afin de former des

cachettes. Les plantes résistantes au sel, comme la fougère de Java (*Microsorium pteropus*) ou des plantes artificielles peuvent être ajoutées. Des pousses de bambous coupées peuvent également être très jolies.

S'ils sont bien installés et en bonne santé, il est possible qu'ils pondent. Le mâle défendra alors l'entrée de la cachette où se trouve sa progéniture.

Un petit aquarium vous permettra d'observer ce poisson à la coloration si particulière. Leur nageoire pelvienne leur permet de se coller sur la surface des feuilles ou même sur la vitre de l'aquarium.

Sauteur de boue

étrange • amphibie • glouton • turbulent

NOM SCIENTIFIQUE : *Periophthalmus vulgaris* • FAMILLE : Gobiidés • ORIGINE : Afrique de l'Est, Madagascar et Océan Indien • HABITAT NATUREL : Lit de boue et de sable sujet aux marées • TAILLE MOYENNE ADULTE : 25 cm
COULEURS : Marron et gris avec un peu de couleur sur les nageoires dorsales • DIMORPHISME SEXUEL : Inconnu
MODE DE REPRODUCTION : Inconnu en captivité • POTENTIEL DE REPRODUCTION : Faible • ZONE DE VIE : Fond
ALIMENTATION : Poissons, aliments surgelés, crustacés • VÉGÉTATION : Non • BESOINS SPÉCIFIQUES : Bande
terrestre ; eau saumâtre • DIFFICULTÉ : Moyenne

L'aquarium

TAILLE MINIMUM : 1,2 m
TEMPÉRATURE : 26-30 °C
PH : 7,5-8,2
DURETÉ DE L'EAU : Dure et alcaline
COMPATIBILITÉ AVEC D'AUTRES POISSONS : Faible

Les sauteurs de boue sont complètement différents des autres poissons car ils s'aventurent hors de l'eau pour sauter sur la terre ferme. Ils survivent en étant capables de respirer l'air atmosphérique, tout en retournant de temps en temps à l'eau afin d'humidifier leur peau. Ils ont évolué ainsi afin de pouvoir se nourrir sur la terre lorsque l'eau se retire. À marée basse, les langues de terre sont envahies de sauteurs de boue qui marquent leur territoire et paradent tout en se nourrissant. Leurs yeux surélevés leur permettent de repérer tout danger et si la moindre menace approche, ils courent se réfugier dans l'eau.

Leur aquarium doit être principalement composé de sable. L'eau doit être chauffée et filtrée et un peu de sel

doit y être ajouté.

Ces poissons sont des prédateurs et tenteront de manger tout ce qui se trouvera dans leur aquarium, si bien qu'il est préférable de n'élever qu'un groupe d'adultes seuls. Il est facile de les nourrir et ce sont des poissons très amusants à regarder lorsqu'ils sautillent en projetant du sable sur la vitre de l'aquarium. L'eau et le sable doivent être changés régulièrement, pour ne pas devenir de vrais nids à microbes. Les sauteurs de boue sont d'une résistance étonnante au sel et supportent autant l'eau douce que

l'eau de mer. Cependant, une eau saumâtre, avec une salinité de 10-15 grammes de sel par litre d'eau, suffira.

Poisson-lune argenté

vit en banc • métallique • actif • gros

NOM SCIENTIFIQUE : *Monodactylus argenteus* • FAMILLE : Monodactylidés • ORIGINE : Côtes de l'océan Indien et du Pacifique ouest • HABITAT NATUREL : Mangroves et estuaires • TAILLE MOYENNE ADULTE : 25 cm • COULEURS : corps argenté avec nageoires dorsale, anale et caudale jaunes • DIMORPHISME SEXUEL : Aucun • MODE DE REPRODUCTION : Ovipare ; ponte de pleine eau • POTENTIEL DE REPRODUCTION : Faible • ZONE DE VIE : Milieu ALIMENTATION : Aliments vivants et surgelés • VÉGÉTATION : Non • BESOINS SPÉCIFIQUES : Banc ; eau saumâtre DIFFICULTÉ : Moyenne

Les poissons d'eau saumâtre

Aquarium needs

TAILLE MINIMUM : 1,5 m

TEMPÉRATURE : 22-28 °C

PH : 7,5-8,2

DURETÉ DE L'EAU : Dure et alcaline

COMPATIBILITÉ AVEC D'AUTRES POISSONS : Moyenne

Les poissons-lunes argentés sont souvent confondus avec les scalaires à cause de leur corps large et rayé. Ils sont cependant très différents car ils peuplent les eaux marines et estuariennes, qui sont dures et alcalines et non douces et acides. Un banc de poissons-lunes est d'un effet saisissant et ils sont souvent placés dans les aquariums publics afin de créer vie et mouvement dans les eaux intermédiaires.

Ils devront être élevés en eau saumâtre ou salée si vous voulez les garder longtemps. L'aquarium doit être assez large pour accueillir un banc et lui offrir suffisamment de place pour nager. Le décor peut varier, de la reconstitution d'une mangrove à un simple biotope rocheux. Ce poisson ne sera pas difficile, quel que soit votre choix, du moment qu'il a une eau d'excellente qualité, la possibilité de nager et une nourriture surgelée ou vivante régulière (des krills, par exemple). Des aliments secs, comme des paillettes, seront bons pour leur santé, si vous parvenez à leur en faire manger.

Ils sont compatibles avec de nombreuses espèces de poissons mais pas avec des spécimens trop petits ou trop gros.

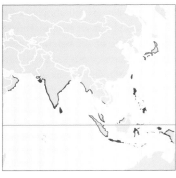

Scatophage

corps trapu • grégaire • actif • omnivore

NOM SCIENTIFIQUE : *Scatophagus argus argus* • FAMILLE : Scatophagidés • ORIGINE : Côtes de l'océan Indien et du Pacifique ouest • HABITAT NATUREL : Estuaires, lagons et ports, partout où l'eau est saumâtre • TAILLE MOYENNE ADULTE : 30 cm • COULEURS : Corps bronze avec de larges points noirs • DIMORPHISME SEXUEL : Inconnu • MODE DE REPRODUCTION : Inconnu • POTENTIEL DE REPRODUCTION : Faible • ZONE DE VIE : Milieu ALIMENTATION : Paillettes, aliments surgelés et vivants • VÉGÉTATION : Non • BESOINS SPÉCIFIQUES : Grand aquarium ; eau de bonne qualité • DIFFICULTÉ : Moyenne

L'aquarium

TAILLE MINIMUM : 1,5 m
TEMPÉRATURE : 20-28 °C
PH : 7,5-8,2
DURETÉ DE L'EAU : Dure et alcaline
COMPATIBILITÉ AVEC D'AUTRES POISSONS : Moyenne

Les scatophages sont d'apparence vraiment particulière et peuvent séduire certains aquariophiles. Ils sont, avec les poissons-lunes et les poissons-archers, des représentants typiques des espèces d'eau saumâtre ; les trois cohabitent souvent pour reproduire un biotope saumâtre.

Les jeunes scatophages sont très attractifs et les adultes, bien que moins intéressants, sont néanmoins des poissons très impressionnants. Vous aurez besoin d'un grand aquarium doté d'un filtre adéquat afin d'assurer une filtration puissante et régulière. Le décor peut être minimaliste et toute plante vivante sera dévorée.

Ce sont des poissons très grégaires. Il ne faut jamais les nourrir en trop grande quantité, car ce sont des glou-

tons et cela vous demandera un effort particulier de les maintenir à un poids de forme. Nourrissez-les plusieurs fois par jour et en petite quantité.

Ils nécessitent une eau saumâtre et peuvent être acclimatés à une eau salée. Dans ce dernier cas, un aquarium récifal ne conviendra pas et il faudra les élever dans un bac réservé aux poissons. À ce jour, on ne connaît aucun cas de reproduction en aquarium.

Tetraodon nigroviridis

Adorable • coloré • actif • original

NOM SCIENTIFIQUE : *Tetraodon nigroviridis* • FAMILLE : Tetraodontidés • ORIGINE : Bornéo, Sumatra • HABITAT NATUREL : Cours d'eau peu profonds • TAILLE MOYENNE ADULTE : 15 cm • COULEURS : Dos jaune couvert de points noirs et ventre blanc • DIMORPHISME SEXUEL : Inconnu • MODE DE REPRODUCTION : Ovipare ; ponte sur substrat • POTENTIEL DE REPRODUCTION : Faible • ZONE DE VIE : Milieu • ALIMENTATION : Mollusques, crustacés • VÉGÉTATION : Non • BESOINS SPÉCIFIQUES : Aliments carnés • DIFFICULTÉ : Moyenne

L'aquarium

TAILLE MINIMUM : 1,2 m
TEMPÉRATURE : 24-28 °C
PH : 7,5-8,2
DURETÉ DE L'EAU : Dure et alcaline
COMPATIBILITÉ AVEC D'AUTRES POISSONS : Faible

Les tétraodons sont principalement des espèces marines et les espèces qui tolèrent les eaux saumâtres ou douces sont très recherchées. Le tetraodon nigroviridis est en effet très différent, avec son corps en forme d'œuf, et ses gros yeux mobiles.

Leur apparence attractive cache une bouche bien adaptée, dotée d'un bec acéré qui peut percer des coquilles d'escargots et de crustacés. Ce poisson bien équipé peut provoquer la panique dans un environnement non adapté.

L'aquarium doit contenir un décor robuste, comme des rochers et des racines de bois, et le lit doit être recouvert de sable fin. La filtration doit être mature et adéquate pour

évacuer la grande quantité de déchets que provoque l'alimentation carnée de ce poisson. L'eau doit contenir du sel.

Les poissons fragiles seront sans cesse mordus et harcelés et nous vous conseillons d'élever les tétraodons entre eux ou de les faire cohabiter avec d'autres spécimens robustes d'eau saumâtre, comme les poissons-lunes ou les scatophages. Laissez les coquilles des moules et des coques afin de permettre aux poissons de limer leur bec. Il existe quelques rares cas de reproduction en aquarium.

Les poissons d'eau saumâtre

Poisson-archer

Nageur de surface • prédateur • sauteur • intéressant

NOM SCIENTIFIQUE : *Toxotes jaculatrix* • FAMILLE : Toxotidés • ORIGINE : Inde, Malaisie, Birmanie (Myanmar), Thaïlande, Philippines • HABITAT NATUREL : Mangroves et lagons à végétation surplombante • TAILLE MOYENNE ADULTE : 25 cm • COULEURS : Argenté avec de larges taches noires sur les flancs et une nageoire anale bordée de noir • DIMORPHISME SEXUEL : Inconnu • MODE DE REPRODUCTION : Inconnu • POTENTIEL DE REPRODUCTION : Faible • ZONE DE VIE : Haut • ALIMENTATION : Insectes, aliments surgelés, poissons • VÉGÉTATION : Oui • BESOINS SPÉCIFIQUES : Régime alimentaire adapté ; eau saumâtre ; couvercle • DIFFICULTÉ : Moyenne

L'aquarium

TAILLE MINIMUM : 1,5 m
TEMPÉRATURE : 24-30 °C
PH : 7,5-8,2
DURETÉ DE L'EAU : Dure et alcaline
COMPATIBILITÉ AVEC D'AUTRES POISSONS : Moyenne

Les poissons-archers sont souvent évoqués dans les documentaires animaliers à cause de leur habitude de chasse. En effet, ces poissons crachent un jet d'eau pour atteindre leurs proies situées hors de l'eau, dans la végétation surplombante. Ce sont de très bons viseurs et ils sont capables d'atteindre une proie à plus d'un mètre de distance et de prendre en compte la réfraction de la surface de l'eau. Si la proie est suffisamment proche, ils peuvent aussi sauter hors de l'eau pour la capturer.

L'aquarium idéal doit être à moitié rempli d'eau, avec beaucoup de végétation suspendue afin que le poisson puisse faire état de ses talents. L'eau doit être saumâtre et bien filtrée. Le décor sous la surface de l'eau peut se résumer à des racines de bois ou à de fausses racines de palétuviers.

Élevez ces poissons en groupe d'individus de taille similaire, afin d'éviter toute agressivité. Ils peuvent cohabiter avec d'autres gros poissons d'eau saumâtre, comme les poissons-lunes ou les scatophages. Il est important, cependant, d'éviter les petits gobies et les mollies qui seront dévorés.

Vous pouvez leur proposer des nourritures très variées, mais ils apprécient par-dessus tout les insectes. Ils mangent également des morceaux de poissons et de crustacés.

Les poissons d'eau de mer

Les poissons des mers tropicales sont les plus colorés et les plus variés de tous et c'est une chance de pouvoir en élever en aquarium pour les observer à loisir. Les aquariophiles qui sont habitués aux poissons d'eau douce ne manqueront pas de remarquer que les poissons d'eau de mer se situent un niveau au-dessus en terme de budget et de connaissances nécessaires pour leur élevage. Pour les débutants, ces poissons seront un véritable défi et il leur sera nécessaire d'entreprendre de nombreuses recherches avant le premier achat.

Ce que vous devez savoir

Les poissons d'eau de mer sont plus difficiles à élever que les poissons d'eau douce, car ils se sont adaptés à un environnement marin stable, à un degré tel qu'ils peuvent rapidement mourir si ces conditions particulières ne sont pas respectées. La plupart des poissons d'eau de mer sont attrapés dans leur environnement naturel et le voyage jusqu'à votre aquarium représente déjà une source de stress. Leur assurer des conditions de vie optimales, ainsi qu'une attention quotidienne et durable pourra vous sembler par moment une responsabilité écrasante.

Heureusement, la technologie s'est améliorée et il existe aujourd'hui de nombreux aquariophiles expérimentés qui élèvent des poissons d'eau de mer depuis des décennies. Si la variété des espèces sauvages est nettement contrôlée et que leur capture n'a qu'un impact minime sur l'environnement, de plus en plus d'espèces sont élevées et se reproduisent en captivité.

Les espèces recommandées

Le poisson le plus recommandé est de toute évidence le poisson-clown à trois bandes (*Amphiprion ocellaris*, p. 238), qui connaît un grand succès en terme d'adaptabilité, de sociabilité, de couleur et de taille. Il peut être élevé dans un aquarium de taille assez réduite.

La demoiselle verte (*Chromis viridis*, p. 239) connaît presque le même succès que le poisson clown. C'est un petit poisson ni agressif ni territorial qui peut être élevé en communauté dans un aquarium encore plus petit, sans aucun danger pour le corail ou les autres invertébrés.

Le chirurgien jaune (*Zebrasoma flavescens*, p. 207) et le poisson-ange à deux épines (*Centropyge bispinosa*, p. 235) sont plus difficiles à élever, mais apportent vie et couleurs à un aquarium. Ils aiment brouter les algues sur les rochers.

Attractif et adaptable, le poisson-clown est le poisson d'eau de mer idéal pour les débutants.

Le bon environnement

Les idoles mauresques sont incroyablement difficiles à conserver en vie en captivité .

L'environnement des récifs coralliens est stable et ces poissons ont des besoins spécifiques précis. La température recommandée pour les poissons tropicaux est de 25 °C ; elle peut être obtenue à l'aide d'un chauffage à thermostat. Cette information est valable pour toutes les espèces, si bien qu'elle n'a pas été reprécisée dans chaque fiche individuelle. De même, le pH de l'eau, sa dureté et son alcalinité doivent toujours être constants. Dans tous les cas, le pH ne devra jamais tomber en dessous de 8,2. Des valeurs de pH plus élevées sont appréciées des coraux et peuvent être obtenues en ajoutant certains compléments à l'eau, tandis qu'un pH de 8,2 peut être obtenu rien qu'en ajoutant du sel à de l'eau douce.

Dimorphisme sexuel

Le dimorphisme sexuel semble être minime dans la vaste majorité des espèces de poissons d'eau de mer. Pour cette raison, les informations concernant le dimorphisme sexuel n'ont pas été développées dans les profils de la plupart des espèces de poissons d'eau de mer abordés dans ce livre.

La reproduction

Les informations sur la reproduction des espèces marines ont été omises pour la simple raison que les données sur les comportements de reproduction de la majorité des espèces sont très incomplètes.

Cas particuliers

Certaines espèces dont le régime alimentaire est très particulier, comme l'idole mauresque (*Zanclus cornutus*, p. 253), les hippocampes (*Hippocampus reidi*, p. 252), le chétodon à collier (*Chaetodon collare*, p. 215) et le labre nettoyeur (*Labroides dimidiatus*, p. 227) auront des difficultés à survivre en aquarium.

Chirurgien à poitrine blanche

coloré • actif • territorial • agressif

NOM SCIENTIFIQUE : *Acanthurus leucosternon* • FAMILLE : Acanthuridés • ORIGINE : Océan Indien • HABITAT NATUREL : Eaux ensoleillées à fort courant sur étendues rocheuses • TAILLE MOYENNE ADULTE : **20 cm** • COULEURS : **Corps bleu vif avec une nageoire dorsale jaune** • ZONE DE VIE : **Milieu** • ALIMENTATION : **Aliments surgelés et secs** • CORAIL : **Oui** COHABITATION AVEC DES INVERTÉBRÉS : **Oui** • BESOINS SPÉCIFIQUES : **Grand aquarium** • DIFFICULTÉ : **Élevée**

L'aquarium

TAILLE MINIMUM : **1,2 m**

COMPATIBILITÉ AVEC D'AUTRES POISSONS : Moyenne

Les chirurgiens à poitrine blanche ont un comportement plus territorial que la plupart des autres chirurgiens, avec lesquels ils ne peuvent cohabiter que dans un grand bac.

Ce sont des brouteurs d'algues efficaces et ils ont besoin de se nourrir souvent afin de maintenir leur poids. Un éclairage vif est préférable, car il favorisera la croissance d'algues sur les rochers et simulera aussi leur environnement naturel. Ils ne représentent aucun danger pour le corail, quels que soient la variété et le biotope. Les aquariums récifaux sont préférables, car ils permettent aux poissons de brouter.

La coloration des chirurgiens est variable, mais plus le bleu est vif, meilleure est leur santé. Il existe également des compléments alimentaires permettant de maintenir leur coloration bleue.

Cette espèce est assez sujette aux points blancs et il est nécessaire de respecter une période de quarantaine avant de les intégrer à l'aquarium. Un stérilisateur à ultraviolets peut également être utile.

Élevez ces poissons dans le plus grand bac possible, afin de réduire leur agressivité.

Nasique à éperons orange

gros • majestueux • territorial • onéreux

NOM SCIENTIFIQUE : *Naso lituratus* • FAMILLE : Acanthuridés • AUTRES NOMS : Poisson à tête de vache • ORIGINE : Indopacifique • HABITAT NATUREL : Récifs coralliens • TAILLE MOYENNE ADULTE : 45 cm • COULEURS : Gris avec des marques faciales élaborées et un front jaune • ZONE DE VIE : Milieu • ALIMENTATION : Aliments surgelés, algues CORAIL : Oui • COHABITATION AVEC DES INVERTÉBRÉS : Oui • BESOINS SPÉCIFIQUES : Grand aquarium • DIFFICULTÉ : Moyenne

L'aquarium

TAILLE MINIMUM : 1,5 m

COMPATIBILITÉ AVEC D'AUTRES POISSONS : Élevée

Le nasique est un gros poisson qui nécessite un aquarium d'une contenance d'au moins 500 litres.

Bien que gris de corps, c'est un poisson majestueux et élégant. Les motifs de sa tête donnent l'impression qu'il a été maquillé ; sa queue en forme de lyre est magnifique. Très cher, il est l'un des plus beaux atouts d'un aquarium récifal.

Il cohabite sans difficulté avec des poissons plus petits et supporte également bien les autres poissons de la même famille, comme le chirurgien jaune (*Zebrasoma flavenscens*, p. 207), dans un grand aquarium. Il ne supporte cependant pas ses semblables et nous vous conseillons de n'élever qu'un seul nasique par bac.

Il est peu sujet à la maladie des points blancs, même si un stérilisateur à ultraviolets peut être une sage précaution. La qualité de l'eau doit être excellente et l'aquarium doit contenir de nombreuses roches vivantes afin d'améliorer la filtration biologique et de lui fournir des espaces pour brouter. Nourrissez-le souvent et en petite quantité avec une grande variété d'aliments, comme des crevettes, des daphnies, des krills et aussi des aliments végétariens, comme des algues de mer et des macroalgues.

Les poissons d'eau de mer

Chirurgien bleu

coloré • vif • actif • vit en banc

NOM SCIENTIFIQUE : *Paracanthurus hepatus* • FAMILLE : Acanthuridés • ORIGINE : Indopacifique • HABITAT NATUREL : Barrière de corail sur eaux ouvertes avec des étendues de roches à nu • TAILLE MOYENNE ADULTE : 20 cm • COULEURS : Bleu vif avec des motifs noirs le long du dos et une queue jaune • ZONE DE VIE : Milieu ALIMENTATION : Paillettes, aliments surgelés, algues • CORAIL : Oui • COHABITATION AVEC DES INVERTÉBRÉS : Oui BESOINS SPÉCIFIQUES : Régime alguivore • DIFFICULTÉ : Moyenne

L'aquarium

TAILLE MINIMUM : 1,2 m

COMPATIBILITÉ AVEC D'AUTRES POISSONS : Moyenne

Les chirurgiens bleus ont plusieurs tailles ; les petits spécimens peuvent être élevés en communauté afin de former un banc, ce qui sera moins facile avec les plus gros.

Ce ne sont pas des brouteurs aussi efficaces que certaines autres espèces de chirurgiens et ils passent la majeure partie de leur temps à nager dans l'aquarium. Ils préfèrent les aquariums récifaux aux simples bacs peuplés seulement de poissons, à cause des rochers qui leur apportent une alimentation régulière sous forme de plancton et d'algues. La

qualité de l'eau doit être excellente.

Ils peuvent cohabiter sans problème avec des spécimens plus petits, mais ne doivent être mélangés avec d'autres chirurgiens que dans de très grands aquariums. De même, un aquarium destiné à contenir un banc de chirurgiens bleus doit contenir au moins 500 litres d'eau.

Ces poissons sont facilement sujets aux points blancs et il est impératif de respecter une période de quarantaine avant de les intégrer à l'aquarium principal. Un stérilisateur à ultraviolets peut être un bon moyen de prévenir ce problème récurrent.

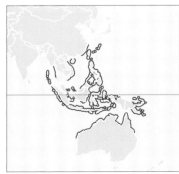

Chirurgien jaune

Coloré • alguivore • actif • vit en banc

NOM SCIENTIFIQUE : *Zebrasoma flavescens* • FAMILLE : Acanthuridés • ORIGINE : Pacifique sud-ouest • HABITAT NATUREL : Zones de fort courant avec fond rocheux • TAILLE MOYENNE ADULTE : 15 cm • COULEURS : Jaune vif avec un scalpel de chaque côté de la queue • ZONE DE VIE : Milieu • ALIMENTATION : Paillettes, aliments surgelés, algues marines • CORAIL : Oui • COHABITATION AVEC DES INVERTÉBRÉS : Oui • BESOINS SPÉCIFIQUES : Roche pour brouter • DIFFICULTÉ : Moyenne

L'aquarium

TAILLE MINIMUM : 1,2 m

COMPATIBILITÉ AVEC D'AUTRES POISSONS : Moyenne

Les chirurgiens jaunes se nourrissent essentiellement d'algues qu'ils broutent sur les rochers grâce à leur bouche adaptée. Jusqu'à récemment, ils n'étaient élevés que seuls en compagnie d'autres espèces, mais un banc de spécimens de taille similaire peut être intégré à un aquarium. L'effet est d'ailleurs saisissant. Le bac doit avoir une capacité d'au moins 500 litres d'eau et peut contenir un écumeur de protéines afin de prévenir l'accumulation de déchets.

Ces poissons passent leur temps à brouter sur les rochers et la roche vivante est idéale car elle produit du plancton et des micro-algues. Si votre bac ne contient pas de roche vivante, apportez-leur quotidiennement un supplément d'algues du commerce.

Les adultes peuvent se comporter de façon très territoriale dans l'aquarium et devenir agressifs envers les nouveaux venus, particulièrement les autres chirurgiens et les poissons-anges. Ce comportement agressif ne dure en général que quelques jours.

Ces poissons sont souvent sujets aux points blancs, mais pas autant que les chirurgiens bleus ou à poitrine blanche. Un stérilisateur à ultraviolets peut être une sage précaution.

Les poissons d'eau de mer

Poisson-pêcheur

étrange • camouflage • prédateur • intéressant

NOM SCIENTIFIQUE : *Antennarius* spp. • FAMILLE : Antennariidés • AUTRES NOMS : Poisson-crapaud, antennaire

ORIGINE : Indopacifique • HABITAT NATUREL : Récifs de corail, près d'éponges pour le camouflage • TAILLE

MOYENNE ADULTE : 30 cm • COULEURS : Jaune vert et autre couleurs changeantes • ZONE DE VIE : Fond

CORAIL : Oui • COHABITATION AVEC DES INVERTÉBRÉS : Non • BESOINS SPÉCIFIQUES : Perchoirs • DIFFICULTÉ :

Moyenne

L'aquarium

TAILLE MINIMUM : 90 cm

COMPATIBILITÉ AVEC D'AUTRES POISSONS :
Moyenne

Les poissons-pêcheurs sont également connus sous le nom d'antennaires, car ils possèdent une antenne unique sur le sommet de leur tête qu'ils agitent pour attirer les poissons, afin de les engloutir dans leur bouche immense.

Regarder ces poissons « pêcher » leurs proies est un spectacle fascinant. Tout d'abord, ce sont des experts en camouflage et il leur suffit de quelques jours pour s'adapter et imiter les couleurs de leur environnement. Ensuite, ils ne se déplacent pas en nageant mais en marchant sur le fond du bac à l'aide de leurs nageoires pectorales spécialement adaptées à cet effet. Enfin, ils exposent un leurre et l'agitent

avec une maîtrise qui ferait pâlir d'envie nombre de pêcheurs à la ligne.

Malheureusement, vous ne pourrez pas souvent assister à un tel spectacle en captivité, car le poisson-pêcheur doit être nourri de poissons morts, et cela pour des raisons éthiques. Ce sont en effet des prédateurs féroces et ils dévorent tout compagnon d'aquarium un peu plus petit qu'eux. Ils peuvent aussi s'entre-dévorer.

Le bac peut être simple, garni de roches vivantes, d'un perchoir et d'un écumeur de protéines pour la filtration. Il est possible de réserver le bac aux poissons-pêcheurs exclusivement.

Apogon de Kaudern

attractif • élégant • vit en banc • récif corallien

NOM SCIENTIFIQUE : *Pterapogon kauderni* • FAMILLE : Apogonidés • AUTRES NOMS : Poisson-cardinal, apogon de Bangaï • ORIGINE : Indonésie • HABITAT NATUREL : Récifs coralliens, entre les épines des oursins Diadema • TAILLE MOYENNE ADULTE : 8 cm • COULEURS : Corps brun ou blanc avec des traits noirs verticaux se prolongeant sur les nageoires dorsale, anale et pelvienne ; points blancs sur les flancs et les nageoires • ZONE DE VIE : Milieu ALIMENTATION : Aliments surgelés • CORAIL : Oui • COHABITATION AVEC DES INVERTÉBRÉS : Oui • BESOINS SPÉCIFIQUES : Vie en communauté • DIFFICULTÉ : Moyenne

L'aquarium

TAILLE MINIMUM : 90 cm

COMPATIBILITÉ AVEC D'AUTRES POISSONS : Moyenne

L'apogon de Kaudern est un poisson d'eau de mer étonnant. Il est noir avec des taches d'un blanc presque fluorescent en lumière forte. Malgré ses grands yeux et sa large bouche, ce n'est pas un prédateur : sa bouche lui sert à protéger ses alevins.

Les alevins de la plupart des poissons d'eau de mer connaissent une phase pélagique (en haute mer), ce qui signifie qu'ils flottent dans l'océan comme du plancton et qu'ils sont donc difficiles à élever en captivité. L'apogon de Kaudern, plus gros, offre de bonnes chances de reproduction en aquarium. Attention cependant, cette espèce est menacée dans son environnement naturel à cause d'une trop grande exploitation pour l'aquariophilie !

Ces poissons doivent être élevés en groupe afin de pouvoir former des couples. Si vous ne regroupez que deux individus dans un bac, ces derniers risquent de se battre jusqu'à la mort. Ce sont des poissons pacifiques envers les autres espèces et ils acceptent facilement la plupart des aliments marins surgelés.

Les apogons attrapés à l'état sauvage, s'il en reste, devront subir une période de quarantaine car ils sont souvent porteurs de parasites.

Baliste-picasso

original • robuste • actif • prédateur

NOM SCIENTIFIQUE : *Rhinecanthus aculeatus* • FAMILLE : Balistidés • ORIGINE : Indopacifique • HABITAT NATUREL : Récifs coralliens • TAILLE MOYENNE ADULTE : 25 cm • COULEURS : Motif intriqué de rayures blanches, brunes et jaunes sur un corps blanc avec des bandes bleues entre les yeux • ZONE DE VIE : Milieu • ALIMENTATION : Coques, moules, blanchaille, crevettes • CORAIL : Non • COHABITATION AVEC DES INVERTÉBRÉS : Non • BESOINS SPÉCIFIQUES : Grand aquarium ; compagnons robustes • DIFFICULTÉ : Moyenne

Les poissons d'eau de mer

L'aquarium

TAILLE MINIMUM : 1,5 m

COMPATIBILITÉ AVEC D'AUTRES POISSONS : Moyenne

Les baliste-picasso ont une apparence assez particulière avec leur museau allongé, leur bouche minuscule et leurs yeux très en arrière sur le front. Leur façon de nager est également étrange, car ils se déplacent à l'aide de leurs nageoires dorsale et anale. Ils doivent leur nom à des épines érectiles situées sur le haut de leur corps, véritables armes qui peuvent être dressées si un prédateur tente de les dévorer ou s'ils sentent un danger.

Cependant, le baliste-picasso n'est pas un poisson turbulent et il fait partie d'une des espèces les plus attractives. Il ne doit pas vivre dans un bac corallien et il peut dévorer des invertébrés

comme les crabes ou les crevettes qui font d'ailleurs partie de son régime habituel. Sa petite bouche cache de puissantes mâchoires et des dents acérées : nous vous conseillons de le nourrir avec des pinces et de le surveiller lorsque vous nettoyez le bac.

Les petits balistes auront rapidement besoin d'un grand aquarium réservé aux poissons. Ils peuvent cohabiter avec d'autres spécimens, comme les poissons-archers, les mérous, les rascasses ou de gros poissons-anges. Ce sont des poissons intelligents qui font de bons compagnons. De plus, leur prix est raisonnable.

Salarias rayé

comique • camouflage • attachant • alguivore

NOM SCIENTIFIQUE : *Salarias fasciatus* • FAMILLE : Blennidés • ORIGINE : Indopacifique • HABITAT NATUREL : Zones rocheuses autours des récifs coralliens • TAILLE MOYENNE ADULTE : 13 cm • COULEURS : Changeantes selon l'humeur et l'environnement ; gris et blanc ou vert avec des points verts fluorescents sur la tête • ZONE DE VIE : Milieu • ALIMENTATION : Algues, paillettes et aliments surgelés • CORAIL : Oui • COHABITATION AVEC DES INVERTÉBRÉS : Oui • BESOINS SPÉCIFIQUES : Zones pour brouter • DIFFICULTÉ : Moyenne

L'aquarium

TAILLE MINIMUM : 1,2 m

COMPATIBILITÉ AVEC D'AUTRES POISSONS : Moyenne

Les salarias rayés sont passés maîtres dans l'art du camouflage et ils ont également une personnalité très attachante. Leurs yeux placés sur le sommet de la tête, leur large bouche et leurs antennes plumeuses leur donnent une apparence vraiment comique.

Ce poisson est, en général, acheté pour son efficacité à manger des algues mais les propriétaires finissent tôt ou tard par tomber amoureux de ce spécimen très attachant. C'est un poisson assez timide, qui change rapidement de couleur pour se fondre dans son environnement. De façon assez extraordinaire, le salarias se rend compte que vous le regardez, même de loin. Il interrompt alors toute activité et ne les reprendra que lorsque vous cessez de le regarder directement.

Avant d'en acheter un, assurez-vous d'avoir assez d'algues et de roche vivante pour qu'il puisse brouter. Ces poissons souffrent facilement de la faim dans un aquarium trop propre ou contenant le mauvais type d'algues. Ils ne toucheront pas aux algues gluantes qui poussent dans tous les nouveaux aquariums et qui empêchent toute autre algue de croître. Si votre bac ne contient pas assez d'algues filamenteuses, vous devez compléter l'alimentation de votre poisson par des paillettes à base d'algues.

Poisson-mandarin

coloré • mignon • vit au fond • populaire

NOM SCIENTIFIQUE : *Synchiropus splendidus* • FAMILLE : Callionymidés • ORIGINE : Pacifique sud-ouest • HABITAT NATUREL : Zones paisibles de récifs, comme les lagons • TAILLE MOYENNE ADULTE : 8 cm • COULEURS : Motif cachemire à plusieurs couleurs, comme le vert bleu et l'orange ; œil rouge et joues dorées • ZONE DE VIE : Fond ALIMENTATION : Aliments surgelés et vivants • CORAIL : Oui • COHABITATION AVEC DES INVERTÉBRÉS : Oui • BESOINS SPÉCIFIQUES : Roche vivante ; aquarium mature • DIFFICULTÉ : Élevée

L'aquarium

TAILLE MINIMUM : 90 cm

COMPATIBILITÉ AVEC D'AUTRES POISSONS : Moyenne

Les poissons-mandarins sont très recherchés en raison de leur coloration à motifs intriqués et de leur comportement intéressant. Ils ne doivent pas intégrer un aquarium de moins de six mois car ils se nourrissent de minuscules crevettes qui n'apparaissent sur la roche vivante d'un aquarium récifal qu'au bout d'un certain temps. En revanche, un aquarium mature qui grouille de petits insectes sera un lieu de vie idéal. Évitez d'acheter un spécimen trop mince en magasin, car il souffre déjà certainement de la faim.

Les poissons-mandarins n'apprécient guère un courant trop fort ; ils préféreront un bac qui reproduit l'environnement d'un lagon, avec beaucoup de macro-algues et un lit de sable mature. Ils auront toujours besoin de brouter les rochers pour compléter leur alimentation. Un filtre avec refuge peut être très utile, car celui-ci offre un lieu de reproduction pour des minuscules crustacés qui sont ensuite aspirés dans la pompe jusque dans l'aquarium et ainsi dispersés pour être mangés.

Les mâles ont une nageoire dorsale plus longue que celle des femelles. Ce sont des poissons qui tolèrent très mal leurs semblables. Faites-les cohabiter avec des poissons paisibles.

Chelmon à long bec

coloré • attachant • original • sensible

NOM SCIENTIFIQUE : *Forcipiger flavissimus* • FAMILLE : Chaetodontidés • ORIGINE : Indopacifique • HABITAT NATUREL : Récifs coralliens intriqués avec des minuscules cavités abritant de la nourriture • TAILLE MOYENNE ADULTE : 15 cm • COULEURS : Corps, nageoires anale et dorsale jaune vif avec un museau blanc et un front noir ; cercle noir sur la nageoire anale • ZONE DE VIE : Milieu • ALIMENTATION : Aliments surgelés • CORAIL : Oui • COHABITATION AVEC DES INVERTÉBRÉS : Non • BESOINS SPÉCIFIQUES : Régime adapté • DIFFICULTÉ : Élevée

L'aquarium

TAILLE MINIMUM : 1,2 m

COMPATIBILITÉ AVEC D'AUTRES POISSONS : Moyenne

Le chelmon à long bec est difficile à nourrir et à garder en bonne santé sur le long terme. Proposez-lui souvent des daphnies, des mysis et des krills, ainsi que des moules ou des coques hachées. Avant d'en acheter un spécimen, assurez-vous qu'il se nourrisse déjà bien dans le magasin.

Ce poisson nécessite un large bac avec une eau d'excellente qualité et une quantité importante de roche vivante qui lui procurera à la fois des refuges et des zones pour brouter. Les minuscules invertébrés qui prolifèrent sur la roche vivante font partie du régime de ce poisson qui, grâce à la forme particulière de sa bouche, peut fouiller les crevasses de la roche à la recherche de nourriture. Il peut parfois grignoter un peu le corail, mais ne fait jamais de dégât. En revanche, il s'attaquera aux sabelles magnifiques (*Sabellastarte magnifica*), qu'il vaut mieux éviter de placer dans le bac.

Il existe une autre variété de chelmon à long bec qui présente des couleurs et un corps presque identiques. Le *Forcipiger longirostris* est souvent confondu avec le *Forcipiger flavissimus,* mais sa bouche est plus petite. Les deux espèces doivent être élevées seules, sauf si vous avez acheté un couple ; il vaut mieux ne pas intégrer d'autre poisson papillon.

Les poissons d'eau de mer

Cocher

corps large • étonnant • actif • vit en banc

NOM SCIENTIFIQUE : *Heniochius acuminatus* • FAMILLE : Chaetodontidés • AUTRES NOMS : Papillon de corail, poisson-cocher solitaire, hénioche commun • ORIGINE : Indopacifique • HABITAT NATUREL : Récifs coralliens
TAILLE MOYENNE ADULTE : 20 cm • COULEURS : Larges rayures noir et blanc sur le corps avec une très longue nageoire dorsale blanche • ZONE DE VIE : Milieu • ALIMENTATION : Aliments surgelés • CORAIL : Non
COHABITATION AVEC DES INVERTÉBRÉS : Non • BESOINS SPÉCIFIQUES : Banc ; régime adapté • DIFFICULTÉ : Élevée

L'aquarium

TAILLE MINIMUM : 1,5 m
COMPATIBILITÉ AVEC D'AUTRES POISSONS :
Moyenne

Les cochers sont élevés par des aquariophiles marins depuis des décennies. Leur forme et leurs couleurs sont très attirantes et elles illustrent aussi la grande variété de motifs chez les poissons récifaux.

Ce sont des spécimens destinés à des bacs contenant uniquement des poissons, car ils abîment les coraux. Cependant, un bac de poisson bénéficiera de l'ajout de roche vivante qui contribuera à la filtration biologique et à l'excellente qualité de l'eau.

Les cochers nagent en banc et sont toujours actifs. Ce sont des poissons sensibles et, afin de les garder en bonne forme, il faudra les nourrir plu-

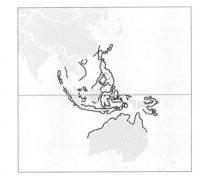

sieurs fois par jour d'aliments surgelés consistants.

Ils sont assez gros pour cohabiter avec les mérous ou les rascasses, mais ne devront pas côtoyer d'autres poissons papillons. Ils se mêlent bien à de nombreuses autres espèces, y compris des demoiselles et ils ont été utilisés autrefois pour composer des aquariums avec les demoiselles à queue blanche (*Dascyllus aruanus*) qui présentent les mêmes rayures verticales noires et blanches. Ils ressemblent aussi à l'idole mauresque (*Zanclus cornutus*, p. 253), mais sont heureusement plus faciles à élever.

Chétodon à collier

à motif • majestueux • gracieux • sensible

NOM SCIENTIFIQUE : *Chaetodon collare* • FAMILLE : Chaetodontidés • AUTRES NOMS : Papillon à collier blanc

ORIGINE : Océan Indien, côtes d'Afrique de l'Est • HABITAT NATUREL : Récifs coralliens avec coraux durs ou mous

TAILLE MOYENNE ADULTE : 15 cm • COULEURS : Corps gris avec une queue rouge et une tête cerclée de blanc

ZONE DE VIE : Milieu • ALIMENTATION : Aliments surgelés • CORAIL : Non • COHABITATION AVEC DES INVERTÉBRÉS :

Non • BESOINS SPÉCIFIQUES : Nourriture régulière • DIFFICULTÉ : Élevée

L'aquarium

TAILLE MINIMUM : 1,5 m

COMPATIBILITÉ AVEC D'AUTRES POISSONS :
Moyenne

Les chétodons à collier ont besoin d'une eau d'excellente qualité, dans un bac garni de nombreuses roches vivantes et d'un écumeur de protéines. Le bac doit aussi être assez grand pour leur permettre de nager et de brouter sur les rochers.

En liberté, ils mangent les polypes du corail, ce qui rend leur régime alimentaire difficile à reproduire en captivité, car la culture du corail n'est pas à la portée de toutes les bourses. Vous pouvez leur proposer des substituts, en espérant qu'ils les acceptent. Les alevins seront peut-être plus enclins à essayer d'autres nourritures que les adultes qui ont passé de nombreuses années dans l'océan. Essayez les daphnies, les mysis, les krills, les coques, les moules, le poulpe et certains gels conçus pour les chétodons et autres espèces similaires.

Si, au bout d'une semaine, ils semblent accepter ces différents aliments, ils ont de bonnes chances de survie. Cependant, ce poisson n'est pas conseillé aux débutants et vous ne devez tenter de l'élever que si vous êtes sûr de pouvoir lui assurer des conditions de vie optimales.

Il vaut mieux élever le chétodon seul ou en couple, sans aucun autre papillon dans le bac

Attention !

Cette espèce ne convient pas aux débutants.

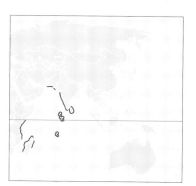

Chelmon à bec médiocre

original • populaire • sensible • exigeant

NOM SCIENTIFIQUE : *Chelmon rostratus* • FAMILLE : Chaetodontidés • ORIGINE : Indopacifique • HABITAT NATUREL : Structures rocheuses intriquées sur des récifs coralliens • TAILLE MOYENNE ADULTE : **20 cm** • COULEURS : Blanc argenté avec de larges bandes verticales orange et un cercle noir sur l'arrière de la nageoire dorsale ZONE DE VIE : **Milieu** • ALIMENTATION : Aliments surgelés, gels spéciaux • CORAIL : **Non** • COHABITATION AVEC DES INVERTÉBRÉS : **Non** • BESOINS SPÉCIFIQUES : Régime adapté • DIFFICULTÉ : Élevée

L'aquarium

TAILLE MINIMUM : 1,5 m

COMPATIBILITÉ AVEC D'AUTRES POISSONS : Moyenne

La plupart de ces poissons se sont développés pour se nourrir des polypes coralliens. Les chélmons à bec médiocre ne sont pas véritablement dangereux pour le corail, même s'ils risquent de le mordiller de temps en temps. En revanche, ils peuvent manger des anémones de rocher (*Aiptaisia spp.*) qui peuvent devenir un réel problème si elles prolifèrent dans un aquarium récifal. Ils peuvent également manger les vers polychètes.

Les chelmons à bec médiocre sont sensibles et nécessitent des conditions d'eau parfaites ainsi qu'un grand bac. Le problème principal réside dans l'alimentation de ces poissons, car ils ne sont pas adaptés pour récupérer de la nourriture en pleine eau. Il vous faudra essayer de dissimuler de la nourriture dans les interstices des roches. Des gels spéciaux ont été mis au point pour ce type de poissons et semblent augmenter leur taux de survie en captivité.

Un bac récifal leur conviendra mieux, même s'ils peuvent y être la source d'ennuis. Les individus se comportent de façon très différente et certains d'entre eux n'auront aucun problème à cohabiter avec des invertébrés. Cependant, ils ne s'entendent pas entre eux, sauf s'ils ont été achetés en couple.

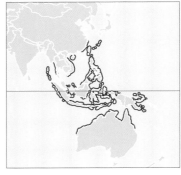

Poisson-ange empereur

gros • impressionnant • coloré • cher

NOM SCIENTIFIQUE : *Pomacanthus imperator* • FAMILLE : Chaetodontidés • ORIGINE : Indopacifique • HABITAT NATUREL : Récifs coralliens • TAILLE MOYENNE ADULTE : 30 cm • COULEURS : Les jeunes sont bleu foncé avec des rayures bleues et blanches ; les adultes sont jaunes avec des lignes diagonales bleues, des taches noires sur les yeux et un museau blanc • ZONE DE VIE : Milieu • ALIMENTATION : Aliments surgelés • CORAIL : Non COHABITATION AVEC DES INVERTÉBRÉS : Non • BESOINS SPÉCIFIQUES : Grand bac ; excellente qualité d'eau DIFFICULTÉ : Élevée

L'aquarium

TAILLE MINIMUM : 1,5 m

COMPATIBILITÉ AVEC D'AUTRES POISSONS : Moyenne

Le poisson-ange empereur est impressionnant et son prix est très élevé.

Les gros poissons-anges mordillent et mangent sans cesse le corail et les invertébrés qui y prolifèrent. Cependant, il est quand même recommandé d'inclure de la roche vivante dans le bac, car elle assurera une bonne filtration, permettra de reproduire un environnement naturel réaliste et fournira des zones pour brouter. Ce poisson se nourrit d'aliments marins consistants comme les krills, le poulpe, les coques, les moules, ainsi que des algues marines.

Un poisson-ange adulte est robuste et trapu et sait très bien se défendre. Il peut avoir un comportement dominant dans un bac et tenter de malmener les autres espèces de poissons-anges, mais il peut cohabiter avec des poissons plus gros, comme les mérous, les rascasses et les poissons papillons.

Les jeunes ont des couleurs distinctes et sont très différents des adultes. En aquarium, ils développent des couleurs moins vives que dans leur milieu naturel.

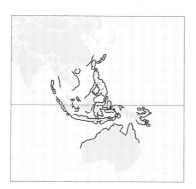

Poisson-faucon flamme

coloré • intelligent • prédateur • intéressant

NOM SCIENTIFIQUE : *Neocirrhites armatus* • FAMILLE : Cirrhitidés • ORIGINE : Ouest de l'océan Indien et océan Pacifique • HABITAT NATUREL : Récifs coralliens • TAILLE MOYENNE ADULTE : 10 cm • COULEURS : Corps rouge vif avec une ligne noire sur la nageoire dorsale et un cercle noir autour de l'œil • ZONE DE VIE : Milieu ALIMENTATION : Aliments surgelés • CORAIL : Oui • COHABITATION AVEC DES INVERTÉBRÉS : Non • BESOINS SPÉCIFIQUES : Aucun • DIFFICULTÉ : Moyenne

L'aquarium

TAILLE MINIMUM : 90 cm

COMPATIBILITÉ AVEC D'AUTRES POISSONS : Moyenne

Les poissons-faucon flamme sont colorés et très attachants ; ils semblent nager dans l'aquarium avec un véritable but. Leur coloration rouge vif en fait une espèce très recherchée.

Un de leurs passe-temps favoris est de se percher sur un rocher et d'observer tout ce qui se passe dans l'aquarium et au dehors. Ce poisson saute de rocher en rocher, perché sur ses nageoires pectorales. Ne faites pas cohabiter ce poisson avec la plupart des gobies, car il les attaquerait. Il n'endommage pas le corail mais peut de temps en temps se percher dessus, comme on l'a vu faire dans son environnement naturel, ce qui fait se rétrac-

ter le corail.

Ce poisson accepte une grande variété de nourritures consistantes, comme les krills ou les mysis, ainsi que des coques, des moules ou de la blanchaille hachée. L'aquarium doit être récifal et contenir d'autres gros poissons et peu d'invertébrés. Il doit également contenir de nombreuses roches vivantes qui fourniront des cachettes et assureront une filtration biologique.

Ce sont des poissons assez chers et ils sont assez souvent sujets à des infections parasitaires. Tout poisson nouvellement acheté doit subir une période de quarantaine.

Souffleur épineux

actif • étrange d'apparence • intelligent • bon compagnon

NOM SCIENTIFIQUE : *Diodon holocanthus* • FAMILLE : Diodontidés • ORIGINE : Presque toutes les eaux de mer tropicales • HABITAT NATUREL : Récifs coralliens et zones rocheuses • TAILLE MOYENNE ADULTE : **30 cm** • COULEURS : Brun avec des taches noires et des épines marron clair ou jaunes • ZONE DE VIE : Milieu • ALIMENTATION : Coques, moules, crevettes • CORAIL : Non • COHABITATION AVEC DES INVERTÉBRÉS : Non • BESOINS SPÉCIFIQUES : Aucun • DIFFICULTÉ : Faible

L'aquarium

TAILLE MINIMUM : 1,5 m

COMPATIBILITÉ AVEC D'AUTRES POISSONS : Moyenne

Les souffleurs épineux peuvent être élevés seuls sans que leur propriétaire se lasse. Ils sont peu colorés mais leur apparence est étrange, avec leur grosse tête et leurs grands yeux tournés vers l'avant. Ils sont couverts d'épines qui se redressent quand ils se gonflent d'eau. Ce phénomène est un mécanisme de défense, lorsqu'ils se sentent en danger. Un souffleur qui passe son temps gonflé dans un aquarium est probablement stressé : vous devez alors contrôler la qualité de l'eau et examiner votre poisson afin de vérifier qu'il ne présente pas de points blancs.

Ces poissons nagent sur toute la longueur de l'aquarium et sont pris d'une sorte de frénésie à l'heure des repas. Ils peuvent même aller jusqu'à cracher de l'eau et nager à reculons pour attirer votre attention lorsqu'ils ont faim. Ne soyez cependant pas tenté de les nourrir à la main car leur morsure est douloureuse.

Ce sont en général des poissons robustes et faciles à élever, mais leur aquarium doit être consacré exclusivement à des poissons et ne pas contenir de roche vivante. À la place, filtrez le bac à l'aide d'un filtre extérieur et utilisez un écumeur à protéines pour grands bacs.

Poisson chauve-souris

gros • longue espérance de vie • paisible • apaisant

NOM SCIENTIFIQUE : *Platax orbicularis* • FAMILLE : Ephippidés • ORIGINE : Indopacifique • HABITAT NATUREL : Eaux ouvertes autour des récifs coralliens • TAILLE MOYENNE ADULTE : 50 cm • COULEURS : Marron avec une rayure noire verticale sur l'œil • ZONE DE VIE : Milieu • ALIMENTATION : Aliments surgelés • CORAIL : Non COHABITATION AVEC DES INVERTÉBRÉS : Non • BESOINS SPÉCIFIQUES : Grand aquarium • DIFFICULTÉ : Moyenne

L'aquarium

TAILLE MINIMUM : 2,4 m

COMPATIBILITÉ AVEC D'AUTRES POISSONS : Moyenne

Les poissons chauve-souris sont très grands : ils peuvent atteindre 50 cm de long. Ils sont donc totalement inadaptés à la plupart des aquariums.

Les jeunes sont souvent confondus avec des poissons-anges d'eau douce, mais leurs rayures s'estompent à l'âge d'adulte.

Il faut les élever dans des aquariums spécialisés pour les poissons, car ils dégradent le corail. Ce sont des poissons paisibles qui peuvent cohabiter avec de nombreuses autres variétés et ils ont un effet apaisant sur les autres spécimens grâce à leur taille imposante. Celle-ci les met d'ailleurs à l'abri des prédateurs, même des anguilles et des mérous.

Nourrissez-les de coques et de moules hachées, ainsi que d'autres nourritures consistantes. Attention, le système de filtration doit être assez puissant et le renouvellement de l'eau doit également être efficace.

Le bac doit être haut, long et large, car s'ils se sentent confinés, ils peuvent devenir stressés. À cause de leur grande taille et de leur longévité, ils ne sont pas recommandés pour un aquarium familial, même si on les voit partout dans les magasins spécialisés. Ils conviennent mieux aux aquariums publics.

Il existe plusieurs espèces de poissons chauve-souris. Toutes ont les mêmes caractéristiques principales, mais certaines ont un corps plus épais. De face, leur fine silhouette pourrait laisser croire que ce sont des poissons fragiles, mais ce sont en réalité de robustes nageurs.

Attention !
Cette espèce grandit beaucoup.

Gobie corail jaune

petit • coloré • sans danger pour le corail • timide

NOM SCIENTIFIQUE : *Gobiodon okinawae* • FAMILLE : Gobiidés • ORIGINE : Indopacifique • HABITAT NATUREL : Têtes de coraux en branche • TAILLE MOYENNE ADULTE : 3 cm • COULEURS : Jaune vif • ZONE DE VIE : Milieu ALIMENTATION : Aliments surgelés • CORAIL : Oui • COHABITATION AVEC DES INVERTÉBRÉS : Oui • BESOINS SPÉCIFIQUES : Cachettes • DIFFICULTÉ : Moyenne

L'aquarium

TAILLE MINIMUM : **90 cm**

COMPATIBILITÉ AVEC D'AUTRES POISSONS : Moyenne

Les gobies corail sont idéals pour les aquariums récifaux et, malgré leur petite taille, ils se voient de loin car ils se perchent sur les rochers.

À l'état sauvage, ils vivent parmi les branches de corail comme les *Acropora spp.* Le corail n'est pas nécessaire dans le bac, mais si vous en possédez de beaux, un groupe des ces poissons jaune vif ajoutera une touche finale à votre bac.

Si vous intégrez un groupe, il est possible qu'un couple se forme et se reproduise. Il vous faudra alors séparer les alevins du reste du bac. Ces poissons vivent entre eux et n'apprécient guère d'être malmenés par des espèces plus grandes comme les labres ou les poissons-anges nains qui pourraient s'énerver de les voir perchés sur les rochers. Les gobies corail ont développé une protection contre les prédateurs : leur corps est recouvert d'une couche gluante au goût désagréable, qui leur sera cependant inutile s'ils sont avalés par un poisson-faucon ou une espèce similaire.

Ils ont besoin d'être nourris souvent, avec des petits aliments comme des cyclopes, afin de ne pas perdre de poids. Il est possible de prévoir un petit bac uniquement réservé à cette espèce.

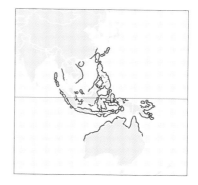

Gobie néon

minuscule • paisible • coloré • actif

NOM SCIENTIFIQUE : *Gobiosoma oceanops* • FAMILLE : Gobiidés • ORIGINE : Atlantique est • HABITAT NATUREL : Coraux • TAILLE MOYENNE ADULTE : 5 cm • COULEURS : Noir avec une bande bleu électrique de la pointe du museau à la queue • ZONE DE VIE : Milieu • ALIMENTATION : Aliments surgelés • CORAIL : Oui • COHABITATION AVEC DES INVERTÉBRÉS : Oui • BESOINS SPÉCIFIQUES : Cachettes • DIFFICULTÉ : Moyenne

L'aquarium

TAILLE MINIMUM : 90 cm

COMPATIBILITÉ AVEC D'AUTRES POISSONS : Moyenne

Les gobies néon sont d'excellents petits poissons pour un aquarium récifal et leur comportement est des plus étonnants, car ils nettoient parfois les autres poissons de leurs parasites (comme les labres nettoyeurs, *Labroides dimidiatus*, p. 227). Ils sont élevés en captivité et peuvent pondre dans votre bac. L'avantage des petits poissons récifaux est qu'un récif miniature peut leur paraître aussi confortable qu'un véritable récif et qu'ils mèneront leur vie comme s'ils étaient en liberté.

L'aquarium doit être mature et ne pas comprendre de poissons gros ou turbulents ni de prédateurs potentiels. Intégrez au bac un couple ou un

groupe important qui pourra s'établir à mi-hauteur, parmi les rochers.

Si vous les nourrissez de daphnies et de cyclopes, il se pourrait qu'ils pondent. Un morceau de tuyau de PVC est un lieu de ponte idéal. Dans ce cas, il vous faudra retirer les alevins du bac afin de les nourrir de zooplancton, si vous voulez qu'ils survivent. Une autre solution consiste à installer un bac de 60 cm avec juste un couple de néons, puis à retirer les parents après la ponte. Il est important d'encourager cette pratique. Vous pourrez trouver facilement des spécimens élevés en aquarium.

Gobie dormeur à raie bleue

filtreur de substrat • vit au fond • paisible • actif

NOM SCIENTIFIQUE : *Valencienna strigata* • FAMILLE : Gobiidés • ORIGINE : Indopacifique • HABITAT NATUREL : Zones sablonneuses près des récifs coralliens • TAILLE MOYENNE ADULTE : **15 cm** • COULEURS : Blanc ou gris pâle avec une tête jaune et des joues rayées de bleu • ZONE DE VIE : Fond • ALIMENTATION : Aliments surgelés CORAIL : Oui • COHABITATION AVEC DES INVERTÉBRÉS : Oui • BESOINS SPÉCIFIQUES : Grande étendue de sable DIFFICULTÉ : Moyenne

L'aquarium

TAILLE MINIMUM : 1,2 m

COMPATIBILITÉ AVEC D'AUTRES POISSONS : Élevée

Les gobies dormeurs sont très utiles pour l'aquariophile, car ce sont d'infatigables filtreurs de substrat : ils passent leurs journées à retourner le sable du fond de l'aquarium, ce qui permet de le conserver propre et de s'assurer qu'il ne devient pas un nid de bactéries. Le seul désavantage de cette pratique est que ces poissons ont aussi tendance à se promener dans les eaux supérieures du bac avec du sable plein la bouche, qu'ils lâchent sur le corail et les anémones, ce qui, à long terme, peut abîmer ceux-ci.

Ce sont des poissons paisibles qui peuvent être élevés en couple parmi une communauté mixte de poissons plus petits. Il est important de les nourrir régulièrement afin qu'ils ne perdent pas de poids, car le substrat est moins riche en aquarium que dans l'océan et ils peuvent devenir trop maigres. Des roches vivantes peuvent être utiles pour enrichir le lit de sable en minuscules invertébré qui permettront aux gobies de compléter leur alimentation. Des refuges placés dans l'aquarium et un lit de sable vivant seront aussi propices à leur développement.

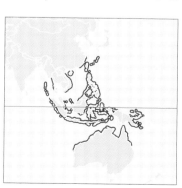

Gramma royal

coloré • petit • n'endommage pas le récif • facile à élever

NOM SCIENTIFIQUE : *Gramma loreto* • FAMILLE : Grammidés • ORIGINE : Atlantique ouest ; mer des Caraïbes

HABITAT NATUREL : Grottes et rochers surplombants sur les récifs coralliens • TAILLE MOYENNE ADULTE : 8 cm

COULEURS : Rose ou violet vif sur le haut du corps et jaune vif sur le bas et la queue • ZONE DE VIE : Milieu

ALIMENTATION : Aliments surgelés • CORAIL : Oui • COHABITATION AVEC DES INVERTÉBRÉS : Oui • BESOINS

SPÉCIFIQUES : Cachettes • DIFFICULTÉ : Moyenne

L'aquarium

TAILLE MINIMUM : 90 cm

COMPATIBILITÉ AVEC D'AUTRES POISSONS :
Moyenne

Les grammas royaux ont des couleurs frappantes : la moitié supérieure de leur corps est rose ou violet vif et la moitié inférieure est jaune vif. Ils peuvent être élevés seuls ou en couple et, à l'état sauvage, ils vivent en larges groupes. Il est donc aussi possible d'élever un banc dans un grand aquarium. Ils seront d'abord timides jusqu'à ce qu'ils trouvent une cachette adéquate. Ensuite, vous pourrez les voir mais ils resteront près des rochers pour défendre leur grotte des autres petits poissons en ouvrant grand leur bouche et en paradant. Ils sont faciles à nourrir et acceptent les daphnies, les mysis et les krills.

Un couple de grammas royaux peut se reproduire en aquarium et ils sont parfois élevés en captivité. Cependant, les jeunes nécessitent une attention particulière.

Il existe une espèce similaire d'apparence, connue sous le nom de poisson vanille-fraise (*Pseudochromis paccagnellae*). Ces deux espèces ne doivent cependant pas être confondues car le poisson vanille-fraise est un petit spécimen agressif. Le gramma royal a une coloration riche sur ses nageoires, ce qui n'est pas le cas du poisson vanille-fraise qui ne se mêlera pas non plus aux autres petits poissons.

Poisson-arlequin

gros • impressionnant • recherché • cher

NOM SCIENTIFIQUE : *Choerodon fasciatus* • FAMILLE : Labridés • ORIGINE : Indopacifique • HABITAT NATUREL : Récifs coralliens • TAILLE MOYENNE ADULTE : 30 cm • COULEURS : Bandes verticales orange et blanches bordées de bleu vif et nageoires bordées de rouge • ZONE DE VIE : Fond • ALIMENTATION : Crustacés • CORAIL : Non COHABITATION AVEC DES INVERTÉBRÉS : Non • BESOINS SPÉCIFIQUES : Grand aquarium • DIFFICULTÉ : Moyenne

L'aquarium

TAILLE MINIMUM : 1,8 m

COMPATIBILITÉ AVEC D'AUTRES POISSONS : Moyenne

Le poisson-arlequin grandit beaucoup et certains membres du genre peuvent atteindre 90 cm de long. Il s'agit d'un labre et ses dents pointues et saillantes lui servent à attraper et croquer des invertébrés.

Il n'est cependant pas aussi menaçant qu'il en a l'air vis-à-vis des autres poissons et il peut cohabiter avec la plupart des autres espèces de grande taille dans un aquarium consacré uni-

quement aux poissons. Le bac doit alors être large et bien filtré, avec un écumeur de protéines efficace. Le décor peut comprendre des roches vivantes réelles ou factices, ainsi qu'une couche de sable au fond.

Son régime alimentaire comprend principalement des crustacés. Les coques peuvent lui être données dans leur coquille, afin de lui fournir de quoi

se limer les dents.

La couleur des alevins change et ils deviennent plus bleus avec des nageoires rouges. Les adultes sont chers à exporter car il ne peut y avoir qu'un seul spécimen par bac. Ils sont sensibles aux remèdes à base de cuivre et nous vous recommandons la plus grande prudence lorsque vous soignez un poisson malade.

Cirrhilabrus scottorum

beau • coloré • actif • cher

NOM SCIENTIFIQUE : *Cirrhilabrus scottorum* • FAMILLE : Labridés • ORIGINE : Océan Pacifique • HABITAT NATUREL : Zones de coraux durs sur récifs • TAILLE MOYENNE ADULTE : 13 cm • COULEURS : Motifs bleu-vert et jaune avec des taches rouges sur les flancs • ZONE DE VIE : Milieu • ALIMENTATION : Aliments surgelés • CORAIL : Oui COHABITATION AVEC DES INVERTÉBRÉS : Oui • BESOINS SPÉCIFIQUES : Excellente qualité d'eau • DIFFICULTÉ : Moyenne

L'aquarium

TAILLE MINIMUM : 1,5 m

COMPATIBILITÉ AVEC D'AUTRES POISSONS : Moyenne

Le cirrhilabrus scottorum est souvent considéré comme la fierté des aquariums récifaux. On le voit nageant parmi des bancs de chirurgiens jaunes, d'anthias et de demoiselles vertes, au-dessus de coraux durs ou mous

colorés, soigneusement sélectionnés.

Les mâles sont plus gros et plus colorés et il faut les maintenir avec un groupe de femelles. Leur comportement est plus calme que la plupart des labres et ils n'ont pas tendance à décimer les invertébrés.

Ils se plaisent dans un aquarium de coraux durs, avec une lumière forte, beaucoup de courant et une eau riche en calcium. Ils acceptent une grande

variété de nourritures, y compris les daphnies, les mysis et les krills et il faut les nourrir plusieurs fois par jour car, dans leur habitat naturel, ils consomment du plancton et nagent toute la journée dans une eau riche en nourriture disponible en permanence.

Ces poissons ne conviennent pas aux débutants et leur prix est, de toute façon, exorbitant. Ils servent souvent à indiquer aux connaisseurs que leur propriétaire est un aquariophile récifal accompli qui possède l'expérience et l'expertise nécessaire pour les élever et qu'il dispose également d'un bac garni de coraux difficiles à cultiver.

Labre nettoyeur

nettoyeur • actif • coloré • exigeant

NOM SCIENTIFIQUE : *Labroides dimidiatus* • FAMILLE : Labridés • ORIGINE : Indopacifique • HABITAT NATUREL : Coraux au sommet des récifs coralliens • TAILLE MOYENNE ADULTE : **10 cm** • COULEURS : Rayures horizontales noires et blanches et queue bleue • ZONE DE VIE : Milieu • ALIMENTATION : Parasites, mucus des poissons, certains aliments surgelés • CORAIL : Oui • COHABITATION AVEC DES INVERTÉBRÉS : Oui • BESOINS SPÉCIFIQUES : Un gros poisson hôte • DIFFICULTÉ : Élevée

L'aquarium

TAILLE MINIMUM : 1,8 m

COMPATIBILITÉ AVEC D'AUTRES POISSONS : Élevée

Les labres nettoyeurs ont une coloration énigmatique. Des années d'expérience et d'évolution ont bien fait comprendre aux autres poissons que les labres nettoyeurs pouvaient leur être très utiles. Au lieu de les dévorer lorsqu'ils s'approchent, les poissons hôtes se soumettent et laissent les labres se nourrir des parasites et des cellules mortes qui couvrent leur corps, même sur leur bouche et leurs branchies.

Dans l'aquarium, les labres nettoyeurs, à cause de leur spécialisation, peuvent rapidement souffrir de la faim. Même un bac récifal garni de nombreuses roches vivantes ne suffit pas et ne se substitue pas aux flancs des autres poissons. Le seul moyen de les conserver avec succès serait d'inclure un spécimen dans un aquarium plein de gros poissons-anges, de papillons et de mérous, en espérant qu'à eux tous ils proposent une surface de peau suffisante pour que le labre puisse survivre. Ajouter deux labres reviendrait à diviser par deux la quantité de nourriture disponible et diminuerait donc leur chance de survie.

Attention !

Cette espèce ne convient pas aux débutants.

Labre masqué

gros • robuste • actif • original

NOM SCIENTIFIQUE : *Novaculichthys taeniourus* • FAMILLE : Labridés • AUTRES NOMS : Labre à voiles • ORIGINE : Indopacifique • HABITAT NATUREL : Zones de corail et amas récifaux • TAILLE MOYENNE ADULTE : 30 cm COULEURS : Corps, tête et nageoires verts tachées de blanc et de noir • ZONE DE VIE : Fond • ALIMENTATION : Aliments surgelés • CORAIL : Non • COHABITATION AVEC DES INVERTÉBRÉS : Non • BESOINS SPÉCIFIQUES : Rochers et sable • DIFFICULTÉ : Moyenne

L'aquarium

TAILLE MINIMUM : 1,5 m

COMPATIBILITÉ AVEC D'AUTRES POISSONS : Moyenne

Ce poisson est connu pour son habitude à soulever et déplacer des petits cailloux et des morceaux de remblais afin de trouver des invertébrés.

En aquarium, son comportement infatigable est très attachant, mais ce poisson devient vraiment gros et ne convient pas du tout à un bac récifal car il dévore les escargots, les crabes, les crevettes et les étoiles de mer et s'attaque aux coraux en essayant de creuser dessous. Il nécessite un large aquarium avec une filtration efficace et un écumeur de protéines puissant.

Un bac réservé aux poissons est nécessaire, mais il doit contenir des roches vivantes, non pas pour des raisons esthétiques, car ce poisson ne laisse rien pousser, mais afin de lui fournir une occupation. Donnez-lui également quelques centimètres de sable ou de gravier corallien afin qu'il puisse creuser.

Les labres masqués peuvent cohabiter avec des compagnons plus gros, comme des balistes ou des mérous, mais ils seront plus à l'aise dans un bac ne contenant que des labres. Il faut les nourrir plusieurs fois par jour de coques, moules, krills et crevettes entières afin qu'ils ne maigrissent pas.

Ils mesurent en général 8-10 cm lorsqu'ils sont vendus, mais peuvent atteindre 30 cm de long et se montrer belliqueux à l'âge adulte. Leurs motifs changent de façon radicale lorsqu'ils grandissent.

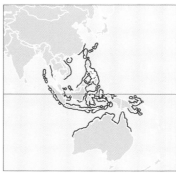

Labre à six bandes

petit • actif • robuste • facile à élever

NOM SCIENTIFIQUE : *Pseudocheilinus hexataenia* • FAMILLE : Labridés • ORIGINE : Indopacifique • HABITAT NATUREL : Cachettes dans et autour des récifs coralliens • TAILLE MOYENNE ADULTE : 8 cm • COULEURS : Corps violet avec six rayures horizontales bleues bordées d'orange et des yeux rayés de rouge et de blanc • ZONE DE VIE : Milieu • ALIMENTATION : Aliments surgelés • CORAIL : Oui • COHABITATION AVEC DES INVERTÉBRÉS : Oui BESOINS SPÉCIFIQUES : Cachettes • DIFFICULTÉ : Faible

L'aquarium

TAILLE MINIMUM : 90 cm

COMPATIBILITÉ AVEC D'AUTRES POISSONS : Moyenne

Les labres à six bandes sont des poissons parfaits pour les débutants de l'aquariophilie marine. Leur apparence est originale et ils sont robustes et résistants aux maladies. Ils conviennent mieux aux bacs récifaux garnis de nombreuses roches vivantes et se contentent très bien de tout petits bacs. Ils sont tout d'abord assez timides mais restent néanmoins actifs en mangeant les minuscules invertébrés qui colonisent le dessous des roches vivantes.

Les adultes sont petits et ont un corps présentant des motifs colorés. Leurs yeux se posent sur tout ce qui bouge et ils trouvent rapidement la nourriture qu'on leur offre. Ils mangent tous les types d'aliments marins.

Ils supportent mal les autres labres et un couple ne peut être installé dans le même bac que si les deux éléments ont été introduits en même temps. Il est alors possible qu'il se reproduise. Ces poissons peuvent changer de sexe si bien qu'il n'est pas nécessaire de savoir si vous avez bien choisi un mâle et une femelle.

Une fois qu'ils seront installés et habitués à vous et à leur environnement, vous les verrez de plus en plus. Ils sont sans danger pour le récif mais peuvent de temps en temps s'attaquer à une crevette plus grosse en train de muer. Ils ne s'attaquent pas aux coraux.

Les poissons d'eau de mer

Gobie de feu

petit • coloré • effilé • nerveux

NOM SCIENTIFIQUE : *Nemateleotris magnifica* • FAMILLE : Microdesmidés • ORIGINE : Indopacifique • HABITAT NATUREL : Trous et rochers sur récifs coralliens • TAILLE MOYENNE ADULTE : 8 cm • COULEURS : Tête jaune, partie supérieure du corps blanc virant à l'orange et au rouge vers la queue • ZONE DE VIE : Milieu • ALIMENTATION : Aliments surgelés • CORAIL : Oui • COHABITATION AVEC DES INVERTÉBRÉS : Oui • BESOINS SPÉCIFIQUES : Aucun DIFFICULTÉ : Moyenne

L'aquarium

TAILLE MINIMUM : 90 cm

COMPATIBILITÉ AVEC D'AUTRES POISSONS : Moyenne

Les gobies de feu ne représentent absolument aucun danger pour le récif et sont l'un des poissons les plus appréciés pour composer un aquarium récifal. Il est préférable de les élever seuls ou en petit groupe dans un grand aquarium car ils ont tendance à s'entre-tuer. Ils cohabitent cependant sans problème avec n'importe quel autre petit poisson récifal.

Ils apprécient les cachettes et passent en général leur temps à nager non loin de leurs trous, dans lequel ils disparaissent en cas de danger dans l'aquarium du magasin de poissons comme dans votre aquarium. Il est donc important de vous souvenir,

lorsque vous nettoyez votre bac, qu'un gobie de feu peut se trouver accroché à une roche vivante que vous venez de sortir de l'eau.

Ces poissons sont en général faciles à nourrir et acceptent une grande variété de nourritures, comme les daphnies, les mysis, les krills et les cyclopes. Ils tenteront également de croquer les copépodes qui émergent de la roche vivante.

Les gobies de feu ont tendance à sauter et nous vous conseillons la prudence si vous possédez un bac ouvert. Ils sont cependant moins susceptibles de sauter, une fois bien installés.

Murène étoilée

originale • prédatrice • robuste • timide

NOM SCIENTIFIQUE : *Echidna nebulosa* • FAMILLE : Muraenidés • AUTRES NOMS : Murène à fleurs • ORIGINE : Indo-pacifique • HABITAT NATUREL : Cachettes et grottes des récifs coralliens • TAILLE MOYENNE ADULTE : 75 cm
COULEURS : Rayures verticales noires sur un corps blanc, avec des points dorés sur tout le corps • ZONE DE VIE :
Fond • ALIMENTATION : Aliments surgelés consistants • CORAIL : Oui • COHABITATION AVEC DES INVERTÉBRÉS : Non
BESOINS SPÉCIFIQUES : Cachettes • DIFFICULTÉ : Moyenne

L'aquarium

TAILLE MINIMUM : 1,2 m

COMPATIBILITÉ AVEC D'AUTRES POISSONS :
Moyenne

Les murènes étoilées sont appréciées de certains aquariophiles et détestées des autres. Leur corps mince leur permet de se faufiler dans les interstices de la roche pour s'emparer de leur proie. Leurs dents sont dressées vers l'intérieur si bien qu'une fois mordue, une proie n'a que très peu de chance d'en réchapper. Les murènes ne s'épargnent pas entre elles. La murène étoilée est un des plus petits spécimens existant et elle peut être élevée en captivité. Elle ne doit pas être nourrie à la main à cause de ses dents. Elle dévore toutes sortes de petits poissons, de crevettes et de crabes. Elle peut cohabiter avec des poissons plus gros, comme les poissons-anges, les mérous, les rascasses et même les souffleurs épineux. Une murène adulte ne s'attaquera pas à un poisson de plus de 15 cm de long.

La murène a besoin de cachettes afin de se sentir en sécurité : un morceau de tuyau de PVC ou un empilement de roches conviendra parfaitement. Si elle ne trouve pas de cachette, il est possible qu'elle tente de s'échapper. Les bacs réservés aux poissons constituent l'environnement idéal pour elle, avec ou sans roches vivantes. On la voit souvent lovée au fond d'un pot de fleur ou d'un autre élément de décor.

Opistognathe à front doré

petit • intéressant • sensible • fouisseur

NOM SCIENTIFIQUE : *Opistognathus aurifrons* • FAMILLE : Opistognathidés • ORIGINE : Mer des Caraïbes • HABITAT NATUREL : Terriers constitués de fragments de corail et de sable aux pieds du récif • TAILLE MOYENNE ADULTE : 10 cm • COULEURS : Corps blanc avec un reflet bleu et une tête jaune • ZONE DE VIE : Fond • ALIMENTATION : Aliments surgelés • CORAIL : Oui • COHABITATION AVEC DES INVERTÉBRÉS : Oui • BESOINS SPÉCIFIQUES : Substrat profond • DIFFICULTÉ : Élevée

L'aquarium

TAILLE MINIMUM : 90 cm

COMPATIBILITÉ AVEC D'AUTRES POISSONS : Moyenne

Les opistognathes construisent des terriers dans le sable en rassemblant des morceaux de coquillages et de coraux brisés pour renforcer les parois de sable. Encouragez ce comportement en aquarium en leur fournissant un lit de sable d'environ 10 cm et en parsemant le substrat de coquillages brisés et de gravier de corail et ajoutez quelques roches vivantes, ancrées dans le sable, afin que les activités du poisson ne viennent pas les faire tomber. Le poisson passera son temps autour du terrier et se précipitera à l'intérieur en cas de danger.

Ajoutez un groupe d'opistognathes dans un aquarium et vous verrez peut-être un couple se former. Ils pratiquent l'incubation buccale et c'est le mâle qui porte les œufs et les alevins dans sa bouche. Des points noirs apparaissent sur la gorge du mâle en période de frai. Ces poissons ne doivent cohabiter qu'avec des petits spécimens paisibles.

Les spécimens nouvellement achetés peuvent ne pas bien supporter la captivité et refuser de se nourrir ou bien tenter de sauter hors du bac. Nous vous conseillons de les élever d'abord seuls ou en groupe car deux individus tenteront de s'entre-tuer s'ils ne forment pas un couple.

Poisson-coffre jaune

étrange • coloré • sensible • exigeant

NOM SCIENTIFIQUE : *Ostracion cubicus* • FAMILLE : Ostraciidés • ORIGINE : Indo-pacifique • HABITAT NATUREL : Récifs coralliens • TAILLE MOYENNE ADULTE : 45 cm • COULEURS : Jaune vif avec des petits points noirs et blancs ZONE DE VIE : Milieu • ALIMENTATION : Aliments surgelés • CORAIL : Non • COHABITATION AVEC DES INVERTÉBRÉS : Non • BESOINS SPÉCIFIQUES : Bonne qualité d'eau ; nourriture fréquente • DIFFICULTÉ : Élevée

L'aquarium

TAILLE MINIMUM : 1,5 m

COMPATIBILITÉ AVEC D'AUTRES POISSONS : Moyenne

Le poisson-coffre serait apprécié des aquariophiles marins s'il ne présentait pas trois défauts majeurs. Tout d'abord, en cas de stress, ce poisson peut libérer une toxine qui empoisonne tout le bac, lui compris. Cette seule caractéristique suffirait à faire fuir les aquariophiles les plus motivés. Deuxièmement, à l'état sauvage, ce poisson peut atteindre 45 cm ; il perd alors sa forme cubique et devient plus agressif. Enfin, il n'est pas sans danger pour le récif, ce qui veut dire qu'il faut l'élever dans un aquarium qui accueille exclusivement des poissons.

Les gros spécimens de poissons-coffres peuvent se révéler difficiles à nourrir et les plus petits peuvent s'alimenter sans pour autant combler leurs besoins nutritifs et ainsi mourir. Les individus que l'on trouve dans le commerce sont de petite taille et ne font parfois que quelques millimètres de large, ce qui pose la question du bien-fondé de leur vie en captivité.

Si vous désirez cependant élever ce poisson bizarre, nous vous conseillons de lui consacrer un aquarium particulier. Ainsi, vous serez plus à même de contrôler son alimentation et vous éviterez de perdre d'autres espèces vivant dans le bac.

Poisson-ange nain à deux bandes

étonnant • coloré • petit • habitant des rochers

NOM SCIENTIFIQUE : *Centropyge bicolor* • FAMILLE : Pomacanthidés • ORIGINE : Indo-pacifique • HABITAT NATUREL : Récifs coralliens avec cachettes • TAILLE MOYENNE ADULTE : 15 cm • COULEURS : Partie supérieure du corps jaune vif et partie inférieure bleu foncé avec une queue jaune • ZONE DE VIE : Milieu • ALIMENTATION : Aliments surgelés, algues • CORAIL : Oui • COHABITATION AVEC DES INVERTÉBRÉS : Oui • BESOINS SPÉCIFIQUES : Cachettes, roches vivantes • DIFFICULTÉ : Moyenne

L'aquarium

TAILLE MINIMUM : 1 m

COMPATIBILITÉ AVEC D'AUTRES POISSONS : Moyenne

Le poisson-ange à deux bandes est l'une des plus grosses espèces de poissons-anges nains. Il est susceptible de mordiller les coquilles de palourdes et ne refusera jamais de déguster une sabelle magnifique (*Sabellastarte magnifica*). Il peut aussi s'en prendre aux polypes du corail. Si vous ajoutez des palourdes et des vers Riftia pachyptila dans le bac, ainsi que des coraux mous robustes, ce poisson est alors sans danger pour le récif et ne s'en prendra ni aux crabes ni aux crevettes.

Il ne doit y avoir qu'un seul spécimen de poisson-ange nain par bac, car ces poissons supportent mal leurs semblables. Ils se chamailleront également avec des chirurgiens jaunes en arrivant dans l'aquarium, à cause de leur coloration et de la compétition pour les emplacements où brouter. Cependant, une telle attitude devrait disparaître au bout de quelques jours. Ce sont des poissons très secrets, qui passent beaucoup de temps parmi les rochers à se nourrir de copépodes. Ils acceptent normalement une grande variété d'aliments et sortiront sans faute à l'heure des repas. Leur croissance est lente et ils atteignent rarement leur taille maximale en captivité.

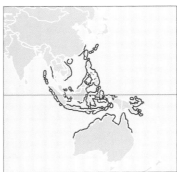

Poisson-ange à deux épines

petit • coloré • paisible • habitant des rochers

NOM SCIENTIFIQUE : *Centropyge bispinosa* • FAMILLE : Pomacanthidés • ORIGINE : Indopacifique • HABITAT NATUREL : Grottes et cachettes dans les récifs coralliens • TAILLE MOYENNE ADULTE : 10 cm • COULEURS : Corps violet profond avec des flancs orangés • ZONE DE VIE : Milieu • ALIMENTATION : Aliments surgelés, algues, certains aliments en paillettes • CORAIL : Oui • COHABITATION AVEC DES INVERTÉBRÉS : Oui • BESOINS SPÉCIFIQUES : Roches vivantes pour brouter • DIFFICULTÉ : Moyenne

L'aquarium

TAILLE MINIMUM : 1,3 m

COMPATIBILITÉ AVEC D'AUTRES POISSONS : Élevée

Le poisson-ange à deux épines est un spécimen nain, ce qui signifie qu'il restera petit, même adulte. En général, les poissons-anges nains ne présentent aucun danger pour le récif, ce qui n'est pas le cas des espèces plus grandes.

L'aquarium récifal idéal pour cette espèce doit être mature et ne comporter aucun compagnon turbulent. Les poissons-anges à deux épines sont timides au premier abord et peuvent rester tapis dans les rochers pendant des jours. Cependant, comme il y a de la nourriture sur les roches vivantes (des amphipodes et des copépodes), ils réapparaîtront bien nourris. Ils passent leur vie près des rochers et mangent également les macro-algues qui peuvent pousser.

En général, il est préférable de ne posséder qu'un seul spécimen de poisson-ange nain par bac, sauf si ce dernier est assez grand. Cependant, un mâle et une femelle achetés et ajoutés ensemble au bac peuvent vivre en parfaite harmonie.

Il existe deux espèces aux couleurs différentes : la première est presque entièrement violette et l'autre présente une teinte rouille sur les flancs. Ces poissons apprécient les petits aquariums du moment qu'ils ont suffisamment de roches vivantes à disposition.

Poisson-ange flamme

vif • petit • actif • cher

NOM SCIENTIFIQUE : *Centropyge loricula* • FAMILLE : Pomacanthidés • ORIGINE : Océan Pacifique • HABITAT NATUREL : Récifs coralliens • TAILLE MOYENNE ADULTE : 10 cm • COULEURS : Rouge vif avec des nageoires dorsale et anale bordées de bleu • ZONE DE VIE : Milieu • ALIMENTATION : Aliments surgelés, algues • CORAIL : Oui COHABITATION AVEC DES INVERTÉBRÉS : Oui • BESOINS SPÉCIFIQUES : Roche vivante • DIFFICULTÉ : Moyenne

L'aquarium

TAILLE MINIMUM : 1 m

COMPATIBILITÉ AVEC D'AUTRES POISSONS : Moyenne

Les poissons-anges flamme sont vraiment remarquables en aquarium par leur couleur rouge vif. Ce sont des poissons-anges nains qui ne présentent aucun danger pour le récif, ce qui explique sans doute leur prix élevé.

Leur comportement est en général assez social, mais certains individus peuvent mordiller les palourdes et les sabelles magnifiques de temps en temps. Ils peuvent être élevés dans un aquarium récifal de petite taille tant que celui-ci est mature et qu'il contient de nombreuses roches vivantes. L'eau doit être de qualité constante et régulièrement renouvelée.

Cette espèce ne doit pas être

mélangée avec d'autres poissons-anges nains, sinon ils se battront pour leur territoire. De manière générale, un poisson-ange flamme doit être le seul spécimen nain de l'aquarium, même s'il est parfois possible d'élever un couple.

La roche vivante fournit à ces poissons des refuges et de la nourriture sous forme de minuscules invertébrés et d'algues. Leur nourriture peut être variée : mysis, daphnies et krills surgelés, ainsi que certains aliments en paillettes lorsqu'ils se seront acclimatés. Nourrissez-les souvent et en petite quantité.

Éventail du Japon

gros • beau • parfois agressif • cher

NOM SCIENTIFIQUE : *Pomacanthus navarchus* • FAMILLE : Pomacanthidés • ORIGINE : Pacifique ouest • HABITAT NATUREL : Récifs coralliens • TAILLE MOYENNE ADULTE : 30 cm • COULEURS : Nageoires dorsales, flancs et queue orange vif ; bleu foncé sur la tête, la base de la queue et les nageoires anale et pelvienne • ZONE DE VIE : Milieu • ALIMENTATION : Aliments surgelés, algues • CORAIL : Non • COHABITATION AVEC DES INVERTÉBRÉS : Non BESOINS SPÉCIFIQUES : Cachettes • DIFFICULTÉ : Moyenne

L'aquarium

TAILLE MINIMUM : 1,5 m

COMPATIBILITÉ AVEC D'AUTRES POISSONS : Moyenne

Les éventails du Japon doivent être élevés dans des bacs contenant uniquement des poissons, même si des roches vivantes peuvent être utilisées pour aider à la filtration et fournir des refuges ainsi que des zones pour brouter. Il est possible qu'ils se querellent avec les autres poissons-anges et nous vous conseillons de n'élever qu'un seul spécimen par bac. Si vous voulez en avoir plusieurs, prévoyez un bac assez grand pour que les poissons ne se gênent pas. Ils peuvent cependant cohabiter avec une grande variété de poissons.

La qualité de l'eau doit être excellente en permanence. Ces poissons doivent être nourris d'aliments surgelés variés, y compris mysis, krills, coques, moules, poulpes et algues marines. La roche vivante peut leur apporter un complément d'alimentation sous forme de minuscules invertébré et d'algues.

Les alevins sont d'apparence très différente, avec des rayures verticales bleues sur un corps presque noir. Les jeunes nés en captivité seront plus robustes mais, en grandissant, ils ne présenteront peut-être pas des couleurs aussi éclatantes que celles des adultes capturés dans la nature. Les adultes éventails du Japon sont chers.

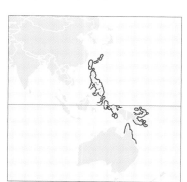

Les poissons d'eau de mer

Poisson-clown à trois bandes

Paisible • coloré • comique • facile à élever

NOM SCIENTIFIQUE : *Amphiprion ocellaris* • FAMILLE : Pomacentridés • ORIGINE : Indopacifique • HABITAT NATUREL : Récifs coralliens, en association avec des anémones de mer • TAILLE MOYENNE ADULTE : 10 cm • COULEURS : Corps orange avec trois larges bandes blanches et des nageoires bordées de noir • ZONE DE VIE : Milieu ALIMENTATION : Paillettes et aliments surgelés • CORAIL : Oui • COHABITATION AVEC DES INVERTÉBRÉS : Oui • BESOINS SPÉCIFIQUES : Un autre poisson-clown • DIFFICULTÉ : Faible

Les poissons d'eau de mer

L'aquarium

TAILLE MINIMUM : **90 cm**

COMPATIBILITÉ AVEC D'AUTRES POISSONS : Élevée

Les poissons-clowns sont immédiatement identifiables à leurs marques. Tous les enfants reconnaissent sans peine cette variété, ainsi qu'une autre similaire, le clown noir à trois bandes (*Amphiprion percula*), grâce au film d'animation *Le Monde de Nemo*.

Fort heureusement, ces espèces marines sont peut-être les plus adaptées à la vie en aquarium et elles sont élevées à travers le monde entier. Les poissons-clowns à trois bandes vivent en couple dans les anémones de mer, développant une immunité contre les tentacules venimeux de ces dernières. En échange de la protection que leur offrent les anémones, les poissons-clowns leur apportent de la nourriture et les nettoient.

En captivité, les poissons-clowns n'ont pas besoin d'être élevés avec

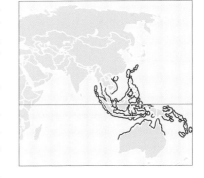

des anémones et il est même possible qu'ils n'en aient jamais vues auparavant. Si le bac est assez éclairé, vous pouvez cependant en ajouter une. Un couple de poissons-clowns finira par y élire domicile, parmi les tentacules.

Vous pouvez former un couple simplement en plaçant deux individus de la même espèce dans un bac. L'un d'eux deviendra plus gros et dominant et sera alors une femelle, tandis que l'autre restera petit et changera de sexe pour devenir un mâle soumis. Ces poissons sont rarement élevés en aquarium familial, car les alevins sont difficiles à garder en vie.

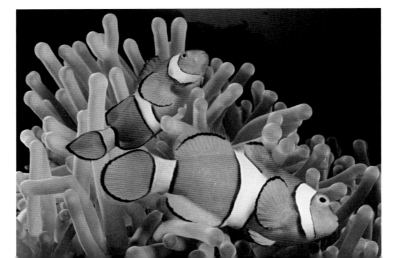

Demoiselle verte

petit • paisible • nage en banc • sans danger pour le récif

NOM SCIENTIFIQUE : *Chromis viridis* • FAMILLE : Pomacentridés • ORIGINE : Indopacifique • HABITAT NATUREL : Sommets des récifs autour d'amas de coraux, dans des courants forts • TAILLE MOYENNE ADULTE : 8 cm COULEURS : Vert-bleu avec un reflet métallique • ZONE DE VIE : Haut • ALIMENTATION : Paillettes et aliments surgelés • CORAIL : Oui • COHABITATION AVEC DES INVERTÉBRÉS : Oui • BESOINS SPÉCIFIQUES : Banc de 5 individus ou plus • DIFFICULTÉ : Faible

L'aquarium

TAILLE MINIMUM : 90 cm

COMPATIBILITÉ AVEC D'AUTRES POISSONS : Élevée

Les demoiselles vertes sont parfaits pour les aquariums récifaux : ils ne s'en prennent pas au corail et nagent toute la journée à travers le bac.

Les demoiselles sont de petits poissons qui ne devraient pas cohabiter avec des spécimens de grande taille, comme les rascasses, qui risquent de les dévorer. Évitez les poissons territoriaux, comme peuvent l'être certaines autres demoiselles, qui pourraient les attaquer. Les demoiselles vertes sont souvent élevées en banc pour un effet visuel plus impressionnant.

Il est possible de les ajouter à un bac comprenant uniquement des poissons et un banc peut même s'accommoder d'un petit bac. Une lumière vive fera ressortir leurs couleurs. Si deux ou trois individus sont élevés ensemble, il se peut qu'ils cessent de nager en banc en grandissant, aussi nous vous conseillons de toujours avoir un groupe assez nombreux.

Cette espèce convient bien aux débutants : les demoiselles vertes peuvent être les premiers poissons intégrés à un nouvel aquarium. En magasin, elles peuvent sembler bien peu exotiques par rapport à d'autres espèces aux yeux des nouveaux aquariophiles, mais elles sont pourtant les plus adaptées.

Les poissons d'eau de mer

Demoiselle à trois taches

robuste • actif • agressif • antisocial

NOM SCIENTIFIQUE : *Dasyures trimbalages* • FAMILLE : Pomicultrices • ORIGINE : Indopacifique • HABITAT NATUREL : Anémones et coraux sur récifs coralliens • TAILLE MOYENNE ADULTE : 13 cm • COULEURS : Noir avec une tache blanche sur chaque flanc et une sur le front • ZONE DE VIE : Milieu • ALIMENTATION : Paillettes et aliments surgelés • CORAIL : Oui • COHABITATION AVEC DES INVERTÉBRÉS : Oui • BESOINS SPÉCIFIQUES : Aucun • DIFFICULTÉ : Moyenne

L'aquarium

TAILLE MINIMUM : 90 cm

COMPATIBILITÉ AVEC D'AUTRES POISSONS : Moyenne

Les demoiselles à trois taches ont un taux de survie très élevé en captivité et sont en général robustes et faciles à élever, ce qui les faisait autrefois recommander aux débutants.

Les jeunes nagent ensemble en banc et offrent ainsi un spectacle assez saisissant dans le bac. En grandissant, cependant, le banc se dissout et des querelles éclatent. Un couple dominant se forme, qui détruit alors tous les autres spécimens pour pouvoir continuer à grandir. Au fur et à mesure, le couple devient de plus en plus territorial. Il se peut que la femelle ponde, ce qui rendra la vie des autres poissons du

bac encore plus difficile. Le couple ne fait que reproduire un comportement naturel en liberté, ce qui ne le rend pas très adapté à la vie en aquarium car il ne supporte aucune cohabitation.

Adultes, ces poissons peuvent atteindre 13 cm de long et sont des locataires idéaux pour de grands bacs. Faites-les cohabiter avec des poissons plus gros qui ne se laisseront pas intimider. Un couple de demoiselles à trois taches adultes n'a que très peu de valeur marchande chez les aquariophiles à cause de son comportement asocial.

Demoiselle bleue

robuste • coloré • actif • agressif

NOM SCIENTIFIQUE : *Pomacentrus caeruleus* • FAMILLE : Pomacentridés • ORIGINE : Indopacifique • HABITAT NATUREL : Sommet des récifs, où le courant et la lumière sont forts, autour des coraux • TAILLE MOYENNE ADULTE : 10 cm • COULEURS : Bleu vif • ZONE DE VIE : Milieu • ALIMENTATION : Paillettes et aliments surgelés • CORAIL : Oui • COHABITATION AVEC DES INVERTÉBRÉS : Oui • BESOINS SPÉCIFIQUES : Aucun • DIFFICULTÉ : Faible

L'aquarium

TAILLE MINIMUM : **90 cm**

COMPATIBILITÉ AVEC D'AUTRES POISSONS : Moyenne

Les demoiselles bleues font partie des grands classiques des magasins spécialisés et sont des poissons peu chers. Elles peuvent cependant se montrer agressives et se chamailler entre elles ou avec d'autres espèces, notamment les nouveaux venus.

La demoiselle ne devra être intégrée au bac qu'en dernier, une fois que les autres espèces se sont installées. Les demoiselles bleu-vert peuvent cohabi-

ter avec des poissons-anges, des chirurgiens, des papillons ou des labres, mais seront la proie des mérous et des rascasses. Elles peuvent se montrer trop agressives pour des petits gobies, car elles défendent chèrement leur territoire et pourraient être tentées de les croquer pour compléter leur alimentation. Elles ne représentent aucun danger pour les coraux et les invertébrés et peuvent être la seule espèce dans un aquarium récifal consacré aux coraux.

Bien qu'elles puissent convenir à un

aquarium exclusivement réservé aux poissons, elles préfèrent les bacs récifaux, où la roche vivante leur permet de manger de minuscules invertébrées et des algues. Elles sont faciles à nourrir et acceptent les paillettes et les aliments surgelés.

Si vous ajoutez un groupe à un bac, un couple se formera et se débarrassera des autres spécimens. Un couple de demoiselles bleu-vert pose encore plus de problèmes qu'un individu solitaire.

Les poissons d'eau de mer

Poisson-clown épineux

gros • agressif • coloré • actif

NOM SCIENTIFIQUE : *Premnas biaculeatus* • FAMILLE : Pomacentridés • ORIGINE : Indopacifique • HABITAT NATUREL : Récifs coralliens en association avec des anémones de mer • TAILLE MOYENNE ADULTE : 15 cm • COULEURS : Corps rouge avec trois bandes blanches verticales • ZONE DE VIE : Milieu • ALIMENTATION : Paillettes et aliments surgelés • CORAIL : Oui • COHABITATION AVEC DES INVERTÉBRÉS : Oui • BESOINS SPÉCIFIQUES : Anémones • DIFFICULTÉ : Moyenne

L'aquarium

TAILLE MINIMUM : 1,2 m

COMPATIBILITÉ AVEC D'AUTRES POISSONS : Moyenne

Le poisson-clown épineux, le plus gros des poissons-clowns, est d'un genre différent des autres espèces. C'est un très beau poisson qui peut être élevé seul ou en couple. Si vous souhaitez former un couple, vous n'avez qu'à ajouter un très petit poisson au bac, mais vous devez vous souvenir que ces poissons ont plus tendance à se battre que les autres espèces. Eux aussi seront plus à l'aise s'ils sont les seuls poissons-clowns du bac, car ils tenteraient de tuer tous les autres en grandissant. Les femelles deviennent beaucoup plus grosses que les mâles, qui semblent s'arrêter de grandir.

Les clowns épineux sont plus heureux s'ils ont une anémone de mer pour s'abriter. Leur espèce favorite est la *Entacmaea quadricolor*. Une fois installés dans l'anémone, les poissons-clowns vont la nourrir, la nettoyer et la défendre contre tous les intrus, vous y compris. L'eau doit être d'une bonne qualité constante pour accueillir une anémone et l'éclairage doit être puissant.

Les clowns épineux sont des poissons téméraires qui acceptent la plupart des aliments, y compris les daphnies, les mysis, les krills et certaines paillettes.

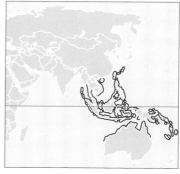

Pseudochrome de Fridman

petit • coloré • sans danger pour le récif • facile à élever

NOM SCIENTIFIQUE : *Pseudochromis fridmani* • FAMILLE : Pseudochromidés • ORIGINE : Mer Rouge • HABITAT NATUREL : Récifs coralliens verticaux • TAILLE MOYENNE ADULTE : 8 cm • COULEURS : Violet profond avec une ligne noire de la bouche aux yeux • ZONE DE VIE : Milieu • ALIMENTATION : Aliments surgelés • CORAIL : Oui COHABITATION AVEC DES INVERTÉBRÉS : Oui • BESOINS SPÉCIFIQUES : Cachettes • DIFFICULTÉ : Moyenne

L'aquarium

TAILLE MINIMUM : 90 cm

COMPATIBILITÉ AVEC D'AUTRES POISSONS : Moyenne

Les pseudochromes sont des petits poissons colorés originaires de la mer Rouge. Ils peuvent être élevés seuls, en couple ou en groupe et ils se reproduisent assez facilement en captivité. Il se peut qu'ils pondent dans votre aquarium ; les alevins alors auront besoin d'une attention toute particulière car ils sont pélagiques (voir p. 209) et requièrent une nourriture adaptée.

Les adultes apportent beaucoup à un aquarium récifal et peuvent cohabiter avec d'autres petits poissons de récif ou de gros poissons peu turbulents, comme les chirurgiens jaunes (*Zebrasoma flavescens*, p. 207). Ils acceptent une grande variété de nourriture, comme les daphnies, les mysis et les cyclopes et complètent eux-mêmes leur alimentation en mangeant des copépodes sur les rochers. Le bac doit être mature et contenir beaucoup de roches vivantes. Le corail et les invertébrés ne courent absolument aucun danger avec ces poissons.

Le pseudochromis rose (*Pseudochromis porphyreus*) ressemble beaucoup au pseudochromis de Fridman, mais il est cependant un peu plus rose et n'a pas de ligne noire sur les yeux. C'est une espèce bien plus agressive et territoriale.

Poisson-zèbre

prédateur • timide • camouflage • venimeux

NOM SCIENTIFIQUE : *Dendrochirus brachypterus* • FAMILLE : Scorpaenidés • ORIGINE : Indopacifique • HABITAT NATUREL : Récifs coralliens, en association avec les coraux, les éponges et les algues pour le camouflage TAILLE MOYENNE ADULTE : 15 cm • COULEURS : Taches brunes avec moucheture rouges sur le corps et les nageoires • ZONE DE VIE : Milieu • ALIMENTATION : Aliments surgelés, poissons • CORAIL : Oui • COHABITATION AVEC DES INVERTÉBRÉS : Non • BESOINS SPÉCIFIQUES : Cachettes • DIFFICULTÉ : Moyenne

Les poissons d'eau de mer

L'aquarium

TAILLE MINIMUM : 90 cm

COMPATIBILITÉ AVEC D'AUTRES POISSONS : Moyenne

Le poisson-zèbre est une rascasse qui peut paraître un peu plus attachante que ses comparses, mais qui est pourtant pourvue d'une grande bouche et d'épines venimeuses sur le dos. Adulte, ce poisson mesure environ 15 cm de long et est alors en mesure d'avaler la plupart des poissons récifaux, y compris les poissons-clowns.

Lorsqu'ils sont petits, nourrissez les poissons-zèbres de krills et de mysis en plaçant la nourriture devant le filtre afin que le courant les entraîne à travers tout l'aquarium. Ainsi, les poissons croiront avoir affaire à de la nourriture vivante. Les plus gros spécimens apprécient la blanchaille décongelée et les éperlans, qui devront être agités à l'aide de pinces dans l'aquarium, pour encourager les poissons à se nourrir. Si un nouvel arrivant refuse de se nourrir, proposez-lui des écrevisses surgelées puis vivantes s'il refuse les premières.

Lorsque vous effectuez la maintenance du bac, assurez-vous de toujours savoir où se trouve ce poisson. Le poisson-zèbre peut se tapir dans des recoins rocheux et rester invisible jusqu'au dernier moment. Le venin arrête d'agir dans l'eau chaude : en cas de piqûre, plongez votre main dans un récipient d'une eau aussi chaude que vous pouvez le supporter.

Rascasse volante

gros • prédateur • venimeux • impressionnant

NOM SCIENTIFIQUE : *Pterois volitans* • FAMILLE : Scorpaenidés • ORIGINE : Indopacifique • HABITAT NATUREL : Récifs coralliens • TAILLE MOYENNE ADULTE : 35 cm • COULEURS : Rayures verticales marron et blanches et stries sur tout le corps • ZONE DE VIE : Milieu • ALIMENTATION : Aliments surgelés, poissons (pas de poissons vivants) • CORAIL : Oui • COHABITATION AVEC DES INVERTÉBRÉS : Non • BESOINS SPÉCIFIQUES : Espace • DIFFICULTÉ : Moyenne

L'aquarium

TAILLE MINIMUM : 1,8 m

COMPATIBILITÉ AVEC D'AUTRES POISSONS : Moyenne

La rascasse volante est un grand poisson qui a besoin d'un aquarium spacieux pour nager. L'envergure de ses nageoires est aussi large que son corps est long. Cette particularité lui permet de rabattre les petits poissons dans un coin avant de les dévorer à la vitesse de l'éclair.

Ces poissons sont élevés en aquarium depuis des décennies et posent peu de problèmes. Cependant, vous aurez peut-être quelques difficultés à faire manger un nouvel arrivant. Essayez de lui proposer des krills, des mysis, de la blanchaille, des éperlans ou même des crevettes entières décongelées, s'il est plus gros. Si vous donnez des poissons entiers à votre rascasse volante, nourrissez-la tous les deux jours, car c'est un repas très nourrissant.

Une rascasse volante en bonne santé grandit vite et nage au milieu loin du décor.

Prenez garde lorsque vous mettez vos mains dans le bac car, si elle se sent menacée, la rascasse se précipitera sur vous, avec ses épines venimeuses en avant. Si vous vous faites piquer, plongez immédiatement la zone affectée dans de l'eau très chaude. Les gens réagissent différemment au venin. Cependant, si vous avez le moindre doute, consultez un médecin.

Poisson-scorpion feuille

calme • prédateur • camouflage • venimeux

NOM SCIENTIFIQUE : *Taenianotus triacanthus* • FAMILLE : Scorpaenidés • ORIGINE : Indopacifique • HABITAT NATUREL : Récifs coralliens, à proximité d'éponges et de macro-algues • TAILLE MOYENNE ADULTE : **10 cm** • COULEURS : Jaune, vert ou rose vif • ZONE DE VIE : **Fond** • ALIMENTATION : **Poissons** • CORAIL : **Oui** • COHABITATION AVEC DES INVERTÉBRÉS : **Non** • BESOINS SPÉCIFIQUES : **Perchoirs** • DIFFICULTÉ : **Moyenne**

L'aquarium

TAILLE MINIMUM : **90 cm**

COMPATIBILITÉ AVEC D'AUTRES POISSONS : Faible

Le poisson-scorpion feuille est un prédateur qui évolue avec lenteur et se sert de son camouflage pour capturer ses proies. On peut en trouver des roses, des verts ou des jaunes, ce qui leur permet de se fondre dans un décor d'éponges et d'algues sur des rochers.

Ils peuvent être élevés en aquarium récifal mais ils dévoreront les petits poissons et les crevettes. Ne les faites pas cohabiter avec des poissons turbulents qui pourraient leur voler leur nourriture. Il se peut que les poissons-scorpions feuille refusent de manger au début et vous devrez peut-être leur proposer des écrevisses vivantes avant

qu'ils n'acceptent de manger de la blanchaille surgelée. Nourrissez-les un jour sur deux. Ce sont des poissons très fins qui vous paraîtront compressés même après un planureux repas.

Le bac peut simplement contenir des roches vivantes et un écumeur de protéines. Un grand aquarium n'est pas nécessaire car ce poisson ne se déplace pas beaucoup.

Lorsqu'il est perché sur un rocher, avec ses nageoires dorsales dressées, il offre un spectacle saisissant.

Attention !

Ce poisson est venimeux.

Mérou à hautes voiles

gros • prédateur • robuste • gracieux

NOM SCIENTIFIQUE : *Cromileptes altivelis* • FAMILLE : Serranidés • ORIGINE : Indopacifique • HABITAT NATUREL : Récifs coralliens • TAILLE MOYENNE ADULTE : 50 cm • COULEURS : Corps et nageoires blancs avec des points noirs ZONE DE VIE : Milieu • ALIMENTATION : Aliments surgelés consistants, poissons • CORAIL : Oui • COHABITATION AVEC DES INVERTÉBRÉS : Non • BESOINS SPÉCIFIQUES : Grand aquarium • DIFFICULTÉ : Moyenne

L'aquarium

TAILLE MINIMUM : 1,8 m

COMPATIBILITÉ AVEC D'AUTRES POISSONS : Moyenne

Ce poisson à la bouche énorme peut atteindre 50 cm de long et nécessite un engagement à long terme, ainsi qu'un investissement substantiel en équipement pour l'élever dans de bonnes conditions.

Équipez le bac d'un large écumeur de protéines et renouvelez l'eau de façon régulière car ce poisson produit beaucoup de déchets.

C'est un nageur lent et gracieux qui peut être du plus bel effet dans un bac adapté. Nourrissez-le de coques, moules, crevettes et blanchaille un jour sur deux seulement lorsqu'il a atteint sa taille adulte.

Il peut cohabiter avec d'autres gros poissons, comme les poissons-anges, les poissons chauve-souris, les rascasses, les murènes, les souffleurs épineux et même de petits requins. Il n'apprécie cependant pas beaucoup ses propres congénères et préfère mener une existence solitaire.

Le mérou à hautes voiles est facile à élever et n'est pas très exigeant, mais il vous sera difficile de revendre ou de donner un spécimen adulte. Réfléchissez bien avant d'en acheter un, pour savoir si vous êtes en mesure de lui assurer de bonnes conditions de vie sur le long terme.

Attention !

Ce poisson grandit beaucoup.

Barbier rouge

actif • coloré • vit en banc • exigeant

NOM SCIENTIFIQUE : *Pseudanthias squamipinnis* • FAMILLE : Serranidés • AUTRES NOMS : Barbier rouge à queue de lyre ; anthias ; poisson-barbier • ORIGINE : Indopacifique • HABITAT NATUREL : Récifs coralliens, près des coraux dans des courants puissants • TAILLE MOYENNE ADULTE : 10 cm • COULEURS : Les femelles sont ambrées ; les mâles sont rouges et développent une coloration rose sur les flancs • ZONE DE VIE : Haut • ALIMENTATION : Aliments surgelés • CORAIL : Oui • COHABITATION AVEC DES INVERTÉBRÉS : Oui • BESOINS SPÉCIFIQUES : Vie en groupe • DIFFICULTÉ : Élevée

Les poissons d'eau de mer

L'aquarium

TAILLE MINIMUM : 1,5 m

COMPATIBILITÉ AVEC D'AUTRES POISSONS : Élevée

Le barbier, encore connu sous le nom d'anthias, est un très beau poisson de banc qui évolue sur les récifs coralliens de l'océan Indien et Pacifique.

Le barbier rouge est l'espèce la plus répandue, mais ils n'est malheureusement pas facile à élever, même si certains aquariophiles y parviennent. La principale difficulté concerne la nourriture. En liberté, ces poissons se nourrissent en permanence de nourritures microscopiques flottant dans l'eau. En aquarium, il faut les nourrir quatre fois par jour minimum d'un mélange de daphnies, mysis, cyclopes et krills, mixé quelques secondes afin d'être

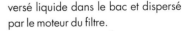

versé liquide dans le bac et dispersé par le moteur du filtre.

Ils apprécient un fort courant et les systèmes de filtration modernes très puissants leur conviendront mieux, car vous pourrez contrôler en permanence les paramètres.

Les mâles sont plus gros que les femelles. Ces poissons doivent être élevés en groupe de plusieurs femelles pour un mâle. En banc, ils offrent un spectacle époustouflant.

Attention !

Cette espèce ne convient pas aux débutants.

Serran tigré

paisible • coloré • vit en banc • sans danger pour le récif

NOM SCIENTIFIQUE : *Serranus tortugarum* • FAMILLE : Serranidés • ORIGINE : Atlantique ouest • HABITAT NATUREL : Sommet des récifs • TAILLE MOYENNE ADULTE : 8 cm • COULEURS : Bleu clair avec des rayures verticales rouges et un ventre bleu pastel • ZONE DE VIE : Milieu • ALIMENTATION : Aliments surgelés • CORAIL : Oui • COHABITATION AVEC DES INVERTÉBRÉS : Oui • BESOINS SPÉCIFIQUES : Aucun • DIFFICULTÉ : Moyenne

L'aquarium

TAILLE MINIMUM : 90 cm

COMPATIBILITÉ AVEC D'AUTRES POISSONS : Élevée

Les serrans tigrés sont des poissons sans danger pour les récifs qui conviendront à la plupart des bacs.

Lorsqu'ils sont ajoutés à un aquarium, il est possible qu'ils commencent par se cacher pendant quelques jours mais, une fois acclimatés, ils nageront en permanence au milieu du bac. Ils sont susceptibles de sauter lorsqu'ils sont effrayés : ne faites aucun mouvement brusque devant l'aquarium.

Ils doivent être nourris de mysis et de krills surgelés et mangeront aussi les crustacés d'ornement, même s'ils sont en général bien élevés. Ils sont susceptibles de contracter une maladie appelée exophtalmie, si bien que nous vous conseillons de surveiller de près la qualité de l'eau. Une période de quarantaine doit être observée pour tout nouveau spécimen.

Ne faites pas cohabiter les serrans tigrés avec des poissons turbulents. Ils sont, en revanche, compatibles avec presque toutes les autres espèces. Ils apprécieront un aquarium récifal avec beaucoup de roches vivantes plutôt qu'un bac réservé aux poissons et peu décoré. Ils ne représentent aucun danger pour les coraux et ne brouteront pas la roche, préférant se nourrir en pleine eau.

Poisson-renard

gros • alguivore • nerveux • venimeux

NOM SCIENTIFIQUE : *Siganus vulpinus* • FAMILLE : Siganidés • ORIGINE : Pacifique sud-ouest • HABITAT NATUREL :
Rochers et récifs coralliens • TAILLE MOYENNE ADULTE : 25 cm • COULEURS : Corps jaune vif avec une tête rayée
de noir et blanc • ZONE DE VIE : Milieu • ALIMENTATION : Algues, aliments surgelés • CORAIL : Oui
COHABITATION AVEC DES INVERTÉBRÉS : Oui • BESOINS SPÉCIFIQUES : Algues pour brouter • DIFFICULTÉ : Moyenne

Les poissons d'eau de mer

L'aquarium

TAILLE MINIMUM : 1,5 m
COMPATIBILITÉ AVEC D'AUTRES POISSONS :
Moyenne

Ce poisson appartient à la famille des Siganidés, aussi connus sous le nom de poisson-lapins, en raison de leurs dents en formes d'incisives qui leur permettent de brouter les algues. Le poisson-renard est souvent intégré à un bac récifal à cause de cette spécialité. Les nouveaux aquariums regorgent en général d'algues envahissantes et l'aquariophile peut faire appel à divers poissons et invertébrés pour l'aider à s'en débarrasser.

Il grandit beaucoup et nécessite un bac spacieux et plein de roches vivantes pour brouter et rester en bonne santé. Il est préférable de l'élever seul parmi des poissons d'autres espèces. Nourrissez-le fréquemment.

Lorsqu'il a peur, le poisson-renard peut faire une attaque, ce qui est toujours impressionnant la première fois : son corps paraît sans vie et change de couleur pour ressembler à celui d'un poisson en putréfaction. Le poisson flotte alors sur le côté, toutes nageoires dressées. Ce comportement est un avertissement : les poissons-lapins ont sur leur nageoire dorsale des épines venimeuses, qui les protègent même des requins.

Attention !
Cette espèce est venimeuse.

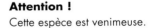

Poisson-flûte

original • actif • intéressant • sensible

NOM SCIENTIFIQUE : *Corythoichthys intestinalis* • FAMILLE : Syngnathidés • ORIGINE : Pacifique sud-ouest
HABITAT NATUREL : Gravats de coraux ou coraux brisés aux pieds du récif • TAILLE MOYENNE ADULTE : 18 cm
COULEURS : Corps blanc et jaune avec des bandes verticales vertes • ZONE DE VIE : Fond • ALIMENTATION :
Aliments surgelés et vivants • CORAIL : Oui • COHABITATION AVEC DES INVERTÉBRÉS : Oui • BESOINS SPÉCIFIQUES :
Bac à part • DIFFICULTÉ : Élevée

L'aquarium

TAILLE MINIMUM : 90 cm

COMPATIBILITÉ AVEC D'AUTRES POISSONS :
Faible

Les poissons-flûtes sont de la même famille que les hippocampes et il en existe de nombreuses espèces. On les trouve parfois en magasin spécialisé mais ils peuvent également être commandés. Ils vivent dans les débris ou les branches de corail dur cassées par les tempêtes qui forment un réseau intriqué dans lequel le poisson-flûte se sent très à l'aise. Évitez les spécimens trop minces.

Pour élever un poisson-flûte dans de bonnes conditions, prévoyez un bac de 90 cm avec un puisard pour servir de refuge. Ajoutez quelques morceaux de roches vivantes, que vous placerez au hasard au fond du bac. Laissez le bac devenir mature jusqu'à ce qu'il grouille de petits insectes et invertébrés. Ajoutez un couple ou un groupe de poissons-flûtes sans aucun autre poisson (pas même des hippocampes, qui

sont trop lents) et observez leurs mouvements complexes et leur comportement de séduction. Les mâles ont une poche où sont déposés les œufs fertilisés jusqu'à l'éclosion.

Cette espèce est assez difficile à élever. Si les poissons refusent de se nourrir, il vous faudra peut-être leur donner des aliments vivants, comme les mysis ou les écrevisses. Ce sont des poissons marins spécialisés, mais leur élevage peut être très gratifiant, si vous êtes prêt à quelques efforts.

Attention !
Ne convient pas aux débutants.

Les poissons d'eau de mer

Hippocampe

original • nageur lent • sensible • exigeant

NOM SCIENTIFIQUE : *Hippocampus reidi* • FAMILLE : Syngnathidés • ORIGINE : Antilles • HABITAT NATUREL : Eaux peu profondes et zones paisibles comme des lagons avec plantes aquatiques • TAILLE MOYENNE ADULTE : 15 cm
COULEURS : Jaune la plupart du temps, mais la couleur peut changer selon l'humeur • ZONE DE VIE : Fond
ALIMENTATION : Mysis • CORAIL : Oui • COHABITATION AVEC DES INVERTÉBRÉS : Oui • BESOINS SPÉCIFIQUES :
Aquarium à part • DIFFICULTÉ : Élevée

L'aquarium

TAILLE MINIMUM : 90 cm
COMPATIBILITÉ AVEC D'AUTRES POISSONS :
Faible

Les hippocampes sont reconnaissables au premier coup d'œil à leur forme. Ils sont souvent très recherchés par les aquariophiles marins, même si nombre d'entre eux ne se rendent pas compte de la difficulté que peut représenter l'élevage des hippocampes.

Premièrement, ils vivent dans un environnement marin différent de la plupart des autres poissons tropicaux marins. Leur habitat naturel se trouve dans des lagons paisibles avec de riches macro-algues et moins de courant qu'autour des récifs. On y trouve également moins de zones rocheuses et plus d'étendues de sables couvertes de plantes aquatiques. Les hippocampes s'accrochent aux plantes avec leur queue préhensile et aspirent les petites crevettes. Votre aquarium doit donc reproduire l'environnement de ces lagons, avec un peu de courant et beaucoup d'algues.

Les hippocampes préfèrent être élevés seuls car ils sont lents à trouver de la nourriture et à la manger. Nourrissez-les en mysis (jusqu'à 60 par jour et par adulte). Des spécimens nés en captivité acceptent parfois des aliments surgelés. Les systèmes de filtration moderne qui disposent d'un refuge et produisent des nourritures vivantes peuvent être très appréciables.

Les mâles portent les jeunes dans une poche. Un hippocampe en bonne santé est jaune.

Attention !

Ne convient pas aux débutants.

Idole mauresque

étonnant • sensible • exigeant • cher

NOM SCIENTIFIQUE : *Zanclus cornutus* • FAMILLE : Zanclidés • ORIGINE : Indopacifique • HABITAT NATUREL : Récifs coralliens • TAILLE MOYENNE ADULTE : 25 cm • COULEURS : Sections verticales noires, jaunes et blanches réparties sur le corps • ZONE DE VIE : Milieu • ALIMENTATION : Aliments surgelés • CORAIL : Non • COHABITATION AVEC DES INVERTÉBRÉS : Oui • BESOINS SPÉCIFIQUES : Excellente qualité d'eau ; régime alimentaire adapté • DIFFICULTÉ : Élevée

L'aquarium

TAILLE MINIMUM : 1,5 m

COMPATIBILITÉ AVEC D'AUTRES POISSONS : Moyenne

L'idole mauresque fait partie des quelques espèces qui supportent très mal la vie en captivité.

La difficulté survient lorsqu'il s'agit de nourrir ces poissons car ils refusent souvent de manger. En liberté, ils se nourrissent d'éponges, mais aucun bac contenant des roches vivantes ne pourra leur fournir la quantité de nourriture demandée. Certains acceptent les écrevisses, les mysis et les krills mais semblent néanmoins décliner. Les nouveaux gels alimentaires spéciaux récif peuvent les aider à survivre, car ils peuvent être assemblés en petites boulettes collées ensuite sur les rochers et dans les crevasses. La plupart des aquariophiles devraient se détourner de cette espèce, s'ils la voient en magasin.

Les puristes affirmeront qu'un poisson avec un taux de survie si bas ne devrait pas être importé ; cependant, l'aquariophilie marine a fait beaucoup de progrès et une meilleure compréhension des besoins de l'espèce pourrait permettre plus de succès dans le futur.

Attention !

Cette espèce ne convient pas aux débutants.

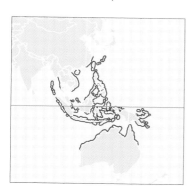

Index

Index/Remerciements

Remerciements

Natural Visions/Heather Angel 20, 64, 80, 91, 109, 121, 193, 227, 246, 250, Ian Took 219, Keith Sagar 207, 210, 213.
Aqua Press 10, 12, 27, 35, 44, 46, 47, 49, 51, 53, 54, 58, 65, 66, 67, 84, 94, 120, 123, 130, 137, 142, 148, 151, 159, 160, 165, 171, 172, 173, 174, 175, 176, 179 en haut à droite, 179 bas, 182, 185, 187, 189, 195, 196, 200, 201, 223, 229, 234, 239, 241.
Ardea. com/Brian Bevan 126, Jean Michel Labat 56, 101, 145, 191, 225 186, Pat Morris 156, Ron & Valerie Taylor 214, 215, 251.
Getty Images/Darryl Torckler 202, 238.
Iggy Tavares 30 en bas à droite, 34, 41, 50, 52, 81, 100, 105, 147, 149, 150, 169, 170, 194, 197, 198, 205, 217, 218, 222, 231, 233, 237, 244.
Neil Hepworth 1, 8 en bas à droite, 9, 11, 14, 17 centre droit, 17 en bas à droite, 19, 24, 25, 26, 39, 59, 68, 71, 73, 79, 83, 88, 89, 90, 92, 93, 96, 97, 102, 103, 110, 113, 115, 116, 117, 131, 138, 152, 161, 164, 204, 206, 209, 211, 230, 242. N.H.P.A.Lutra 31, 42.

Oxford Scientific Films/Max Gibbs 3-4, 7, 8 centre droit, 32, 33, 36, 37, 38, 40, 57, 60, 61, 62, 63, 69, 70, 72, 74, 75, 77, 86, 87, 95, 98, 99, 104, 106, 108, 111, 112, 114, 118, 119, 122, 125, 128, 129, 132, 133, 134, 135, 136, 139, 140, 141, 143, 144, 153, 154, 155, 157, 158, 162, 163, 167, 168, 177, 178, 180, 181, 184, 188, 192, 199, 203, 208, 216, 220, 221, 224, 226, 232, 235, 236, 240, 243, 247, 249, Peter Gathercole 48, 55, 76, 124, 146, 183, 245, Steffen Hauser 212, Zig Leszcynski 78, David Fleetham 2-3, 107, 248, 253.
www. photomax.org.uk 19, 82, 85, 45.
Science Photo Library/David Hall 252.
Zhou Hang 127.

Editeur : Trevor Davies
Secrétariat d'édition : Kate Tuckett, Fiona Robertson
PAO : OME Design
Chef de fabrication : Nigel Reed
Recherche iconographique : Aruna Mathur